Joanna Wylde vit à Cœur d'Alene dans l'Idaho. Après la publication de son premier roman en 2002, *The Price of Pleasure*, elle s'est consacrée au journalisme. En 2013, elle est revenue à la fiction avec *Possesseur*, le premier tome de la série *Reapers Motorcycle Club*.

Ce livre est également disponible
au format numérique

www.milady.fr

Joanna Wylde

Possesseur

Reapers Motorcycle Club – 1

Traduit de l'anglais (États-Unis) par Marianne Richard

Milady Romance

Milady est un label des éditions Bragelonne

Titre original : *Reaper's Property*
Copyright © 2013 Joanna Wylde

© Bragelonne 2015, pour la présente traduction

ISBN : 978-2-8112-1483-8

Bragelonne – Milady
60-62, rue d'Hauteville – 75010 Paris

E-mail : info@milady.fr
Site Internet : www.milady.fr

Je souhaite exprimer ma reconnaissance à ma rédactrice en chef et éditrice, Gaelene Gorlinsky, qui a toujours cru en moi, ainsi qu'à Mary et à Alicia, mes toutes premières lectrices. Merci également à mon mari, soutien indéfectible de tous mes efforts créatifs. Et, enfin, je tiens à remercier tout particulièrement ma première éditrice, Martha Punches, qui m'a toujours encouragée à poursuivre mon activité d'écriture, même si pendant des années j'ai complètement laissé tomber. Martha, tu avais raison à propos des verbes au prétérit progressif. Et, bien sûr, j'avais tort.

Chapitre premier

Eastern Washington, Yakima Valley
17 septembre – Présent

Marie

Putain, y avait des motos devant le mobil-home.

Trois Harley, et un gros pick-up marron que je n'avais jamais vu.

Heureusement que j'étais passée par l'épicerie en rentrant. La journée avait déjà été assez longue comme ça, et je n'avais pas du tout envie de courir retourner faire des courses, même si les mecs, c'est bien connu, ça a toujours la dalle. Jeff ne m'avait pas filé de thunes pour la bière, et, avec ses problèmes d'argent, je ne me voyais pas insister. Pour un type qui a décidé de passer sa vie à fumer de l'herbe devant sa console de jeux, mon frère Jeff avait fait beaucoup pour moi ces trois derniers mois. Je lui devais une fière chandelle, il ne fallait pas l'oublier.

J'avais déjà chopé un peu de bière et de la viande hachée en promo parce que j'avais prévu de nous faire un truc simple pour nous deux, des hamburgers, des petits pains et des frites, mais, heureusement, je cuisine toujours plus, histoire qu'il y ait des restes. Et avec le melon que Gabby m'avait filé – elle l'avait ramassé le week-end dernier à Hermiston –, plus la grosse salade de pommes de terre en prévision du repas de demain avec les collègues après le boulot, ça allait le faire. Même si, évidemment, il faudrait que je me couche plus tard pour préparer une autre salade. Mais j'en avais vu d'autres.

J'ai souri, heureuse que, pour une fois, il y ait un truc qui ne merde pas dans ma vie. En moins d'une minute, j'avais conçu un menu, pas de la grande cuisine, c'est clair, mais rien qui puisse foutre la honte à Jeff.

Je me suis garée à côté des motos, en faisant attention à laisser assez d'espace entre elles et ma voiture. Les Reapers m'avaient terrorisée la première fois qu'ils étaient passés par là. En même temps, c'est normal. Avec leurs corps recouverts de tatouages et leurs vestes d'écussons, ils avaient des looks de criminels. Ils juraient et picolaient, sans compter qu'ils étaient grossiers et carrément lourds, mais, malgré tout, ils n'avaient jamais rien piqué ou démoli. Jeff m'avait mise en garde des dizaines de fois ; pourtant, il les considérait comme ses potes. À mon avis, il exagérait question danger, enfin, en partie. Ce que je veux dire, c'est que Horse était redoutable, qu'il soit criminel ou non.

Bref, je crois que Jeff s'occupait de leur site Internet, ou un truc du genre. Il bossait pour eux, quoi. Ça m'avait étonnée qu'un club de moto ait besoin d'un site Internet, mais, quand j'avais posé la question à Jeff, il m'avait dit de ne pas insister.

Ensuite, il s'était barré au casino pendant deux jours.

Après être descendue de voiture, je suis allée prendre les courses dans le coffre, appréhendant presque de trouver la moto de Horse alignée près des autres. Je crevais d'envie de le voir, mais, en même temps, je n'étais pas sûre de savoir quoi lui dire, vu qu'il n'avait même pas pris la peine de répondre à mes textos. De toute façon, c'était plus fort que moi : il fallait que je vérifie s'il était là. Du coup, j'ai pris les courses et je suis allée jeter un œil aux motos avant d'entrer.

Je n'y connais pas grand-chose en bécanes, mais la sienne, j'aurais pu la reconnaître entre mille. Énorme, noire et racée, rien à voir avec les engins rutilants et décorés que l'on croise sur les autoroutes. Un truc énorme et rapide, avec de monstrueux pots d'échappement, et d'une virilité limite indécente.

La monture était presque aussi belle que le mec qui la chevauchait. Presque.

Mon cœur s'est arrêté lorsque je l'ai vue, tout au bout de la rangée. J'avais envie de la toucher, de vérifier si le cuir du siège était aussi doux que dans mon souvenir. Mais je n'étais pas assez tarée pour faire ça. Je n'en avais pas le droit. Ni même celui d'être excitée à l'idée de voir Horse. Pourtant, ça m'a rendue nerveuse de le savoir chez moi, dans mon mobil-home. Entre nous, c'était un peu compliqué. Et si, pendant un temps on aurait pu croire qu'il était mon petit ami, la dernière fois que je l'avais vu il m'avait carrément foutu les jetons.

Ce mec me faisait en même temps flipper et mouiller comme une dingue.

Grand, musclé, des cheveux mi-longs qu'il attachait en queue-de-cheval, et une barbe de trois jours épaisse et sombre. Autour des poignets et des biceps, il avait des tatouages tribaux au design épuré. Quant à son visage… Horse était canon, beau comme un acteur de Hollywood. Toutes les femmes devaient être à ses pieds. Et, pour avoir passé plus d'une nuit dans ses bras, j'étais bien placée pour savoir que cette beauté se continuait aussi au-dessous de la ceinture. À cette pensée, je suis partie dans un sérieux fantasme, nous impliquant, lui, moi, un lit et du sirop de chocolat.

J'en bavais déjà.

Merde ! Le dessert. Il me fallait un dessert pour ce soir. Horse adorait les sucreries. Peut-être qu'il restait des pépites de chocolat. Ou, alors, je pourrais faire des cookies, j'avais juste besoin de beurre. *Je vous en prie, faites qu'il ne soit pas en colère contre moi*, me suis-je mise à prier silencieusement, même si j'étais presque sûre que le bon Dieu, il n'en avait rien à foutre des prières dans lesquelles une promesse de fornication jouait le rôle principal. En arrivant devant la porte, j'ai fait glisser tous mes sacs de courses sur mon bras droit pour pouvoir tourner la poignée. Je suis entrée et j'ai jeté un œil dans le salon.

Et là j'ai hurlé.

Mon petit frère était agenouillé au centre de la pièce, sérieusement amoché et dégoulinant de sang sur le tapis. Quatre types du gang des Reapers étaient debout autour de lui. Picnic, Horse, plus deux que je n'avais jamais vus : une armoire à glace avec une crête, des tatouages sur le crâne et des centaines de piercings, et un grand type tout en muscles, aux cheveux blond clair hérissés. Horse m'a observée avec cet air calme et presque absent qu'il avait la première fois que nous nous sommes rencontrés. Le détachement incarné.

Picnic, lui aussi, m'a observée. Il était grand, avec des cheveux bruns et courts, coiffure un peu trop stylée pour un biker, et des yeux bleu vif qui savaient transpercer les filles. Je l'avais déjà croisé à trois ou quatre reprises. Président du club, il avait un humour ravageur et portait toujours sur lui des photos de ses filles, deux ados, qu'il montrait dès que l'occasion se présentait. La dernière fois qu'il était venu, il m'avait aidée à écosser du maïs.

Détail important : il se tenait juste derrière mon frère, flingue pointé sur sa nuque.

— Tu as fait ce qu'il fallait, Marie, a dit Jeff.

Il tenait une poche de glace contre ma joue.

— Cet enculé mérite de crever, a-t-il poursuivi. Tu regretteras jamais de l'avoir quitté. Tu peux me croire.

— Je sais, ai-je répondu, d'un air malheureux.

Il n'avait pas tort. Ça fait un bail que j'aurais dû le quitter, Gary. On s'était rencontrés au lycée, mariés à dix-neuf ans, et, avant d'en avoir vingt, je savais déjà que j'avais fait la connerie de ma vie. Il m'avait fallu attendre ce jour, cinq ans après, pour me rendre compte à quel point c'était vraiment une putain de connerie.

Aujourd'hui, il m'avait envoyé un aller et retour dans la gueule.

Ça avait suffi pour me décider à faire ce que je n'avais pas réussi à faire jusque-là. En moins de dix minutes, j'avais balancé mes fringues dans une valise et quitté ce connard, une pauvre brute qui passait son temps à me tromper.

— D'un côté, je suis contente qu'il ait fait ça, ai-je fini par avouer.

J'avais les yeux rivés sur la table en Formica, toute rayée, de ce mobil-home qui appartenait à ma mère. Ma mère, qui, en ce moment, s'offrait un petit séjour détente en taule. La vie était loin d'être simple, pour ma mère.

Jeff était sur le cul.

— Putain, Marie ! Tu vas pas bien dans ta tête ? Comment tu peux dire ça ?

Mon frère n'avait rien d'un poète, c'est clair, mais il m'aimait.

— J'aurais dû réagir bien avant. Je crois même que, s'il ne m'avait pas frappée, je serais restée avec lui toute ma vie. Je dirais que ça m'a ouvert les yeux. Tout d'un coup, je ne flippais plus du tout de le quitter, et ça m'est complètement égal maintenant. Sincèrement, Jeff, je m'en balance total. Qu'il garde tout si ça lui fait plaisir, les meubles, la chaîne, tout ça, c'est de la merde. Je suis bien trop contente de m'être barrée.

Il a montré le mobil-home d'un geste de la main.

— Ben, sache que tu peux rester ici tant que tu voudras, a-t-il dit.

C'était petit et humide, et ça sentait l'herbe et le linge sale, mais ici, au moins, je me sentais en sécurité. C'est là que j'avais grandi, et, même si ce n'était pas l'idéal pour deux mômes dans la misère dont le père s'était barré avant même qu'ils soient en âge de rentrer à l'école primaire, ç'aurait pu être bien pire.

Enfin, jusqu'à ce que maman se bousille le dos et se mette à picoler. Ça a été le début de la fin. J'ai jeté un œil au mobil-home, pensive, en me demandant comment on allait s'en sortir.

13

— J'ai plus une thune, ai-je déclaré. Je peux pas t'aider pour le loyer. Enfin, pas avant que j'aie trouvé un boulot. C'est Gary qui tenait les cordons de la bourse.

Jeff a secoué la tête en s'exclamant :

— Putain, Marie, qu'est-ce que tu racontes ? Un loyer ? Quel loyer ? Ici, c'est aussi chez toi. Peut-être que c'est un vrai trou à rats, mais, au moins, c'est le nôtre. Pas question de payer un loyer.

Je lui ai souri, et, cette fois, c'était un vrai sourire. Jeff était peut-être un camé qui passait la majorité de son temps sur sa console de jeux, mais il avait du cœur. Tout à coup, j'ai ressenti pour lui une bouffée d'amour impossible à réprimer. J'ai laissé tomber la poche de glace pour me jeter sur lui et le serrer très fort dans mes bras. Un peu pataud, il a répondu à cet assaut de tendresse, même si je voyais bien qu'il était tout gêné, limite effrayé.

Dans la famille, on n'était pas du genre câlins.

— Je t'aime, Jeff, ai-je dit.

— Heu… ouais, a-t-il marmonné.

Puis il s'est éloigné de moi, un peu nerveux mais souriant. Il est allé vers le bar et a sorti d'un tiroir une petite pipe en verre et un sac d'herbe.

— Ça te dit ? a-t-il proposé.

C'est clair, il m'aimait vraiment, sinon il ne m'aurait jamais offert de l'herbe. Je me suis marrée et j'ai refusé.

— Je passe. Demain matin, je commence à chercher du taf. Il ne manquerait plus que je rate le contrôle antidopage.

Il a haussé les épaules avant de rejoindre le salon – qui faisait aussi office de salle à manger, d'entrée et de couloir – et de s'asseoir dans le canapé. À peine deux secondes plus tard, son énormissime écran télé, tressautant, reprenait vie. Il a zappé quelques instants jusqu'à ce qu'il tombe sur des combats de catch, pas le sport officiel, non, mais ce genre de combat où les types portent de drôles de costumes et où on a l'impression d'être devant une sitcom à deux balles. J'imagine que Gary, lui aussi, devait se trouver devant la même chaîne dans notre maison. Ça ne m'aurait pas étonnée. Jeff a tiré deux lattes sur sa pipe avant de la reposer avec son briquet préféré, un Zippo avec une tête de mort, sur la table basse. Ensuite, il a pris son ordi portable et l'a ouvert.

J'ai esquissé un sourire.

Question ordis, Jeff avait toujours su se démerder. Je n'ai pas la moindre idée de ce qu'il faisait pour gagner sa vie, mais j'imagine qu'il en faisait le moins possible, juste assez pour ne pas crever la dalle. La plupart des gens, Gary y compris, le prenaient pour un loser. Peut-être bien. Mais moi, je m'en foutais, parce que chaque fois que j'avais eu besoin de lui il avait toujours été là pour moi.

Et je serai toujours là pour lui.

C'est ce que je m'étais promis, en commençant par remettre de l'ordre dans le mobil-home et par lui acheter de la nourriture digne de ce nom. On aurait dit qu'il se nourrissait exclusivement de pizzas, de Cheetos et de beurre de cacahuètes.

Certains trucs ne changent jamais.

Nettoyer le mobil-home n'a pas été une mince affaire, mais ça me faisait plaisir de le faire. Bien sûr, maman me manquait, mais je dois dire qu'au fond de moi, en tout cas, je trouvais cet endroit bien plus confortable sans elle. Elle cuisinait comme un pied, n'ouvrait jamais les stores et ne tirait jamais la chasse.

En fait, il suffisait qu'elle s'occupe d'un truc pour que ça vire au drame et au chaos absolu.

D'ailleurs, Jeff non plus ne tirait pas la chasse, mais, je ne sais pas pourquoi, ça ne me dérangeait pas autant. Sans doute parce qu'il m'avait laissé la chambre la plus grande. Mais aussi parce que, le premier matin, il avait glissé une liasse de billets étonnamment épaisse dans mon sac à main, en me souhaitant bonne chance pour trouver un boulot. Je n'avais pas le choix, il fallait que je dégotte du taf, même avec ce vilain bleu au visage, souvenir de la petite caresse amoureuse de Gary.

— Tu vas assurer grave, sœurette, avait-il prédit, à moitié réveillé.

Ça m'avait touchée qu'il prenne la peine de se lever pour me dire au revoir, parce qu'il n'était pas du genre matinal.

— Pense à prendre des binouzes, OK ? Et des filtres à café aussi… Y en a plus. J'ai épuisé mon stock de serviettes en papier, et le papier cul, je suis pas sûr que ça marche. Sans ma dose de caféine, je suis une vraie loque.

J'ai grimacé et répondu rapidement :

— Je m'occupe des courses. Et de la cuisine, aussi.

Mon regard s'était posé sur l'évier de la cuisine, débordant d'assiettes. Et de casseroles. Sans parler d'un truc vert qui, à mon avis, devait contenir le vaccin contre le cancer…

— Génial ! a-t-il marmonné.

Avant de tourner le dos et de retourner en titubant dans sa chambre.

Deux semaines plus tard, il semblait que la roue avait tourné dans le bon sens. Côté ménage, je n'avais plus peur maintenant de m'asseoir sur les toilettes ou de prendre une douche. J'envisageais même de m'occuper du jardin, dont l'herbe n'avait pas dû être coupée depuis au moins deux ans. J'avais aussi trouvé un boulot à la crèche des Culottes courtes, dont la directrice, Denise, était aussi la mère de Cara, ma plus vieille copine. On s'était perdues de vue lorsque Cara était allée à la fac, mais je croisais parfois sa mère et lui demandais toujours de ses nouvelles.

Cara avait réussi à devenir avocate et avait décroché un boulot à New York, dans un putain de cabinet ! Sa mère m'avait montré des photos : on aurait dit une avocate de série télé, avec ses tailleurs haute couture et ses chaussures de marque.

L'inverse de moi, quoi. Même si, à l'école, j'étais aussi bonne qu'elle. Seulement voilà : j'avais préféré me pâmer d'amour devant Gary et j'avais laissé tomber les études. Je suis trop conne.

Enfin bref ! Denise, prudente et jetant un œil au fond de teint qui camouflait le bleu que j'avais sur le visage, m'avait demandé si j'étais toujours avec Gary. Je lui ai dit où j'en étais, et ça lui a suffi.

Du coup, j'avais un boulot, et, même si, question salaire, c'était pas top, ça me plaisait de bosser avec des mômes. Certains soirs, je faisais même du baby-sitting pour des familles dont les enfants étaient à la crèche. Quant à Jeff, il adorait que je vive avec lui parce que je m'occupais du ménage, de la cuisine et de la lessive. Tout comme avec Gary, mais lui, il ne m'avait jamais dit merci.

Bien au contraire. Il passait son temps à me râler dessus.

Et il avait fini par se barrer pour se taper sa pute.

Ce jour-là, comme j'avais fini de bosser à 15 heures, j'étais rentrée directement pour faire du pain. Avec le temps, ma technique est au point. Je pars d'une recette classique de pain français, à laquelle j'ajoute une tonne d'ail, des herbes italiennes et cinq sortes de fromages. Ensuite, je badigeonne le tout de jaune d'œuf, histoire que ça dore bien. En général, ça me donne deux gros pains que, ce soir, j'avais prévu de servir avec des spaghettis, recouverts de tomates fraîches ramassées dans le jardin de Denise et accompagnés de ma salade d'épinards spéciale. Bien sûr, deux pains, c'était trop pour Jeff et moi, mais j'avais prévu de partager le second avec les filles du boulot pour le repas de midi du lendemain.

Denise avait un immense potager derrière la crèche, et je pouvais me servir quand je le voulais. Il fallait que j'en profite avant l'arrivée de l'hiver. J'avais même pensé faire des conserves, mais bon, c'était pas très réaliste, vu que tout mon matos était resté chez Gary et que je n'avais aucune intention d'y remettre les pieds. C'était bien trop tôt. J'étais sans nouvelles de lui depuis mon départ – ce qui me rendait plus qu'heureuse –, et, d'après ce que j'avais entendu en ville, il m'avait déjà remplacée dans son lit par Misty Carpenter. Ça me foutait la gerbe.

Misty LA PUTE, c'est ce qu'elle était pour moi, et je prenais un malin plaisir à l'écrire en lettres capitales chaque fois que je faisais référence à elle dans mes textos.

J'ai laissé lever la pâte sur une plaque que j'ai posée sur notre table de pique-nique devant le mobil-home et j'ai décidé de m'attaquer aux mauvaises herbes autour du porche. Il faisait tellement chaud que j'ai enfilé un haut de Bikini, qui, je dois le dire, mettait mes seins en valeur malgré leur petite taille. Après avoir enfilé des gants de travail trouvés dans la remise et m'être versé un thé glacé, j'ai baissé les vitres de la voiture et allumé l'autoradio à plein volume. J'étais prête à décimer toutes les mauvaises herbes qui croiseraient mon chemin.

Une demi-heure plus tard, le combat s'avérant inégal, j'ai décidé de faire une pause. Je me suis allongée sur la table de pique-nique, pieds posés sur le banc et bras pendouillant derrière moi dans le vide. C'était extraordinaire de pouvoir faire ce que je voulais dans mon jardin sans me soucier du reste du monde.

Évidemment, c'est à ce moment-là que les bikers ont décidé de se pointer.

Je les avais entendus arriver, bien sûr, mais trop tard. Avec la musique à fond la caisse, je ne me suis pas rendu compte que j'avais de la visite avant qu'ils soient à peu près au milieu de notre chemin, qui serpente à travers le verger du propriétaire. Je me suis redressée, en appui sur les mains, complètement abasourdie. Et si d'habitude j'apprécie de vivre à l'écart du monde, là, je me suis sentie un peu seule.

C'étaient qui, ces types ?

Évidemment, j'avais oublié mon corps luisant de sueur et à moitié nu, jusqu'à ce qu'ils arrêtent le moteur de leurs engins, enlèvent leurs casques et se retournent pour me mater. Et, pour compléter le cliché, la radio hurlait *Pour Some Sugar on Me* des Def Leppard. J'ai grimacé. Je devais avoir l'air d'une princesse sulfureuse de bas étage, en train de se trémousser en Bikini sur de la musique complètement ringarde. J'ai senti leurs yeux glisser sur moi, littéralement, et, si les trois semblaient apprécier le spectacle, c'est celui du milieu qui a vraiment capté mon attention. Un type immense. Pas seulement grand, car il l'était bien sûr – si je comparais mon pauvre mètre soixante à ses deux mètres –, mais massif. Des épaules larges, des bras musclés avec des tatouages tribaux en forme de larges bracelets autour des poignets et des biceps. Je parie que mes deux mains n'auraient même pas pu faire le tour de ces bras-là. Quant à ses cuisses épaisses, je me voyais bien en train de les presser… ou de les lécher peut-être.

Il a mis pied à terre et s'est approché de moi, m'hypnotisant de son regard. J'ai senti monter une vague hallucinante de chaleur entre mes cuisses. Ça faisait un bout de temps que je n'avais pas ressenti de désir. Les derniers temps avec Gary, au mieux, c'était frustrant et, au pire, douloureux. Mais quelque chose dans la démarche de ce biker, sa manière de faire le vide autour de lui, m'a prise au dépourvu et frappée en pleine…

Enfin, vous voyez ce que je veux dire.

Tétons au garde-à-vous, je tanguais un peu lorsqu'il s'est arrêté près de moi pour tracer de son doigt le contour de ma clavicule, avant de le faire glisser lentement entre mes seins, les effleurant au passage. Ensuite, il a porté son doigt à sa bouche pour goûter ma sueur. Il dégageait une odeur d'huile de vidange et de sexe.

Putain de merde !

— Hey, Joli-Cul, a-t-il dit.

Le charme était rompu. « Joli cul » ? Quel genre de type appelle comme ça une fille qu'il vient de rencontrer ?

— Ton mec est là ? Faut qu'on lui cause.

J'ai reculé et je suis descendue de la table pour m'éloigner de lui, manquant de tomber. La musique s'est arrêtée brusquement, et mon regard s'est détaché du biker. Un de ses potes était dans ma voiture et venait d'enlever les clés de contact pour les mettre dans sa poche. *Oh oh !*

— Tu veux dire Jeff ? Il est en ville, ai-je répondu d'une voix qui se voulait calme.

Merde, peut-être que je n'aurais pas dû lui dire que j'étais seule. En même temps, je n'avais pas vraiment le choix. Je me voyais mal lui répondre que je devais aller chercher Jeff à l'intérieur et en profiter pour me barricader à double tour. Ce mobil-home avait plus de trente ans, et le verrou, complètement rouillé, était coincé depuis mon enfance. Sans parler du fait qu'ils avaient mes clés.

— Je vais l'appeler, vous pouvez attendre ici. Ça vous va ?

Le grand type m'a observée, visage froid et impassible. Finalement, il n'y avait pas grand-chose d'humain en lui. On aurait dit Terminator. Ne voulant pas soutenir son regard, j'ai posé les yeux sur sa veste. Plus qu'usée, en cuir noir et couverte d'écussons. L'un d'entre eux m'a marquée : c'était un losange rouge vif arborant le sigle 1 %. Je ne savais pas ce que ça voulait dire, et la seule chose dont j'étais sûre, c'est que j'avais envie de retourner dans le mobil-home pour enfiler d'autres vêtements.

Voire une burqa.

— Pas de problème, bébé, a-t-il répondu.

Il a enfourché le banc et s'est assis. Ses potes l'ont rejoint d'un pas nonchalant.

— Tu nous offres un verre, poupée ? a demandé l'un d'eux.

C'était un grand type aux cheveux bruns et courts, et aux yeux d'un bleu saisissant.

J'ai acquiescé silencieusement et me suis dirigée à grands pas vers le mobil-home, usant de toute ma volonté pour ne pas courir. Je les ai entendus se marrer dans mon dos. Leur rire n'avait rien de sympathique.

Heureusement, Jeff a répondu tout de suite au téléphone.

— Y a des types qui veulent te voir, ai-je dit.

Je regardais discrètement par la fenêtre de la cuisine, en faisant attention à ne pas faire bouger les rideaux délavés et décorés de petits légumes volants.

— Des bikers. Et, à mon avis, ils ne sont pas là pour rigoler. Ils ont des gueules de tueurs. Même si, pour une fois, je serais ravie d'avoir tort. Je t'en prie, dis-moi que je suis parano.

— Putain! a répondu Jeff. C'est le Reapers MC, Marie, et ils déconnent pas. Fais ce qu'ils te disent, mais garde tes distances. Surtout, ne les touche pas et ne leur parle pas, à moins qu'ils te parlent en premier. T'amuse même pas à les regarder. Évite-les, nom de Dieu. J'arrive dans vingt minutes.

— C'est quoi «MC»?

— Motorcycle Club. Un club de motards. Pas de panique, tu m'entends?

Jeff a raccroché.

À présent, j'avais vraiment les jetons. Je m'attendais à ce qu'il se moque de moi et me dise que ces types étaient juste de gentils petits gars qui aimaient faire de la moto et se la jouer gros durs. Mais, apparemment, ils ne faisaient pas semblant. Je me suis précipitée dans ma chambre pour enfiler un tee-shirt XXL qui me sert de chemise de nuit, échanger mon short contre un pantalon corsaire et attacher mes longs cheveux châtain foncé en un chignon désordonné. En passant devant le miroir, j'ai compris que je m'inquiétais pour rien. Ils s'étaient peut-être montrés grossiers avec moi, et provocants, mais, en même temps, j'étais loin de ressembler à la fille de leurs rêves. Mon visage portait des traces de poussière, mon nez un énorme coup de soleil, et ma joue était zébrée d'une longue égratignure, en contrepoint parfait du jaune violacé un peu passé du bleu que m'avait laissé Gary.

Mes mains tremblaient lorsque j'ai versé le thé glacé dans les trois grands verres en plastique, me demandant si je devais ajouter du sucre. Finalement, j'ai décidé d'en apporter dans une tasse, avec une petite cuillère plantée dedans. Ensuite, j'ai calé deux gobelets entre mon bras droit et mon torse, et attrapé le troisième de la main droite. De l'autre main, j'ai pris le sucre et j'ai réussi à sortir non sans une manœuvre délicate. Ils étaient en train de discuter à voix basse et m'ont suivie du regard lorsque je me suis approchée de la table. J'ai affiché un sourire rayonnant, le même que j'arborais quand j'étais serveuse à l'époque du lycée. Ça, je pouvais gérer sans problème.

— T'as appelé ton mec ? a demandé le grand costaud.

Je l'ai fixé dans les yeux, oubliant que j'étais censée éviter son regard, ce regard vert, tellement intense et profond.

— Mon mec ? ai-je dit.

— Jensen.

Merde, j'avais oublié ce détail ! Ils pensaient que j'étais la meuf de Jeff. Je me demandais si je devais leur dire la vérité, sans pouvoir me décider. J'ai observé le biker, essayant de réfléchir pour savoir quelle était la réponse la plus sûre. Son regard n'a rien laissé paraître. Ses cheveux étaient attachés grossièrement en queue-de-cheval et son menton recouvert d'une barbe de trois jours, sombre et épaisse. Stupidement, mon corps s'est manifesté une fois de plus lorsque je me suis imaginé frotter lentement mes lèvres contre cette barbe.

Ça devait valoir le coup, c'est clair.

— Tu vas répondre à c'te putain de question, gamine ? a ordonné l'homme aux yeux bleus.

J'ai sursauté, renversant un peu de thé sur le devant de mon tee-shirt. Évidemment, mon sein droit s'est retrouvé trempé, et mon téton s'est aussitôt fait remarquer sous l'effet du froid. Ce qui n'a pas échappé au grand costaud, dont les yeux se sont soudain assombris.

J'avais du mal à ne pas bafouiller.

— Jeff est en route. Il m'a dit qu'il serait là dans vingt minutes. Je vous ai fait du thé, ai-je ajouté bêtement.

Grand-Costaud a tendu la main et pris le verre que je tenais dans la mienne. J'étais dans le pétrin. À présent, impossible de dégager les deux autres verres. Soit je lui donnais le sucre pour libérer mon autre main, soit je passais devant lui pour le poser sur la table. Et ça, il n'en était pas question.

Il a résolu le problème à ma place en entourant de sa main l'un des verres calés contre mon corps. Assaillie de frissons et de picotements au contact de ses doigts glissant entre le plastique froid et ma peau, j'étais tétanisée, d'autant plus qu'il a répété son geste. Puis il a pris le sucre. Saisissant ma main, il m'a attirée contre sa cuisse. Mon ventre touchait presque son visage.

J'avais le souffle coupé.

Il m'a pris le menton et a fait pivoter mon visage pour étudier le bleu de mes yeux. Je retenais mon souffle. Je le priais silencieusement de ne pas poser de questions. C'est comme s'il m'avait entendue. Sa main s'est posée sur ma taille et a caressé lentement, de bas en haut, la courbe de ma hanche. Il m'a fallu toute ma volonté pour ne pas céder et plaquer mes seins sur son visage.

— C'est Jensen qui t'a fait ça?

Bordel! Il fallait vraiment que je leur dise. Je ne pouvais pas leur laisser croire que Jeff avait pu me frapper.

— Non, il ne ferait jamais un truc pareil. Jeff est mon frère, ai-je répondu précipitamment.

J'ai reculé brusquement, les joues en feu. Ensuite, je me suis retournée et me suis précipitée à l'intérieur du mobil-home.

Ils sont restés à table, bavardant et buvant leur thé, jusqu'au retour de Jeff. J'avais l'impression qu'il avait mis des heures, même s'il était rentré en un temps record. À un moment, le grand baraqué s'est redressé et a soulevé le torchon qui recouvrait la pâte à pain, qui risquait de trop lever si je ne la mettais pas tout de suite au four.

Putain !

Pas moyen que je ressorte, pourtant. En tout cas, pas avant qu'ils se soient barrés.

Malheureusement, ils n'avaient pas l'air d'humeur à partir. Quand Jeff s'est pointé dans sa vieille Firebird, ils sont tous restés là à discuter. Au bout d'un moment, ils se sont levés et se sont dirigés vers la porte d'entrée. Grand-Costaud a jeté un œil en direction de ma fenêtre, et, même si je savais qu'il ne pouvait pas me voir, j'avais l'impression que ses yeux étaient rivés aux miens.

Lorsqu'ils sont entrés, Jeff souriait et semblait détendu. Les autres aussi. L'atmosphère était amicale, mais je me suis demandé, sourcils froncés, si je n'avais pas rêvé le ton grave de sa voix au téléphone.

— Hé, sœurette, mes associés vont rester pour dîner, a-t-il annoncé d'un air théâtral. Tu ferais bien d'aller t'occuper de ton pain. Je crois qu'il a fini de lever. Vous allez adorer ça, les mecs. Le pain de Marie, c'est une vraie tuerie. Elle va vous préparer un putain de repas.

Je lui ai adressé un sourire un peu tremblant, tout en l'insultant intérieurement. Et puis quoi encore ! Cuisiner pour lui, je voulais bien, mais pour sa bande de potes, pas question. Ils me faisaient flipper, ces types. Ce qui contrastait étrangement avec les réactions de mon corps rebelle, ce désir de me jeter sur Grand-Costaud. Cela dit, je ne voyais pas comment j'allais pouvoir refuser de cuisiner, à moins que, avec Jeff, on n'arrête tout de suite de faire comme si ces trois bikers sortis de nulle part et impressionnants n'avaient rien d'inquiétant.

En plus, le pain allait être foutu si je ne le faisais pas cuire rapidement. La sauce pour les spaghettis mijotait déjà sur le feu et sentait incroyablement bon. Je ne pouvais même pas prétendre qu'il faisait trop chaud pour utiliser le four, puisque la cuisine était équipée de deux petits climatiseurs de fenêtre, dont le ronronnement rassurant nous garantissait tout le confort nécessaire. Les mecs se sont installés dans le salon, à l'exception de Grand-Costaud : il a choisi l'un des tabourets du bar de la cuisine, qui nous servait aussi de table. Il s'est assis, dos appuyé confortablement contre le mur, bras croisés devant lui.

Il pourrait me voir cuisiner tout en suivant la conversation dans le salon.

Je suis sortie pour récupérer le pain pendant que Jeff allumait la télé. Lorsque je suis revenue, des types se battaient à l'écran. Cette fois, ce n'était pas du catch, mais un vrai combat dans une sorte de cage grillagée.

— Tu nous attrapes des binouzes, Joli-Cul, a demandé le troisième type.

Il avait les cheveux bruns et les joues un peu grêlées. J'ai préféré ne pas relever. Pourtant, je détestais qu'on m'appelle comme ça. Non seulement c'était dégradant, mais, dans sa bouche, il y avait un sous-entendu un peu crade. Jeff m'a jeté un regard, et ses lèvres ont formé le mot « s'il te plaît ». Du coup, j'ai posé le pain et je suis allée prendre quatre bières dans le frigo. Ensuite, ils m'ont ignorée pendant presque tout le temps que je préparais le repas. À l'exception de Grand-Costaud, bien sûr. Chaque fois que je levais les yeux, je le trouvais en train de m'observer, plongé dans ses pensées. Pas un sourire, pas un mot, rien. Il m'observait en accordant une attention particulière à mes seins – plus petits que la moyenne mais bien plus fermes – ou à mon cul – un peu trop volumineux à mon goût. Au bout d'un moment, je me suis détendue, décidée à faire avec, et je me suis ouvert une bière à mon tour. J'imagine que sa présence, le fait qu'il me mate sans scrupule, aurait dû me choquer, mais, en fait, ça me remontait un peu le moral qu'un homme prenne plaisir à me regarder.

J'avais oublié cette sensation.

Quand j'ai sorti le pain du four, le combat à la télé était terminé. J'ai pris des chauffe-plats pour les pâtes et la sauce, et j'ai attrapé la salade. Les mecs se sont jetés sur la nourriture comme des bêtes affamées.

— Hallucinant, a dit l'homme aux yeux bleus.

On aurait dit que, pour la première fois, il s'apercevait que j'étais un être humain. Il avait un visage buriné et marqué, et je me suis dit que, pour un vieux, il était plutôt sexy.

— On peut dire que tu sais cuisiner. Ma régulière cuisinait comme ça, elle aussi.

— Merci, ai-je répondu, priant pour ne pas rougir.

En fin de compte, je peux dire que ça a été le repas le plus étrange de toute ma vie. Cela dit, j'ai toujours aimé cuisiner pour les gens qui apprécient la bonne chère. Quand j'étais au lycée, je voulais même faire une école de cuisine.

Merci mille fois, Gary !

Grand-Costaud n'a pas décroché un mot de tout le repas, mais j'ai remarqué qu'il s'était resservi deux fois, et même trois, de chaque plat. Pendant qu'ils finissaient, j'ai commencé à débarrasser, mais il m'a attrapé le bras par-dessus le bar.

— T'aurais pas envie d'aller faire une petite virée en voiture ? a-t-il proposé en indiquant la porte d'un mouvement du menton. On doit parler affaires.

J'ai jeté un œil à Jeff, qui m'a adressé un sourire rassurant.

— Ça ne te fait rien, sœurette ? a-t-il demandé.

J'ai secoué la tête, même si ça me faisait effectivement quelque chose de partir comme ça sans même savoir comment ils s'appelaient. D'une certaine façon, ce repas partagé en leur compagnie avait fait disparaître ma peur, tout en les rendant dangereusement humains. Cela dit, je savais m'éclipser quand je n'étais pas la bienvenue, et je ne voulais pas créer de problèmes. Je devais bien ça à Jeff. J'ai adressé à chacun mon plus beau sourire et me suis dirigée vers la porte, attrapant au passage mon sac suspendu au portemanteau.

— Bon, ben, ravie de vous avoir rencontrés, heu…

Monsieur Yeux-Bleus, dont la veste arborait le titre de «Président», a souri.

— On m'appelle Picnic, et ces deux-là, Horse et Max, ce sont mes frères, s'est-il présenté.

J'ai jeté un œil à Grand-Costaud. «Horse»? Drôle de nom! En plus, ils n'avaient pas du tout l'air d'être frères…

— Enchantée, monsieur Picnic, ai-je dit, ravalant mes questions.

— Picnic tout court, ça ira. Merci encore pour le repas.

Horse s'est levé.

— Je te raccompagne à ta voiture, a-t-il dit d'une voix grave et rauque.

Jeff a eu un brusque mouvement de tête, yeux écarquillés, avant de retrouver son calme. Picnic m'a adressé un sourire entendu.

— Prends ton temps, on n'est pas pressés, a-t-il signalé à Horse.

Puis il a sorti mes clés de sa poche et me les a balancées. Je me suis retrouvée dehors, dans la chaleur de cette soirée de fin d'été, suivie de près par Horse. Il m'a pris la main et m'a conduite jusqu'à la table de jardin. Mon cœur battait la chamade à chacun de mes pas. Je n'avais aucune idée de ce qui allait se passer, mais, au fond de moi, tout ce que je voulais, c'était sentir ses mains sur mon corps.

Ou pas.

Peut-être pas.

Merde !

Horse a passé les mains sous mes bras, m'a soulevée et m'a assise sur la table. Ensuite, il les a fait descendre le long de mon corps, avant de les glisser entre mes cuisses, écartant légèrement mes genoux. Puis il s'est approché et s'est penché sur moi.

J'ai bien cru que j'allais m'évanouir.

— Je ne crois pas que ce soit une bonne idée, ai-je tenté de protester.

Je regardais en direction du mobil-home, cœur battant. Jeff n'aurait sûrement pas apprécié. Horse était dangereux. Je le sentais bien. Sérieusement. Sous le doux parfum du cuir, l'odeur légère de transpiration et de virilité, se profilait un avant-goût âcre d'emmerdes à n'en plus finir.

— Enfin, tu vois, tout le monde t'attend, non ? Laisse-moi partir, et on n'en parle plus, OK ?

Silencieux, il s'est contenté de m'observer avec cet air calme et impassible qui le caractérisait.

— Alors, c'est comme ça que tu veux la jouer, Joli-Cul ?

— Je ne m'appelle pas « joli cul », ai-je répliqué, plissant les yeux.

Je ne supportais pas qu'on me parle de cette façon. Gary faisait ça tout le temps. Pourquoi les hommes me traitaient-ils toujours comme ça ?

Qu'ils aillent se faire voir, lui et Gary.

Et tous les mecs.

— Va te faire foutre, ai-je balancé, regard furieux.

Horse a éclaté de rire, un aboiement soudain venant briser le silence et me ramenant à la réalité. Mains calées autour de ma taille, il a attiré mon corps brusquement contre le sien, et mon pubis est venu buter contre ce qui semblait être une érection de dingue.

Son bassin est venu se coller au mien, et il a frotté son membre contre mon clitoris. J'ai honte de dire que j'ai inondé ma culotte sur-le-champ au lieu de le repousser d'un coup de pied dans les couilles, comme n'importe quelle fille sensée l'aurait fait. Il s'est penché, et j'ai retenu mon souffle, espérant un baiser. Il en a profité pour me murmurer un truc à l'oreille.

— Croupe d'enfer. Joli. Cul.

Son intonation était insupportable. Je lui ai mordu l'oreille de toutes mes forces.

Il a reculé d'un bond. On aurait dit qu'il allait me massacrer. Mais non. Il s'est mis à rire tellement fort que j'ai cru qu'il allait se déboîter la mâchoire. Je l'ai fusillé du regard, et il a levé les bras en signe de reddition.

— J'ai compris, pas touche, minouche ! s'est-il exclamé en secouant la tête de droite à gauche, complètement dérouté. C'est toi qui mènes le jeu. Et t'as raison, j'ai une affaire à régler. Va conduire une heure ou deux, ça devrait suffire.

Je suis descendue de la table et je l'ai contourné. Il m'a suivie des yeux pendant que je rejoignais ma voiture. J'ai ouvert la portière, prête à monter, lorsque, poussée par cette curiosité qui m'a toujours joué des tours par le passé en anesthésiant chez moi tout instinct de protection, je me suis redressée et l'ai regardé par-dessus le toit de la voiture.

— Horse, c'est pas ton vrai nom, hein ?

Il m'a souri. Ses dents brillaient comme des crocs dans l'obscurité.

— C'est un nom de route, a-t-il répondu. (Il s'est appuyé sur le toit de la voiture.) C'est comme ça que ça marche dans mon monde. Les honnêtes gens ont des noms. Nous, on a des noms de route.

— Et ça veut dire quoi ?

— On te le donne quand tu commences à rouler, a-t-il expliqué, nonchalant. Ça peut vouloir dire tout un tas de choses. Pour Picnic, c'est à cause d'un pique-nique de mauviette qu'il s'était fait chier à organiser pour une salope qui lui avait retourné le cerveau. Elle s'est jetée sur la bouffe et a sifflé son alcool, et, pendant que Picnic est allé pisser un coup, elle a appelé son enfoiré de mec pour qu'il vienne la chercher.

J'ai grimacé devant tant de grossièreté, essayant de comprendre.

— Plutôt… désagréable, comme situation. Pourquoi vouloir s'en souvenir ?

— Parce que, quand l'autre enfoiré s'est pointé, Picnic lui a explosé la tronche sur la table de pique-nique.

J'ai retenu mon souffle, m'attendant au pire. J'aurais bien voulu savoir si le mec s'en était sorti vivant, mais j'ai préféré ne pas insister.

— Et Max ?

— Quand il est bourré, y a des fois, son regard devient fou, c'est un vrai malade mental, genre *Mad Max*.

— Je vois, ai-je répondu, repensant à Max.

Peut-être bien qu'il avait raison… Mieux valait éviter de le croiser dans cet état.

Le silence est devenu plombant.

— Alors, tu ne poses pas la question ?

Je l'ai regardé, plissant légèrement les yeux. J'avais un mauvais pressentiment. Mais, malgré moi, les mots sont sortis de ma bouche :

— Alors, pourquoi on t'appelle « Horse » ?

— Parce que je suis monté comme un étalon, a-t-il répondu, sourire en coin.

Je me suis laissée tomber sur le siège de ma voiture et j'ai claqué la portière. J'entendais encore son rire lorsque je suis sortie de l'allée.

Chapitre 2

— Je suis vraiment désolé, sœurette, a dit Jeff.

Ses paroles étaient assourdies par ses lèvres ensanglantées et tuméfiées. *Peut-être qu'il lui manque une dent ?* J'ai regardé autour de moi, incapable de croire que ces hommes – pour lesquels j'avais cuisiné, et bien plus que ça pour l'un d'entre eux – menaçaient réellement de tuer mon frère. Je n'arrivais pas à y croire !

Picnic m'a regardée et m'a adressé un clin d'œil.

— Ton petit frérot a fait des bêtises, a-t-il dit. Il nous a volé du fric. T'étais au courant ?

J'ai aussitôt secoué la tête. L'un des sacs a glissé de mon bras, et des pommes ont rebondi et roulé sur le sol. L'une d'elles est venue percuter le pied de Horse. Il a fait comme si de rien n'était, conservant cet air calme et attentif que j'avais vu tant de fois sur son visage. Ça me rendait dingue. J'avais envie de lui hurler dessus pour le forcer à exprimer une putain d'émotion. Je savais qu'il en était capable. À moins que ça aussi, ce n'ait été qu'un mensonge.

Oh. Mon. Dieu.

Mon frère était à genoux au milieu de notre salon pourri, dégoulinant de sang et attendant d'être exécuté, et tout ce à quoi j'étais capable de penser, c'était à moi et à Horse. Je débloquais grave, putain !

— Je ne comprends pas, ai-je balbutié.

Je regardais le visage gonflé et tuméfié de Jeff, le priant silencieusement pour qu'il éclate de rire à cette mauvaise blague qu'ils étaient tous en train de me faire.

Jeff ne s'est pas mis à rire. Bien au contraire. Sa respiration retentissait dans la pièce comme un effet sonore dans un film. *Peut-être qu'il est gravement blessé ?*

— Il est censé bosser pour nous, a expliqué Picnic. Il est sacrément doué avec ce petit ordi portable. Mais, au lieu de bosser, il est allé flamber au casino avec notre putain de blé. Et maintenant il a les couilles de me dire qu'il a tout perdu et qu'il ne peut pas nous rembourser.

Il a ponctué les quatre derniers mots de sa phrase en donnant des petits coups secs sur la nuque de Jeff avec le canon épais et rond de son revolver.

— T'as 50 000 dollars sur toi ? m'a demandé Horse.

Sa voix était aussi calme et distante qu'à son habitude.

J'ai fait « non » de la tête, prise de vertige. Et merde, ça expliquait pourquoi Jeff voulait que je taxe de l'argent à Gary… Mais 50 000 dollars ? *Cinquante mille ?* Je n'en croyais pas mes oreilles.

— Il a volé 50 000 dollars ?

— Eh ouais, a répondu Horse. Et, si on n'est pas remboursés sur-le-champ, je ne vois pas comment il va pouvoir s'en sortir.

— Je croyais que vous étiez potes, ai-je murmuré, en posant mes yeux sur Jeff.

— T'es gentille, s'est moqué Picnic. Mais je crois que t'as pas bien compris à qui t'avais affaire. Il y a le club, et tous les autres. Et ce débile ne fait pas partie du club, que ce soit bien clair. Faut pas nous faire chier. Quand on nous baise, faut s'attendre à être baisé en retour. Mais bien plus fort. C'est la règle.

Jeff avait les lèvres qui tremblaient, et ses yeux se sont emplis de larmes. Ensuite, il s'est pissé dessus. Une tache sombre est apparue entre ses jambes, pitoyablement.

— Merde ! Je déteste ça, quand ils se pissent dessus, putain ! s'est exclamé le type avec des tatouages de crânes. (Il a regardé Jeff avec consternation tout en secouant la tête.) Ta sœur au moins, elle ne se pisse pas dessus, pas vrai ? Quelle chochotte ! a-t-il ajouté avec un air de mépris.

— Vous allez nous tuer ? ai-je lancé à Picnic, tout en essayant de réfléchir à une solution.

Il fallait que je l'oblige à voir l'être humain en moi. C'est ce que disent toutes les séries télé sur les tueurs en série. Le biker avait deux filles, j'avais vu leurs photos. Il fallait que je lui fasse penser à sa famille, que je lui rappelle que lui aussi était un être humain, et non une sorte de monstrueux Reaper sans foi ni loi.

— Enfin, vous voyez, vous n'allez pas me dire que vous pourriez tuer quelqu'un à qui vous avez montré les photos de vos filles ? L'une doit même avoir mon âge, non ? Y a peut-être moyen de s'entendre, vous ne croyez pas ? On pourrait peut-être payer en plusieurs fois, je ne sais pas, moi ?

Horse a poussé un petit grognement de mépris et a fait signe que non.

— Tu n'y es pas du tout, mon chou. Le fric, c'est secondaire. On n'en a rien à battre de la thune. C'est une question de respect et d'éthique, personne ne s'attaque au club. Si on laisse ce petit morveux s'en tirer, tout le monde va s'y mettre. On n'est pas du genre à passer l'éponge. Faut pas rêver. Il doit payer de son sang.

J'ai fermé les yeux, sentant les larmes m'envahir à mon tour.

— Pourquoi t'as fait ça, Jeff ? ai-je murmuré, frissonnante.

Il m'a répondu, la voix brisée par le désespoir :

— Je ne pensais pas tout perdre. Je croyais que j'allais me refaire, d'une manière ou d'une autre. Je me disais que je pourrais trafiquer les comptes bancaires...

Picnic lui a filé une baffe.

— Ferme ta putain de gueule ! a-t-il crié. Les affaires du club, ça ne te regarde pas. Même si tu vas bientôt passer l'arme à gauche.

J'ai laissé échapper un petit gémissement. Je sentais que j'allais me mettre à trembler.

— Y a peut-être un autre moyen, est intervenu Horse avec le même détachement dans la voix. Payer de son sang, ça peut vouloir dire plusieurs choses.

Mon cerveau était en ébullition, tentant désespérément de trouver une solution.

— Vous n'êtes pas obligés de le tuer, on pourrait trouver autre chose. Je ne sais pas, moi, brûler le mobil-home, par exemple.

Je lui ai adressé un sourire plein d'espoir. J'en avais rien à foutre du mobil-home. Tout ce que je voulais, c'est que Jeff reste en vie. Et moi aussi. *Merde !* S'ils tuaient Jeff, ça voulait dire que j'allais y passer aussi.

J'étais un témoin dérangeant. *Putain de merde de nom de Dieu de bordel !*

— Oh, c'était prévu, de toute façon ! m'a répondu Horse d'une voix traînante. Mais il n'y aurait pas de sang dans ce cas. Je pensais à un truc encore plus dur.

Jeff, toujours aussi accablé, a semblé reprendre espoir.

— Quoi donc ? Je ferai tout ce que vous voudrez. Je le jure. Si vous me laissez une chance, je pourrai pirater tous les comptes que vous voudrez, vous n'avez pas idée de ce qu'on peut faire. J'arrêterai même de fumer, pour avoir l'esprit plus clair, être plus efficace.

Sa voix n'était plus qu'un murmure lorsque Horse a éclaté de rire en même temps que le type à la crête secouait la tête et souriait de toutes ses dents à Picnic.

— Pas très convaincant, ce petit con, pas vrai ? a-t-il ricané. Sérieux, le mongol, je ne suis pas sûr que ça t'aide beaucoup de nous avouer à quel point t'es un glandeur.

Jeff a poussé un gémissement. Je voulais m'approcher de lui, le prendre dans mes bras et le réconforter, mais j'avais bien trop peur.

Horse s'est étiré le cou, inclinant la tête de gauche à droite, avant de se faire craquer les doigts, comme s'il s'apprêtait à se battre. J'avais l'impression d'être dans un épisode des *Soprano*, ce qui aurait pu être drôle, mais, là, je savais déjà que l'histoire finissait mal.

Après un silence qui m'a semblé durer des plombes, Horse a repris la parole :

— Que les choses soient claires. Tu n'as rien à craindre, Marie.

— C'est vrai ? ai-je demandé, dubitative.

Jeff écoutait, anxieux, et clignait des yeux à toute vitesse pour lutter contre les larmes. Un filet de sueur a perlé sur son front, laissant une trace au milieu du sang qui s'en écoulait encore.

— Ouais, a répondu Horse. Tu n'as rien fait de mal, c'est pas à toi qu'on en veut. Ça ne te concerne pas. Tu es assez maligne pour fermer ta gueule si tu veux t'en sortir. Si tu es là, c'est pour une autre raison.

— Ah bon, et je peux savoir laquelle ?

— Pour que tu puisses te rendre compte que ton frère est un gros naze, a-t-il répliqué. Parce que, tu vois, s'il ne trouve pas un moyen pour nous rembourser, on va le descendre. Avec un peu de motivation, je suis sûr qu'il va finir par trouver une solution.

— Comptez sur moi, a bafouillé Jeff. Je vous rembourserai jusqu'au dernier centime, merci beaucoup…

— Nous, c'est le double qu'on veut, espèce de branleur, a lancé Picnic.

Puis il lui a décoché un violent coup de pied dans les côtes du bout de sa lourde botte en cuir. Jeff s'est effondré sur le sol, gémissant de douleur. Je n'ai pu m'empêcher de tressaillir.

— Enfin, si on te laisse en vie. Et ça dépend seulement de ta frangine. Sans elle, tu serais déjà mort.

Mon regard s'est posé instantanément sur le visage de Picnic. Je ne savais pas du tout de quoi il parlait, mais j'aurais fait n'importe quoi pour sauver Jeff. N'importe quoi. Il était la seule famille qui me restait et, même si c'était un abruti, il avait un cœur énorme, et il m'aimait vraiment. Si ça se trouve, ils allaient en venir aux mains. Ensuite, Picnic a haussé les épaules.

— Je suis prête à tout, ai-je répliqué rapidement.

Horse a grogné, et il m'a matée des pieds à la tête, s'attardant sur mes seins, puis revenant lentement se poser sur mon visage. Je me suis rendu compte que le reste des courses était tombé par terre et que je serrais les poings très fort.

— Tu ne veux pas savoir d'abord de quoi il s'agit ? a-t-il demandé sèchement.

— Heu… si, bien sûr, ai-je répondu, en l'observant.

Comment un type aussi canon pouvait-il être aussi cruel ? Je savais que ses mains savaient se montrer tendres, alors pourquoi agissait-il comme ça ? Les gens sincères, ceux qui se marrent ensemble et partagent un repas, ne se conduisent pas ainsi. En tout cas, pas dans mon monde.

— Qu'est-ce que je dois faire, alors ?

— Il semblerait que Horse ici présent ait besoin d'un petit animal de compagnie, est intervenu Picnic.

Je l'ai dévisagé, l'air hagard. Il a lancé un regard contrarié en direction de Horse.

— Elle ne capte rien. Tu es sûr que c'est ce que tu veux ? À mon avis, tu vas en baver.

Le type à la crête a eu un petit sourire en coin lorsque Horse, sourcils froncés, a rendu son regard à Picnic. L'atmosphère était plus que tendue, et je me suis dit que les choses pouvaient dégénérer à tout instant.

— C'est ta seule issue, a rétorqué Horse. Si tu veux que Super-Connard reste en vie, tu fais ta valise et tu montes sur ma bécane. Tu fais ce que je te dis, quand je te le dis, pas de questions ni de coups de pute.

— Pourquoi ? ai-je demandé d'une voix blanche.

— Pour que tu me mijotes des petits desserts, a-t-il répliqué.

Le type à la crête a éclaté de rire. J'étais bouche bée. Tout ça pour un dessert ? Je savais qu'il aimait les sucreries, mais, là, j'étais sur le cul. Horse a secoué la tête, affichant cet air agacé qu'il prenait parfois en ma présence, comme s'il pensait que j'étais complètement débile.

— Qu'est-ce que tu t'imagines, bordel ? a-t-il repris, voix enrouée. Pour que je puisse te baiser.

Chapitre 3

8 juillet – Neuf semaines plus tôt.

Mon téléphone sonnait. C'était un message de Jeff.

Krissie ce soir. Ne m'attends pas.

Si un texto avait pu avoir la banane, celui-ci l'aurait eue. J'ai hoché la tête et ri intérieurement, remettant le téléphone dans ma poche. Ce soir, Jeff allait tirer un coup et il était aux anges.

De mon côté aussi, tout se goupillait bien.

En cette fin de journée, il ne restait que trois enfants à la crèche, et Gabby avait déjà commencé à ranger, ce qui voulait dire qu'on allait finir tôt. Et maintenant j'apprenais que j'avais le mobil-home pour moi seule toute la soirée ; j'allais en profiter pour louer un DVD en rentrant et, pourquoi pas, m'offrir une bonne glace. La vie était beaucoup plus facile depuis que j'avais touché mon premier salaire. Lorsque le dernier enfant s'en est allé, Gabby avait déjà fini de tout ranger, comme je l'avais prévu. Nous nous sommes dit au revoir d'un signe de la main, et je me suis dirigée vers ma voiture. Le distributeur de DVD était à l'extérieur du supermarché *Walmart*; difficile donc de résister à l'appel de la crème glacée malgré l'heure de pointe. J'ai craqué pour une French Silk double barattage, en me disant que c'était diététique puisque apparemment l'emballage précisait qu'elle était allégée en graisses et en calories. Si j'y ajoutais le film avec Johnny Depp déjà dans mon sac, une soirée orgasmique m'attendait.

Ma bonne humeur n'a cessé d'augmenter sur le trajet du retour.

En plus, la radio s'est mise à jouer l'une de mes chansons à danser préférées, ce qui était le pied total, car, dans mon vieux tacot, je n'avais ni adaptateur iPod ni même un lecteur CD – ce qui explique l'épisode Def Leppard la première fois que les Reapers étaient venus. Quant au camion agricole qui aurait pu me ralentir, il s'est rangé aussitôt sur le bas-côté pour me laisser passer. Je dansais au volant lorsque j'ai traversé le verger conduisant à notre mobil-home. Tout à coup, au bout de l'allée j'ai aperçu une moto noire surbaissée, garée devant chez nous.

Ça n'était pas du tout prévu au programme.

Je suis sortie de la voiture et j'ai scruté les alentours sans voir personne, ni près de la table ni sur l'une des chaises pliantes installées sur le carré fraîchement désherbé, que je ne pouvais décemment pas appeler « pelouse ».

C'est quoi, ce bordel?

Je me suis approchée de la porte d'entrée à pas de loup, agrippée à mon téléphone comme à une arme, dont, il faut bien le dire, je n'aurais pas trop su quoi faire. Si un tueur m'attendait à l'intérieur, je n'aurais pas vraiment le temps d'appeler à l'aide. Peut-être que j'aurais dû retourner à ma voiture et me sauver, mais, au fond de moi, je me demandais si Horse n'avait pas décidé de revenir. Et, quand je dis « au fond », je fais bien sûr référence à cette petite protubérance entre mes cuisses – fichu clitoris! La porte s'est ouverte sans aucune résistance, et j'ai découvert Horse, assis à mon bar, en train d'envoyer des textos, tout en muscles et tatouages, incroyablement sexy.

J'ai ouvert la bouche, pour la refermer net aussitôt.

— Ces verrous ne valent pas un clou, a indiqué Horse d'une voix nonchalante. J'ai pu entrer en moins de deux.

D'un mouvement de la tête, j'ai balayé la pièce du regard, sans aucun but précis, comme si un lutin ou un troll allait surgir pour m'expliquer ce qui se passait ici.

Horse a reposé son téléphone.

— Je suis passé voir Jeff. Il a quelque chose pour moi. Tu sais où il est?

J'étais sous le choc.

— Avec sa meuf, ai-je répondu. Une certaine Krissie. Il m'a dit qu'il allait rentrer tard, mais je peux essayer de le joindre.

Il m'a observée pendant que je composais le numéro de Jeff. Je suis tombée directement sur sa boîte vocale. J'ai envoyé un texto, avec l'espoir qu'il était juste occupé et ne voulait pas répondre. Rien de plus. J'ai regardé Horse et haussé les épaules.

— Je crois qu'il a éteint son téléphone, ai-je précisé. Mais je peux quand même lui faire savoir que tu es passé.

Horse a laissé échapper un rire bref et rauque, qui n'avait rien d'amusé.

— J'ai roulé plus de trois heures pour le voir, a-t-il souligné. Il savait que je devais venir.

— Heu… tu sais, c'est un type super, mais il fume pas mal, et ça lui attaque les neurones…

— J'attendrai, a répliqué Horse, sourcils froncés.

Je ne savais pas trop comment gérer cette situation, du coup j'ai rangé la crème glacée. À ce moment-là, mon estomac s'est mis à gargouiller. J'avais prévu de me faire un sandwich, mais je me voyais mal manger seule devant le biker.

— Ça te dit, une omelette ? ai-je proposé, comme si c'était l'heure du petit déj.

— Ouais, ça me va, a-t-il répondu. Avec une bière ?

— Heu… ouais, ai-je acquiescé en ouvrant le frigo.

J'étais surprise qu'il ne se soit pas déjà servi, vu qu'il ne s'était pas gêné pour rentrer chez moi. Je lui ai passé une bouteille et j'ai commencé à préparer l'omelette. J'avais fait des petits pains à la cannelle la semaine précédente, et il en restait la moitié au congélateur. Du coup, je les ai sortis avec du jus d'orange concentré.

Il a avalé une longue goulée de bière, les yeux rivés aux miens, les muscles de son cou en action alors qu'il déglutissait. J'imaginais ma langue partir du creux de cette gorge et remonter jusqu'à sa mâchoire…

Finalement, il me fallait une bière, à moi aussi. Le jus d'orange attendrait.

Horse m'a regardée tout le temps que je cuisinais, sans mot dire. Rien de tel pour me foutre les jetons et m'exciter tout à la fois.

— C'est quoi, le boulot que vous faites avec Jeff ? l'ai-je interrogé.

— Des trucs pour le club. Mais je te conseille de ne pas poser de questions, ça t'évitera des ennuis.

Bien noté. Tant pis pour la conversation.

L'omelette était prête et les petits pains venaient de passer au micro-ondes, et je m'activais en pensant au film avec regret. Je n'avais pas souvent l'occasion de mater des films, et c'était pas comme si j'avais invité Horse à une soirée DVD. En même temps, j'étais sûre qu'il n'était pas aussi fan de Johnny Depp que moi. J'hésitais à lui en parler. Finalement, il a pris la décision à ma place en allant s'installer sur le canapé et en prenant la télécommande.

— Tu viens ?

— Heu… ouais, ai-je répondu.

Je l'ai rejoint dans le salon avec l'intention de m'asseoir sur le fauteuil, mais il a tapoté le canapé avec un air de défi.

Et je n'ai jamais su résister aux défis.

Après avoir zappé quelques minutes, il s'est arrêté sur un autre de ces combats à l'intérieur de grandes cages grillagées. J'ai soupiré en me disant qu'il pourrait toujours courir pour avoir de la glace.

— Tu n'aimes pas le *free fight*? a-t-il demandé.

Il a pris une bouchée de petit pain à la cannelle.

— Ben, c'est pas trop mon truc, ai-je déclaré en m'appuyant confortablement sur les coussins.

Il a hoché la tête.

— Comme la plupart des meufs. Pourtant, y en a qui kiffent ce genre de trucs… Tu vois ce que je veux dire, tous ces corps couverts de sueur.

Il m'a regardée avec une trace infime d'humour dans les yeux, impossible de dire s'il me taquinait ou non. Au moment où je me levais pour aller m'allonger tranquille dans ma chambre, il m'a saisi le bras, m'arrêtant net.

— C'est quoi, le problème?

— Je suis crevée. Et puis tu dois voir Jeff pour parler affaires. Je suis désolée qu'il t'ait fait faux bond, mais là, c'est trop, je n'ai aucune énergie pour ça.

— Pour ça?

D'un geste de la main, je l'ai désigné, lui, l'écran et tout le reste.

— Tout ça, ai-je insisté. Je n'arrive pas à savoir si tu me taquines ou non, et ça me perturbe. En plus, c'est toi qui as la télécommande.

Il a haussé les épaules.

— T'as qu'à choisir le programme, a-t-il proposé d'un ton léger. C'est pas la fin du monde, Marie.

Il m'a filé la télécommande en affichant un sourire qui, cette fois, est allé jusqu'à ses yeux. Je l'ai observé attentivement ; c'était une facette de lui que je ne connaissais pas, et elle me plaisait bien. En face de moi, j'avais toujours un grand costaud, un dur, un méchant – en tout cas pas un gentil, c'était clair –, mais, là, il avait l'air sincèrement détendu et prêt à laisser tomber le petit jeu qu'il semblait jouer avec moi jusqu'ici.

— En fait, j'ai loué un film, ai-je avoué après un court silence. C'est le dernier Johnny Depp.

Il a eu un petit sourire méprisant, mais, grand seigneur, il a désigné l'écran de la main.

— Vas-y, fais-toi plaisir.

Étonnamment, cette séance de ciné improvisée en sa compagnie s'est révélée plutôt sympa. Pendant une scène de bagarre, il m'a expliqué pourquoi elle n'était pas du tout réaliste. Cela m'a d'ailleurs un peu effrayée de voir à quel point il s'y connaissait en combat au corps à corps. Et, pas une seule fois, il ne m'a taquinée ou n'a tenté quoi que ce soit pendant les scènes de cul. À la fin, on a même décidé d'en télécharger un autre en VOD. Cette fois, je lui ai laissé choisir le titre, et il a opté pour un thriller romantique qui pouvait nous plaire à tous les deux, sans même proposer un porno. À peu près au milieu du film, je me suis levée pour aller chercher une couverture parce que je commençais à avoir un peu froid. Du coup, je me suis dit qu'il n'y avait plus aucune raison de ne pas partager ma crème glacée et je suis allée nous préparer deux coupelles. Après avoir fini sa glace, il a attrapé les coupelles, les a posées sur la table basse et m'a attirée contre lui tout en se mettant sur le dos. Je me suis retrouvée allongée sur lui avec ma couverture.

Je n'ai rien dit. Je me sentais bien, et il s'est contenté de me caresser le dos, sans tenter d'approche plus ciblée. Ça m'a rassurée. À vrai dire, je n'avais aucune envie de me lever, ni même d'ailleurs de reconnaître à quel point j'appréciais d'être câlinée de la sorte.

Je me sentais bien dans les bras d'un homme.

Tellement bien que je me suis endormie.

Lorsque je me suis réveillée, j'étais dans ma chambre, complètement perdue. J'ai cru que j'étais avec Gary, et je me demandais ce qu'il foutait là. Et puis je me suis rendu compte que le corps qui m'enlaçait tendrement était bien trop costaud pour être celui de Gary, que le bras posé sur mon ventre était bien plus musclé que n'importe quelle partie du corps de mon futur ex-mari. Il y avait aussi un tatouage tribal noir autour de son poignet.

Ce détail a suffi pour me réveiller complètement.

Horse était dans mon lit. Mon pantalon avait disparu, et il ne me restait que mon tee-shirt et mon slip. Pas de trace non plus de mon soutien-gorge. En frottant ma jambe contre la sienne, j'ai découvert qu'il n'avait pas de pantalon non plus, et j'ai senti son sexe géant en érection me taquiner le cul.

Il n'avait pas volé son surnom, c'est clair.

Je me suis dit que c'était juste une érection matinale, rien d'anormal, et qu'il n'était peut-être même pas encore réveillé.

— Bonjour, Joli-Cul, a-t-il murmuré.

Si son souffle chaud dans le creux de mon oreille a provoqué un afflux de sang immédiat dans toutes mes zones érogènes, ses mots m'ont carrément énervée. Optant pour l'émotion la moins risquée, l'agacement, j'ai essayé de m'arracher à son étreinte. Il n'a pas plus bronché que si je n'avais pas bougé, ce qui m'a encore plus horripilée.

— Arrête de m'appeler comme ça. Quel genre de type appelle les femmes comme ça ? ai-je marmonné, boudeuse.

Il s'est marré, un rire grave et chaud au creux de mon oreille.

— Vaut mieux pas que tu le saches, a-t-il répondu, en m'embrassant la nuque et en pressant la main contre mon ventre.

Ce simple geste a suffi à me faire mouiller comme une dingue, et je n'ai pu m'empêcher de me tortiller contre son énorme engin, en me demandant si je n'avais pas perdu la raison.

Mon corps et mon esprit se disputaient le contrôle – que le meilleur gagne.

Un instant, mon cerveau a semblé prendre le dessus.

— Une minute, ai-je protesté. Ton « Vaut mieux pas que tu le saches », je m'en tape. Je veux savoir, justement.

— Aucune importance. Vaut mieux pas que tu le saches.

— Si ça n'a pas d'importance, pourquoi tu ne veux rien dire alors ?

Pour toute réponse, il a glissé la main un peu plus bas, attrapé mon tee-shirt et l'a relevé len- tement, faisant courir sur mon ventre la pointe de ses doigts calleux et rugueux. Délicieux… Mon cerveau a rendu les armes et remis à un autre jour la discussion à propos du « joli cul ». Ce même cul, que j'ai allégrement tortillé pendant que lui jouait du bassin, frottant son érection désormais épique contre la raie de mes fesses. Sa main avait mis cap au nord, recouvrant mon sein et titillant mon téton alors qu'il couvrait ma nuque de baisers.

— Putain ! ai-je murmuré. C'est incroyable, Horse !

— Et t'as encore rien vu, bébé, a-t-il murmuré à son tour.

Il suçait déjà le lobe de mon oreille. Et comment ne pas gémir ? Mon cerveau a définitivement jeté l'éponge, cédant le contrôle des opérations à mon corps, qui ne souhaitait qu'une seule chose : que cet homme le pénètre.

Et tout de suite.

Je me suis retournée sur le dos, l'ai pris par le cou et j'ai attiré sa bouche contre la mienne. Après la tendresse dont il avait fait preuve jusqu'ici, jamais je n'aurais pu imaginer ce qui allait suivre.

Brusquement il s'est emparé violemment de ma bouche, roulant sur mon corps et se calant entre mes jambes. Sans opposer de résistance, j'ai laissé sa langue furieuse s'enfoncer dans ma bouche, aller et venir, au rythme rugueux de son bassin contre le mien. Seules deux fines épaisseurs de tissu nous séparaient, alors que son pénis venait percuter mon clitoris d'un mouvement intense, presque brutal. J'ai frissonné, en proie à un désir fulgurant qui explosait à l'intérieur de mon corps, soulevant les hanches pour épouser son rythme. Ce faisant, j'ai sans le vouloir pris appui contre son torse, geste qu'il a visiblement interprété comme une réaction de rejet.

Horse s'est arraché à ma bouche et s'est mis à grogner, les yeux assombris par le désir et en proie à une telle passion que je suis restée tétanisée. On aurait dit un animal en rut, ce que son membre dur comme l'acier était déterminé à prouver, à sa façon.

— C'est moi qui commande ici, ne l'oublie pas, m'a-t-il lancé.

J'ai acquiescé silencieusement, comme hypnotisée. Je n'ai rien dit lorsqu'il s'est soulevé légèrement, juste assez pour remonter mon tee-shirt et le passer au-dessus de ma tête, en coinçant mes bras à l'intérieur. Au lieu de l'enlever complètement, il l'a entortillé autour de mes poignets, les immobilisant d'une main ferme au-dessus de ma tête tout en faisant glisser sa bouche sur mon téton pour le sucer à pleine bouche. Un feu d'artifice de sensations a explosé à l'intérieur de mon corps, et je me suis mise à gémir. À crier, même. Entre mes cuisses, je ne sentais plus qu'un vide douloureux, que je voulais qu'il comble. J'avais envie qu'il me transperce, qu'il prenne son pied.

J'ai senti son autre main s'affairer au niveau de sa taille : il se débarrassait de son caleçon. Ensuite, il a de nouveau projeté ses hanches contre les miennes. Putain, c'était trop bon ! À travers le tissu de mon slip, il pressait son gland contre moi, plutôt que de frotter son sexe le long de mon clito, provoquant un flot de sensations nouvelles, alors que je sentais l'étoffe fine, prête à craquer sous la pression insoutenable de son membre, s'insérer en moi.

Je me suis cambrée, brûlante de désir encore inassouvi.

Il a soulevé la tête du creux de mes seins et s'est redressé au-dessus de moi, tenant toujours mes mains prisonnières. Je me tortillais sous la torture.

— Putain, t'es vraiment bandante ! a-t-il marmonné.

J'ai fermé les yeux, essayant de le plaquer contre mes hanches, gémissante, comme pour le supplier de me prendre.

— Garde tes mains au-dessus de ta tête, sinon tu vas le regretter, a-t-il ordonné.

Son regard vert et intense me clouait sur place.

— OK, ai-je répondu.

J'étais prête à faire tout ce qu'il voulait, et même plus. Je ne m'étais jamais sentie aussi excitée, jamais, au bord de l'orgasme absolu en moins de cinq minutes.

Jamais je n'avais ressenti ça avec Gary.

Horse m'a laissé les mains libres pour descendre plus bas, frottant son nez sur mon ventre alors que tout mon corps ondulait, puis ses mains ont saisi mon slip et l'ont fait glisser le long de mes jambes. D'un coup de pied, je m'en suis libérée et j'ai écarté les cuisses. Sans la moindre hésitation, il a saisi mon clitoris à pleine bouche tout en me pénétrant violemment de deux doigts. Sans aucun mot, sans aucun préliminaire. Juste ses doigts rugueux à l'assaut de mon point G.

Bordel ! C'était mille fois mieux qu'avec mon vibro préféré, le rose à deux têtes ondulantes. Mon corps s'est raidi, et j'ai gémi, doigts de pied recroquevillés. Au bord de l'orgasme, juste au bord, à un millimètre.

Il a soulevé légèrement la tête, dégagé sa bouche et s'est mis à rire.

— J'en étais sûr, a-t-il dit. J'en peux plus, je veux être en toi, mais, putain, t'es super étroite, alors ça risque de te faire un peu mal au début. Mais t'inquiète, je vais faire le passage, et ensuite, nom de Dieu, ça va être le pied. Ça va être ta fête.

Sa bouche m'a reprise, encore plus profondément. Ses doigts allaient et venaient, et je me suis mise à grogner, agitée de spasmes alors que tout mon corps se raidissait. J'y étais presque. Il s'est arrêté une nouvelle fois, mais je n'ai pas ouvert les yeux pour voir ce qu'il faisait. J'aurais peut-être dû, histoire de me préparer. Ses doigts ont repris leur va-et-vient, et son autre main s'est immiscée entre mes fesses. J'ai hurlé de plaisir lorsqu'il y a enfoncé un doigt, jouissant contre sa bouche, reins cambrés.

Il m'a fallu quelques instants pour reprendre mes esprits.

J'ai ouvert les yeux et je l'ai trouvé à mes côtés, en appui sur un coude, regard posé sur moi, sombre et impérieux, sans aucune trace de satisfaction. Je l'ai regardé, paupières battantes, médusée.

— Et maintenant je vais te baiser.

— Si tu veux, ai-je murmuré, sidérée. Je ne suis pas sûre de pouvoir beaucoup participer, je crois bien que tu m'as explosé un fusible, ou un truc du genre.

Il a souri, d'un air à la fois sombre et satisfait. Ensuite, il s'est précautionneusement allongé sur moi, positionnant de la main son large sexe contre le mien. J'ai repris mes esprits.

— Et les capotes ! ai-je haleté, repoussant son torse. Arrête ! Il nous faut une capote.

Il a marmonné, yeux plissés :

— Je veux te monter à cru. Je suis clean, tu sais.

J'ai frémi, fermant les paupières.

— Peut-être bien que tu l'es, mais moi, je n'en sais rien. Gary me trompait.

Ces mots ont semblé le faire réagir, et son regard s'est adouci. Il a tendu le bras et m'a caressé la joue de son pouce, à l'endroit même où s'était trouvé le bleu.

— C'est lui qui t'a fait ça, non ? (J'ai hoché la tête.) Ton frère dit que c'est de l'histoire ancienne. C'est vrai ?

J'ai fait « oui » de la tête une nouvelle fois, essayant d'éviter son regard, ce qui n'était pas chose aisée, vu notre position.

— Je n'ai pas envie de parler de Gary. Tu as des capotes ?

— Ouais, dehors, dans l'une de mes sacoches. T'es pas obligée de me croire, mais je n'avais pas tout prévu.

J'ai ri.

— Moi non plus.

— Je sais, a-t-il dit en s'écartant pour s'allonger sur le dos.

Je me suis tournée sur le côté et, pour la première fois, j'ai posé les yeux sur son sexe.

— Oh, mon Dieu !

Il était énorme. Et quand je dis « énorme »… : pas seulement long, mais épais et dur, turgescent, comme rouge de colère. Il s'incurvait vers le haut, plus large au milieu, pour se rétrécir juste en dessous du gland.

Comment résister ? De la main, je l'ai caressé de haut en bas, fascinée par la chaleur d'une peau si douce sur un membre aussi dur et impressionnant.

— Ce n'est pas pour rien qu'on m'appelle « Horse », je te l'avais bien dit.

Détachant mes yeux à regret, je les ai posés sur son visage, qui affichait un mélange de satisfaction et de désir.

— Et tu arrives à trouver des capotes de cette taille ? ai-je demandé, un peu ironique.

— Tu serais étonnée, a-t-il grommelé. Maintenant, et même si ça va à l'encontre de tous mes principes, il faudrait que tu lâches ma bite.

Il s'est levé, a attrapé son jean sur le sol et l'a enfilé non sans mal.

— Je vais à ma moto. Ne bouge pas.

Aucun risque.

Il s'est arrêté sur le seuil de la porte.

— Putain ! a-t-il lâché, d'un ton résigné.

— Joli-Cul aime donner de la voix, ça me plaît, s'est exclamé quelqu'un.

C'était une voix d'homme, venant du salon, juste à côté de ma chambre.

Et merde!

J'ai attrapé le drap et me suis enroulée dedans. Je n'arrivais pas à croire qu'on avait eu un public. Avec les murs fins comme du papier à cigarette, rien n'avait dû leur échapper.

Je me suis retournée, gémissant dans mon oreiller.

— T'es tombée sur une chaudasse, on dirait, a commenté une autre voix. Si elle veut remettre ça, je suis preneur.

Oh, mon Dieu!

Horse est sorti en claquant la porte. Je l'ai entendu grommeler un truc. Puis il y a eu un rire, suivi d'un bruit étouffé et d'un grognement. D'autres rires ont suivi. La porte d'entrée s'est ouverte puis refermée bruyamment. Une minute plus tard, Horse réapparaissait dans ma chambre avec un sac en cuir. Il s'est assis sur le lit, a farfouillé un instant à l'intérieur et en a ressorti une poignée de capotes, qu'il a balancées vers moi.

— Y a pas moyen, ai-je fait entre mes dents serrées.

Horse s'est levé, a enlevé son jean et s'est mis à genoux sur le lit au-dessus de moi, sexe en avant, presque agressif. Il a froncé les sourcils, et j'ai secoué vivement la tête, limite hystérique.

— Tu en as envie autant que moi, je le sais bien.

C'était vrai, mais pas en public.

— Non, je suis sérieuse, ai-je insisté. Pas avec ces types dans mon salon. Ils sont là depuis quand ? Je n'ai même pas entendu leurs motos arriver.

— Sont venus en caisse, a-t-il répondu.

Il se branlait, serrant son sexe dans sa main. Je n'avais jamais rien vu d'aussi excitant. Il a pris une respiration saccadée, et une veine s'est mise à battre à un rythme effréné sur son cou.

— Peu importe. File-moi une putain de capote. Je veux que ça soit toi qui me l'enfiles.

— Non.

Horse s'est immobilisé, et une atmosphère sombre et lourde s'est abattue dans la pièce.

— Comment ça, non ?

— Non, ai-je répété d'une voix faible. J'ai entendu ce qu'ils disaient. Et ça me débecte. Je n'ai aucune envie de baiser en sachant qu'ils sont là.

Lentement et de manière délibérée, Horse a lâché son sexe et s'est penché sur moi, tout près, en appui sur ses mains placées de chaque côté de mon visage.

Il me fixait d'un regard dur et glacial.

— Je baise quand je veux et comme je veux, a-t-il proclamé.

J'ai frissonné. Il était redevenu l'homme intimidant que j'avais rencontré la première fois. J'avais oublié à quel point il m'avait terrifiée.

— Et c'est pareil pour mes frères. Ce qu'ils font ne te regarde pas, c'est moi que ça regarde. Contente-toi de t'occuper de moi.

— Non. (J'étais effrayée mais déterminée.) Ce qui vient de se passer entre nous, ai-je poursuivi, c'était tout simplement incroyable, et je suis désolée que tu n'aies pas eu le temps de prendre ton pied. Mais y a pas moyen que je fasse l'amour en public. Point barre. Sors de mon lit.

— Tu fais une connerie.

— Sors de mon lit, ai-je répété, ne voulant rien lâcher.

Mains sur son torse, je l'ai repoussé. À mon contact, il a explosé de colère et s'est retourné en frappant le mur. Ensuite, il a pris son jean, l'a enfilé sur son sexe enragé, en mode commando, avant de passer son gilet en cuir, à même la peau. Il a attrapé la sacoche et il est sorti de la chambre, claquant la porte tellement fort derrière lui que j'ai entendu quelque chose craquer.

Je me suis retrouvée seule au lit, sous le choc et recouverte de sachets de capote.

Une heure plus tard, Jeff frappait doucement à ma porte.

— Marie, ça va ? a-t-il demandé, voix un peu tremblante. Heu… j'sais pas si t'es au courant, mais ta porte est fendue en plein milieu…

— Oui, ai-je répondu d'une voix douce.

J'étais assise au milieu de mon lit, genoux ramenés sur la poitrine. Je m'étais rhabillée et j'avais déjà envoyé un texto à Denise pour la prévenir que je ne me sentais pas assez bien pour aller bosser. J'avais entendu la moto de Horse s'en aller, entendu Jeff se disputer avec les autres types. Entendu aussi un pick-up s'éloigner dans l'allée. Et là, assise, j'essayais de comprendre ce qui venait de se passer.

Je n'avais jamais couché avec un autre mec que Gary.

Horse m'avait complètement scotchée, par sa tendresse d'abord, puis par son adresse. Mais il avait tout gâché en me foutant les jetons, sans parler des dégâts dans ma chambre. Qui des deux était le vrai Horse ? Est-ce que j'allais le revoir ?

Est-ce que je voulais le revoir ?

— Marie, je peux entrer ?

— Non, ai-je répliqué.

J'ai jeté un œil autour de moi. Le tee-shirt de Horse, orné du symbole des Reapers, gisait en vrac sur le sol près de son caleçon.

Et, sur la table de nuit, il y avait une pile bien ordonnée de préservatifs.

Je ne voulais pas que Jeff voie tout ça.

— Je vais essayer de dormir encore un peu, lui ai-je dit, après un long silence.

Chapitre 4

Je regardais Horse, bouche bée.

— Tu menaces de tuer mon frère juste parce que tu veux faire l'amour avec moi ?

L'homme à la crête s'est approché de Horse et a passé un bras autour de ses épaules.

— Jolie pouliche, mon frère, mais un peu limitée. (Il a fait un signe de tête dans ma direction, sourire en coin, avant de poursuivre.) Laisse-moi l'emmener faire un petit tour, histoire de la débourrer à ta place.

Il a fait onduler ses hanches de manière suggestive, et les autres ont ricané. Horse s'est retourné brusquement et lui a décoché un coup de poing dans le ventre. Le type à la crête s'est plié en deux, chancelant, pendant que Horse m'attrapait par le bras et m'entraînait dehors, dans le verger, à bonne distance du mobil-home. Il m'a saisie par les épaules et m'a acculée contre un arbre, visage menaçant.

— Rectification. Je ne veux pas « faire l'amour » avec toi. (Il appuyait chacun de ses mots en me secouant légèrement, histoire de bien faire passer le message.) Ce que je veux, c'est te baiser. Faire l'amour, les câlins, tout ça, c'est des conneries. C'est des conneries, c'est réservé aux petites amies ou aux régulières. Et, si je m'en souviens bien, t'en as rien à branler. Alors, que les choses soient claires. Si je menace ton frangin, c'est parce qu'il a arnaqué le club, ça n'a rien à voir avec toi au départ. Mais, quand on s'amuse à faire ça au club, on le paie de son sang. Et tu es de son sang. C'est pour ça qu'on t'embarque. Te baiser, c'est juste un bonus.

— Tu veux dire que tu m'emmènes pour montrer à tout le monde ce qui arrive quand on s'en prend au club ?

— J'y crois pas, bordel, elle a compris ! a-t-il marmonné, levant les bras au ciel. Ton frère est un sacré veinard, parce que j'ai plus envie de te baiser que de le liquider. Sinon je vois pas l'intérêt. Si ce trou du cul de Jeff arrête de déconner et rembourse le club, alors peut-être que tu pourras partir, mais seulement quand j'en aurai fini avec toi. S'il ne paie pas, je te trouverai une autre utilité. C'est pigé ? (J'ai hoché la tête une nouvelle fois.) Et je te préviens, pas d'embrouilles ou de coups foireux.

Il a reculé d'un pas, puis passé une main rugueuse dans ses cheveux, avant de s'éloigner. Quand je l'ai suivi, il s'est retourné.

— Si tu acceptes, c'est ton choix. Je ne suis pas là pour te violer. C'est toi qui décides si tu veux payer pour l'erreur de ton frère. On est d'accord ?

Considérant le flingue pointé sur la nuque de mon frère, je ne vois pas très bien où était le choix. Mais j'ai préféré me taire. Si les Reapers étaient disposés à nous laisser une chance, il valait mieux la saisir, peu importaient les conséquences.

Horse m'a regardée d'un œil noir.

— Je suis sérieux. Tu peux annuler à tout moment. Je ne vais pas t'enfermer et passer mon temps à te surveiller. Si tu acceptes ce marché, tu dois le respecter. Mais tu peux encore le refuser, ce putain d'accord. Ton frère est un connard, et on savait ce qu'il était en train de manigancer. Toi, t'y es pour rien, c'est pas à toi de le sortir de sa merde.

— Je me trompe ou t'es en train d'essayer de me faire dire non ? ai-je rétorqué. C'est impossible. J'étais sérieuse tout à l'heure. Je ferais n'importe quoi pour Jeff. N'importe quoi.

Il s'est retourné, mâchoires serrées, a poussé un grognement et balancé un coup de pied tellement violent dans un arbre que j'ai cru qu'il allait se casser les orteils. Puis il m'a ramenée au mobil-home.

Quand nous sommes entrés, les autres types, assis, parlaient en buvant une bière. Couché sur le flanc au milieu de la pièce, Jeff pleurait silencieusement. Son visage, ou ce qui en restait, était recouvert d'hématomes qui devenaient de plus en plus horribles de minute en minute. Ignorant la compagnie, Horse m'a poussée dans ma chambre et a refermé derrière nous la porte qu'il avait fracassée. Il a ouvert rageusement ma penderie et m'a balancé d'un geste brusque le sac à dos qu'il venait d'y trouver.

— Tu as trente minutes, a-t-il ordonné. Ensuite, tu grimpes sur ma bécane, et on rentre à la maison. Prends tout ce que tu veux garder.

— OK.

J'espérais qu'il me laisserait tranquille pour faire mon sac, mais, manque de bol, il s'est adossé contre la porte encore fracassée de la chambre et m'a regardée pendant que je fouillais dans mon placard. J'ai pris le minimum côté vêtements, en me disant que je pourrais toujours en trouver d'autres. Ce que je voulais surtout garder, c'étaient les photos et les quelques souvenirs que j'avais pu emporter lorsque j'avais quitté Gary. Ça me déprimait de voir que, en fin de compte, je ne possédais presque rien.

J'ai sorti la boîte à chaussures dans laquelle je gardais mes papiers et l'ai poussée sur le lit. Elle s'est renversée, et des photos s'en sont échappées. La laissant de côté, je suis retournée fouiller dans le placard à la recherche de bottes appartenant à ma mère. Et, même si les bottes, c'était pas trop mon truc, je me suis dit qu'elles seraient sûrement très utiles à l'arrière d'une moto.

Horse était assis sur le lit et regardait les photos. J'ai essayé de ne pas faire attention à lui, tout en tirant sur mon pantacourt pour l'empêcher de descendre et de révéler mon string. Mais pourquoi avais-je eu la bonne idée de mettre ça?

— C'est pour lui que tu portes ce truc? a lancé Horse d'une voix glaciale.

Je me suis retournée et l'ai trouvé en train de tenir une photo de mariage maculée de sang. Gary et moi. On était tellement jeunes, putain!

— Que je porte quoi?

— Ce cache-raie, a-t-il répliqué d'un ton cassant. Pourquoi tu portes un putain de string pour aller bosser avec des mômes? Tu le revois?

— Non! ai-je hurlé, horrifiée. Je ne l'ai pas revu depuis qu'il m'a tabassée, tu devrais le savoir. Même pas un coup de fil, rien. Quand tous les papiers seront prêts, le mari de Denise m'a dit qu'il voulait bien s'en occuper.

— Tu gardes ça?

— Ouais, ai-je répondu, observant la photo.

À cette époque, j'étais pleine de rêves et d'espoir, et j'avais laissé un homme les détruire.

— Je ne veux pas oublier. En tout cas, pas encore, ai-je précisé.

Horse a laissé tomber la photo sans un mot, et j'ai continué à faire mon sac en vérifiant l'heure régulièrement sur mon téléphone. À voir la pile d'objets qui se formait sur mon lit, je me suis soudain sentie triste de voir que ma vie tenait si peu de place. Il ne me restait plus qu'à prendre mes dessous, et je n'avais pas du tout envie de le faire devant lui.

En même temps, je n'avais pas le choix.

Je me suis levée pour ouvrir mon tiroir à sous-vêtements. Qui n'était pas très fourni, mais je me suis dit que, avec Horse, il me faudrait… comment dire… assurer rayon lingerie. Il est venu se planter derrière moi, a pris mes hanches dans ses larges mains et m'a attirée contre lui en se penchant au-dessus de moi. Il a pris une profonde inspiration.

— J'adore l'odeur de tes cheveux.

Sa voix était rauque, et son membre déjà dur contre mes fesses. J'ai entendu la voix de Picnic et des autres dans le salon. Jeff était à côté, entre la vie et la mort.

— Il ne me reste que dix minutes, ai-je murmuré, anxieuse. S'il te plaît.

La main de Horse a abandonné ma hanche et s'est emparée de mes cheveux, et j'ai dû tourner la tête. Il m'a embrassée sauvagement, fourrant sa langue dans ma bouche. J'ai gémi et me suis effondrée sur lui. Son autre main, frénétique, arrachait déjà les boutons de mon pantacourt et plongeait dans mon slip, rugueuse, glissant contre mon clitoris avant de me pénétrer. J'ai gémi. Je m'en voulais à mort d'être autant excitée.

Il a arraché sa bouche à la mienne tout en me clouant du regard. Un regard insoutenable, plein de désir, de sexe et de colère contre moi. J'avais le souffle coupé.

— Cette chatte…, a-t-il dit.

Ses doigts allaient et venaient en moi, et j'ai gémi de nouveau, honteuse qu'il réussisse à me faire mouiller aussi vite.

— Cette chatte m'appartient. Et toi aussi, tu m'appartiens. Je te baiserai où et quand je voudrai, c'est à prendre ou à laisser, nom de Dieu! C'est bien clair?

J'ai acquiescé, silencieuse et frémissante. J'aurais voulu le haïr, mais mon corps s'y refusait. La main agrippée à mes cheveux, il me caressait sans relâche. Mes jambes ont cédé, et j'ai poussé un gémissement. J'étais au supplice. Sa bouche est revenue se poser sur la mienne.

Sa langue allait et venait au rythme de ses doigts. Entre mes cuisses, la tension était insoutenable, tout mon corps se contractait. Horse a accéléré le rythme, et je me suis mise à trembler, prête à exploser. Ses lèvres ont quitté les miennes et se sont posées sur mon cou, qu'il s'est mis à lécher et à sucer. Mes hanches se sont collées aux siennes, suppliantes, et il m'a mordillé le cou. J'ai gémi de nouveau.

Tout le monde avait dû m'entendre à côté, j'en étais sûre.

Horse a retiré sa main de ma culotte et a reculé d'un pas. Je me suis figée, sous le choc, haletant bruyamment. Tremblante, j'ai tourné la tête et j'ai vu qu'il me souriait, d'un sourire qui n'illuminait pas ses yeux. Ensuite, lentement et délibérément, il a léché ses doigts encore humides.

— Peut-être que j'adore te sucer, mais c'est pas toi qui mènes le jeu, a-t-il chuchoté. C'est bien clair ?

— C'est toi qui commandes, ai-je murmuré à mon tour. Sinon, je n'ai qu'à me barrer. Mais, si je me casse, qu'est-ce qui va m'arriver ?

— À toi ? Rien. Tu es avec moi de ton plein gré. Mais avec le club on paie de son sang, Marie. C'est une règle contre laquelle je ne peux rien moi-même. Ne l'oublie pas.

Je me suis empressée de faire « oui » de la tête.

Il m'a éloignée gentiment de lui pour ouvrir le tiroir à dessous et fouiller à l'intérieur, et en a sorti plusieurs strings et un teddy, avant de les étaler sur le sol.

— Tu n'auras pas besoin de tout ça, a-t-il dit, en retournant à sa fouille.

J'ai hoché la tête, inquiète de ce qu'il allait encore trouver. Lorsqu'il s'est figé, j'ai tressailli. J'avais vraiment pas de bol, merde ! Moi qui ne savais déjà plus où me mettre…

Dans sa main se trouvait le tee-shirt noir des Reapers qu'il avait oublié en boule sur le sol, après cette nuit désastreuse que nous avions passée ensemble. Il m'a regardée, interrogateur. J'ai secoué la tête, rougissant violemment et tendant déjà la main pour le lui arracher.

Plutôt que de me le rendre, il l'a déplié et a découvert, incrédule, le vibro rose bonbon à deux têtes – une pour mon clito, l'autre pour mon point G –, qui se trouvait roulé à l'intérieur. On était là tous les deux, silencieux, comme hypnotisés. Il a remis le vibro dans le tiroir et m'a fait passer le tee-shirt. Il semblait jubiler.

— Emballe tes affaires et n'oublie pas ce petit joujou, m'a-t-il intimé.

Il ne m'a pas quittée des yeux lorsque je les ai glissés au fond de mon sac à dos. C'était la honte de ma vie. J'ai pris soin d'éviter son regard en finissant de remplir mon sac, que j'ai refermé et suspendu à mon épaule.

— C'est bon ? a-t-il demandé. Si t'as besoin de prendre d'autres trucs dans le salon ou la cuisine, profites-en, ça m'étonnerait que tu les retrouves un jour.

J'ai secoué la tête, toujours incapable de parler. *Quelle conne, quelle conne, mais quelle conne…*

Il s'est penché vers moi et a murmuré au creux de mon oreille :

— La prochaine fois que t'as envie de faire mumuse avec ton petit joujou rose, je veux être là pour te mater. Et, si t'es sympa, je te laisserai peut-être porter le tee-shirt. C'est clair ?

J'ai hoché la tête. On a quitté la chambre, en passant devant Jeff et les Reapers avant de sortir.

Chapitre 5

13 août – Cinq semaines plus tôt

Je ne m'attendais pas à revoir Horse de sitôt après la nuit torride à laquelle j'avais brutalement mis un terme. Picnic et un autre type répondant au nom de Bam Bam étaient venus nous rendre visite, deux fois. Mon frère semblait assez content de les voir, et ils adoraient ma cuisine. Après leur départ, pourtant, Jeff était toujours renfermé et nerveux. Mais ce qui m'inquiétait le plus, c'était qu'il s'était mis à traîner au casino plus souvent.

Et, quand il rentrait, il n'avait jamais l'humeur du mec qui a gagné le gros lot.

Cela dit, même si je sentais que quelque chose ne tournait pas rond, j'appréciais de plus en plus les visites des Reapers. Pourtant, je n'étais pas sûre de vouloir revoir Horse. Chaque fois que j'apercevais des motos dans notre allée, j'étais terrifiée à l'idée de le croiser. En même temps, j'étais déçue de son absence. Il hantait mes rêves, et, plus d'une fois, j'avais revécu avec mon vibro cette incroyable matinée en sa compagnie.

Apparemment, il m'avait oubliée. Et je ne me voyais pas demander de ses nouvelles aux autres types. J'avais horreur de la pitié, et, à mon avis, c'était tout ce que j'obtiendrais d'eux. Pendant ce temps, Jeff s'éloignait de plus en plus. Il passait son temps à fumer, sans prendre la peine de m'adresser la parole ou de manger correctement. Je m'inquiétais, c'est clair, et je lui en voulais, et ce, encore plus aujourd'hui parce qu'il m'avait promis de rester sobre.

Il faut dire que, aujourd'hui, j'avais décidé d'aller récupérer mes affaires dans mon ancienne maison.

Hier, j'avais pris une journée de congé et j'étais allée au Women's Center de Kennewick pour me renseigner sur la possibilité d'un divorce. Je n'avais pas les moyens de me payer un avocat, mais, comme je ne demandais rien à Gary, je me disais que ça irait vite. Avec un peu de chance, je n'aurais même pas besoin de le revoir. Je pouvais juste lui envoyer les papiers pour qu'il les signe.

Pourtant, Ginger, la dame super gentille qui m'a accueillie au centre, m'a rappelée à la dure réalité. Quand j'étais partie de chez moi, par exemple, j'avais juste pris mon sac à main et un sac de vêtements, sans penser à ma carte de sécurité sociale, à mon certificat de naissance, à la carte grise de la voiture, à mes photos ou à d'autres souvenirs. Tout un tas de trucs qui, comme elle me l'a fait justement remarquer, pourraient se révéler utiles en temps voulu. Je ne pouvais pas faire confiance à Gary.

Elle avait raison.

Elle m'a aussi poussée à demander une ordonnance restrictive contre lui, mais je connaissais Gary, ça allait le rendre dingue. Jusqu'ici, il ne m'avait pas emmerdée, mais, si je le provoquais, il pourrait avoir envie de me retrouver et de me défoncer la tronche encore une fois. Il valait mieux que j'aille à la maison à un moment où je savais qu'il était absent. C'était mon plan.

Tous les lundis, il jouait au poker avec ses potes. Même le jour de la mort de sa mère, il n'avait pas renoncé à cette habitude. Si je mettais mon plan à exécution un lundi, je ne courrais aucun risque, à part celui de tomber sur Misty qui, en plus d'être sa nouvelle pute, avait travaillé avec moi à l'épicerie pendant deux ans. Aux dernières nouvelles, elle était toujours du soir le lundi. Et puis, même si je la croisais, j'imagine qu'elle ne me ferait pas d'histoires. Ce n'était pas comme si j'avais été une menace pour elle. Elle ne me faisait pas peur. Elle faisait peut-être deux fois ma taille, mais elle était d'une maigreur effrayante et craignait bien trop d'abîmer ses ongles manucurés pour envisager sérieusement de sortir les griffes. En fait, depuis que je m'étais libérée de Gary, j'avais de plus en plus pitié d'elle. Moi, j'avais réussi à défaire le nœud coulant. Mais elle?

Elle avait été assez conne pour m'aider à le défaire et pour le serrer autour de son cou.

Au cas où, j'avais demandé à Jeff qu'il fasse les deux heures de route avec moi jusqu'à Ellensburg, où j'avais vécu avec Gary ces trois dernières années. Je ne pensais pas courir un réel danger, même si je faisais encore des cauchemars dans lesquels il me frappait. Mais je me sentais mal à l'aise et j'avais honte : je n'avais même pas pris la peine de donner ma démission au supermarché *Safeway*. Si je ne croisais pas Gary, qui me disait que je n'allais pas tomber sur mon ancien patron ?

Je n'avais pas le courage d'affronter qui que ce soit.

Lorsque je suis entrée dans le mobil-home après le boulot, j'ai trouvé Jeff endormi sur le canapé, sa petite pipe gisant sur le sol à côté d'un sac vide et de quatre bouteilles de bière. J'ai essayé de le réveiller, mais il était complètement shooté. Dans cet état, je ne vois pas en quoi il aurait pu m'être utile.

Du coup, j'ai décidé d'y aller seule.

Je me rends compte à présent que c'était une connerie monumentale.

C'est clair.

Me garer devant mon ancien appart m'a paru complètement irréel.

Tout était pareil, en plus crade et plus petit. La même pelouse miteuse, la même peinture écaillée et décolorée, la même Mustang délabrée sur ses cales dans l'allée. Finalement, j'avais bien fait de me barrer.

Notre mobil-home était peut-être pourri, mais au moins il était au milieu d'un verger. Mon père avait bossé pour le propriétaire, John Benson, et, en plus de son salaire il avait le droit d'utiliser le vieux mobil-home comme logement. Quand il était parti, John avait eu pitié de nous et avait accepté de nous le louer pour trois fois rien, puisqu'il n'en avait pas vraiment besoin. Je crois qu'à une époque il s'était même passé un truc entre lui et ma mère, mais je n'en savais pas grand-chose, et je ne tenais pas tellement à en savoir plus. On le maintenait en état, on ne se faisait pas remarquer, et tout allait bien.

Je me suis garée dans la rue, heureuse de voir que la voiture de Misty n'était pas là et qu'il n'y avait aucune lumière dans la maison. Je n'ai croisé aucun voisin, ce qui m'a évité de faire la conversation. De toute façon, la surveillance de quartier, ce n'était pas le genre du coin ; ici, on ne se préoccupait pas vraiment des autres.

À un moment, j'ai un peu flippé quand je n'ai pas réussi à ouvrir la porte. Je me suis dit qu'il avait peut-être fait changer les serrures, mais, finalement, j'ai réussi à entrer. À l'intérieur, rien n'avait changé. C'était juste plus bordélique. Visiblement, Misty n'était pas une fée du logis. J'ai ricané en imaginant que ça devait faire péter les plombs à Gary.

Quel crétin !

Je n'ai eu aucun problème à trouver mes papiers. Il ne manquait que la carte grise de la voiture. Dans le placard de la chambre d'amis, j'ai aussi retrouvé la boîte à chaussures dans laquelle je gardais des souvenirs et des photos. Apparemment, personne n'y avait touché. Je suis allée la mettre dans le coffre de la voiture et, incapable de résister, je suis retournée dans la maison. Puisque j'étais là, autant en profiter pour récupérer quelques vêtements, à moins que Misty n'ait décidé de s'en débarrasser.

Contre toute attente, je les ai trouvés emballés dans des sacs soigneusement étiquetés sous la véranda à l'arrière de la maison. Trop cool. Je n'avais plus qu'à charger la voiture. Ensuite, je suis retournée dans la maison une dernière fois, sans vraiment savoir ce que je cherchais… Quelque chose qui mettrait un terme définitif à cette histoire, peut-être ? Notre photo de mariage était toujours sur le mur, à côté de celle du bal de fin de lycée. Je me suis observée sur ces photos, comme si je pouvais remonter le temps et me donner un bon conseil, du genre : *Barre-toi, et ne te retourne pas. Surtout pas !*

Sans savoir pourquoi, j'ai pris la photo de mariage et l'ai retirée de son cadre. Elle n'avait rien de particulier. C'était une photo toute bête qu'on avait faite nous-mêmes. Il n'y avait pas de photographe professionnel pour notre mariage.

Mais c'était une bonne photo.

Gary était jeune et beau, et moi innocente et jolie, pleine d'enthousiasme pour l'avenir. Je ne sais pas combien de temps je suis restée plantée là, perdue dans mes pensées. En tout cas, je n'ai pas entendu Gary entrer, puant l'alcool et la cigarette, avant qu'il balance ses clés sur la table basse. Je me suis retournée brusquement, mâchoire béante. Mes mains tremblaient tellement que j'ai laissé tomber la photo.

— Hem… Salut, Gary ? ai-je réussi à murmurer.

— C'est le jour où tu m'as entubé, a-t-il éructé, en inclinant le menton en direction de la photo.

Son visage était rouge vif, et une veine battait sur son front. Signe de colère. De rage.

— J'aurais pu faire tout ce que je voulais, mais tu voulais que je te passe la bague au doigt, et maintenant je suis coincé dans ce bled de merde sans rien du tout. Le plan du siècle, putain, Marie ! T'es fière de toi, j'espère !

Lorsqu'il s'est approché de moi, menaçant, j'étais sur mes gardes, essayant de ne pas céder à la panique. La dernière fois qu'on s'était vus, il m'avait défoncé la tronche dans notre cuisine. Ce souvenir a fait jaillir en moi un sentiment de terreur et d'impuissance, et je suis restée figée, sous le choc. Mon cerveau bouillonnait. Je devais trouver une issue. Est-ce que j'allais pouvoir atteindre la porte et lui échapper ? Il a éclaté de rire.

— T'es revenue pour me baiser une deuxième fois, salope?

Il marmonnait. Il était bourré. Sérieusement bourré. Voire proche du coma.

Il fallait que je me tire d'ici. Et tout de suite.

J'ai tenté une sortie, mais il s'est jeté sur moi et m'a plaquée au sol avec la force et la vitesse qui l'avaient rendu célèbre lorsqu'il jouait comme quarterback dans l'équipe de foot du lycée. Ma tête a percuté le plancher, celui-là même que j'avais découvert avec tellement de joie l'an dernier lorsque nous avions enlevé la moquette, et une douleur fulgurante m'a traversée.

Il s'est assis sur moi, m'a attrapée par la chemise et m'a arrachée au sol.

Ensuite, il m'a cognée comme un dingue.

Je ne me souviens plus très bien de ce qui s'est passé ensuite.

Je sais que je suis restée allongée à gémir sur le sol pendant un bon bout de temps et que, à un moment, Misty est arrivée et s'est mise à hurler. Gary était affalé sur le canapé, ivre mort et inconscient, pendant qu'elle m'aidait à me relever pour me conduire dans la cuisine. Elle voulait appeler les flics, mais je l'ai suppliée de ne pas le faire. Je n'avais pas le courage de leur faire face, d'affronter l'humiliation, leurs questions, leurs regards pleins de pitié.

Je ne voulais pas non plus changer d'avis sur Misty et la trouver sympathique.

Je m'étais sentie trahie et dévastée lorsque j'avais appris qu'elle couchait avec mon mari. C'est parce que nous nous étions disputés à son sujet que Gary avait fini par me frapper. Pourtant, elle s'est montrée douce et prévenante, et le sentiment d'horreur que j'ai lu dans ses yeux était des plus sincères. Elle m'a obligée à avaler du paracétamol lorsque j'ai refusé qu'elle appelle les urgences. Ensuite, elle est allée faire ses bagages, en versant de grosses larmes silencieuses. Le paracétamol a fait effet rapidement, et, même si je n'ai pas pu l'aider à porter ses trois valises, j'ai au moins pu lui tenir la porte. Après l'avoir refermée, je l'ai regardée remplir le coffre de sa voiture. Puis elle m'a prise par le bras et m'a aidée à rejoindre la mienne.

— Tu es sûre que tu ne veux pas que j'appelle les flics ? a-t-elle demandé. Il faut qu'il paie pour ce qu'il a fait. Je savais qu'il picolait et qu'il pouvait péter les plombs, mais jamais je n'aurais cru que…

— Je veux juste rentrer chez moi, ai-je murmuré.

Elle m'a serrée doucement dans ses bras, et une petite partie de moi, encore capable de détachement, n'a pas pu s'empêcher d'halluciner. La femme qui me sauvait aujourd'hui était celle que j'avais détestée le plus au monde. La vie est vraiment étrange.

— Ne reviens plus ici, a-t-elle soufflé. S'il est capable de faire ça, la prochaine fois il pourrait te tuer. Je pense que je vais aller chez mon frère quelque temps. Il est flic. Je serai en sécurité. Mais Gary n'arrête pas de parler de toi, il te déteste et il t'en veut à mort de l'avoir épousé et d'avoir gâché sa vie. Je t'en prie, ne reviens pas.

— Je ne reviendrai pas, l'ai-je rassurée, tout à fait sérieuse.

Il était plus de 3 heures du matin quand je suis rentrée chez moi. Lorsque, en arrivant devant le mobil-home, j'ai aperçu cinq motos chargées de sacoches et de sacs de couchage, je me suis dit que c'était vraiment une journée de merde. J'étais épuisée. Toutes les lumières étaient allumées à l'intérieur, et une lueur orangée vacillait sur la droite.

Ils avaient fait un feu de camp. Apparemment, Jeff avait suffisamment dessoûlé pour allumer autre chose que ses pétards.

Je n'avais pas l'énergie pour affronter ça. Tous mes muscles s'étaient tendus pendant le trajet retour, et j'avais du mal à descendre de la voiture. Je me suis traînée jusqu'à la porte d'entrée, en espérant que tout le monde serait près du feu et que je pourrais me faufiler à l'intérieur pour m'effondrer sur mon lit.

Dans mes rêves.

J'ai ouvert la porte et me suis retrouvée face à Horse, à Max, à Bam Bam, à Picnic et à Jeff. Je suis restée immobile quelques instants, accrochée au montant de la porte pour ne pas m'écrouler.

— Putain de merde ! s'est exclamé Bam Bam.

J'ai hoché la tête, docilement.

« Putain de merde ! » C'était le moins qu'on puisse dire.

Assis sur le canapé, Jeff ouvrait et refermait la bouche comme un poisson hors de l'eau. Je n'ai pas pris la peine de leur parler, préférant me traîner jusqu'à ma chambre. Horse a surgi à mes côtés, m'a soulevée dans ses bras, a ouvert la porte fracturée d'un coup de pied et m'a déposée sur le lit. Il a allumé la lampe de chevet, et la chambre s'est nimbée d'une douce lumière.

J'ai posé ma tête sur l'oreiller et j'ai senti monter des larmes de soulagement au contact du lit moelleux.

J'étais rentrée. Vivante.

— Qui t'a fait ça ? m'a interrogée Horse d'un ton glacial que je ne lui connaissais pas.

Il s'est assis près de moi, regard vide et visage livide. Je ne voulais pas lui faire face. Il me voyait dans un sale état, et je refusais d'affronter cette humiliation. J'ai fermé les yeux.

— C'est Gary, ai-je bafouillé. Mon mari. Je suis passée pour récupérer des affaires. Il n'était pas censé être là.

— Il faut que tu voies un médecin. T'as appelé les flics ?

J'ai secoué la tête contre l'oreiller.

— Non, et je ne veux en parler à personne, ai-je marmonné. Personne. Pas question non plus d'aller aux urgences. Je n'ai rien de cassé. Il m'a juste tabassée, rien de grave.

Horse est resté silencieux quelques instants.

— Il faut que je sache, bébé. Est-ce qu'il t'a violée?

Putain! Un petit rire guttural, proche de l'hystérie, est sorti de ma bouche. Je n'y avais même pas pensé – comme quoi, ç'aurait pu être pire. *Merci mille fois, Gary. Merci mille fois de ne pas m'avoir violée, espèce de gros connard!*

— Non.

— Regarde-moi dans les yeux, bébé, et réponds à ma question.

J'ai ouvert les paupières et l'ai trouvé penché sur moi, le visage tendu à en faire peur, écumant d'une colère effroyable, à laquelle je ne voulais pas penser. Déjà que j'avais du mal à gérer mes émotions, s'il fallait en plus que je me soucie des siennes…

— Non, il ne m'a pas violée, me suis-je dépêchée de répondre.

Puis j'ai refermé les yeux dans l'espoir d'éloigner la douleur. Après quelques minutes, j'ai entendu des pas dans la chambre, puis la voix grave de Picnic dire un truc que je n'ai pas réussi à comprendre, avant qu'il se rapproche et répète sa question:

— Il y a des témoins?

Je n'ai pas répondu.

— Il faut qu'on sache s'il y avait des témoins, mon bébé, a insisté Horse. Est-ce que quelqu'un a vu ce qu'il t'avait fait? Est-ce que tu en as parlé à quelqu'un?

— Heu… Misty, ai-je murmuré, après un silence. C'est Misty qui m'a trouvée. Elle m'a aidée à rejoindre ma voiture. Elle voulait appeler les flics, mais je l'en ai empêchée.

— C'est qui, cette Misty? a-t-il demandé.

— La nouvelle copine de Gary.

Avec précaution, j'ai passé un doigt sur ma lèvre fendue. Le simple fait de parler était douloureux.

— En fait, elle est plutôt sympa. Elle a fait ses valises et s'est tirée. Elle n'est pas aussi conne que moi, elle n'a pas traîné.

— Ça te dit, une petite balade? a proposé Horse à Picnic.

— Avec plaisir, a-t-il répondu.

— Le temps que je m'occupe d'elle, que je voie si elle n'a pas besoin d'un médecin, OK?

Je n'avais rien contre.

Ensuite, à moitié consciente, j'ai senti qu'on me passait de l'eau sur le visage, que Horse me faisait avaler des comprimés avec un peu d'eau. Je me rappelle aussi que Jeff s'est assis près de moi en me tenant la main jusqu'à ce que la douleur disparaisse. *Super cachetons*, me suis-je dit. Rien à voir avec le paracétamol, c'est clair. Ensuite, j'ai entendu des motos démarrer, puis j'ai de nouveau perdu conscience. Au matin, Jeff a appelé la crèche pour leur dire que j'avais eu un accident et que je devais me reposer quelques jours. Il a essayé de me proposer un petit déjeuner, mais l'idée de manger était insupportable. J'ai décidé de rester au lit et de m'apitoyer sur mon sort. Vers 10 heures, j'ai de nouveau entendu le vrombissement des motos, mais, cette fois, seul Horse est entré. Il est venu s'asseoir près de moi sur le lit sans un mot.

— Je suis crevée, ai-je protesté, refusant de le regarder en face.

Je me sentais tellement bête, j'avais tellement honte… Je savais que Gary pouvait se montrer violent. Les gens du Women's Center m'avaient conseillé de ne pas retourner seule chez lui, mais j'avais trouvé ça nul d'avoir peur de rentrer chez soi.

— Je crois que tu ferais mieux de partir.

Horse a tapoté ma clavicule du doigt, l'une des rares parties de mon corps sans horrible hématome violacé.

— Il ne te fera plus aucun mal, a-t-il dit.

— Ce n'est pas ton problème, Horse.

Je ne voulais pas lui parler. Tout ce que je voulais, c'était fermer les yeux et dormir, oublier pendant un temps tout ce qui venait de se passer.

— Ce n'est plus ton problème non plus.

Quelque chose dans le son de sa voix a éveillé mon attention, et je me suis forcée à le regarder. Il avait les yeux injectés de sang, et, sous sa barbe de trois jours, sa mâchoire s'est crispée. Il m'a pris la main et l'a embrassée avec une extrême douceur. C'est alors que j'ai vu les jointures de ses doigts.

Elles étaient tout écorchées, recouvertes de croûtes de sang.

Il a suivi mon regard et secoué la tête lentement. Un petit sourire triste est apparu sur ses lèvres.

— Ne pose pas de questions, sauf si tu veux connaître la réponse, a-t-il dit. Faut que j'y aille, on a une longue route jusqu'en Californie. Si on te le demande, tu dis que tu as eu un accident, OK? N'entre pas dans les détails. Quand on donne trop d'informations ou quand on complique les mensonges, c'est plus dur de ne pas se faire prendre.

J'ai hoché la tête, avant de refermer les yeux.

Je n'ai même pas eu envie d'en savoir plus sur ses jointures.

Chapitre 6

Les Reapers sont repassés une semaine plus tard, sur le chemin du retour. J'étais de nouveau sur pied et j'avais repris mes activités, mais pas le boulot. Denise était venue me rendre visite, armée d'une soupe de nouilles au poulet et d'un panier rempli de légumes fraîchement ramassés, dont dix kilos de courgettes, en déclarant que je ne pouvais pas m'occuper de petits enfants tant que mon visage ressemblait à un punching-ball. Ça les aurait effrayés. Elle m'avait promis de garder mon boulot, ce que j'avais énormément apprécié, et m'avait même proposé de me filer des heures sup pour compenser le manque à gagner lorsque je serais de nouveau présentable. Sa gentillesse m'avait fait pleurer.

J'étais assise à l'extérieur du mobil-home sur une chaise de camping et je lisais un vieux roman d'amour appartenant à ma mère, lorsque j'ai entendu le vrombissement d'une moto dans notre allée.

Horse.

Il était seul, et je ne savais pas vraiment quoi lui dire lorsqu'il s'est approché de moi. Je me sentais toujours aussi nulle. Non seulement il m'avait vue dans mon pire état, mais en plus je ne ressemblais toujours à rien. Heureusement, je ne m'étais pas trompée sur mon tout premier diagnostic : je n'avais rien de cassé, aucune marque indélébile.

— T'as une sale gueule, a-t-il fait remarquer en tirant une chaise près de la mienne.

Sa voix presque enjouée m'a agacée. Je lui ai lancé un regard furieux, et il a affiché un petit sourire en coin.

— Mais ton cul est toujours aussi joli.

Ce n'était plus de l'agacement mais de l'exaspération.

— Arrête de m'appeler comme ça, ai-je rétorqué. C'est insupportable.

— Je le sais bien. C'est pour ça que je le fais. T'es trop mignonne quand tu t'énerves. On dirait une petite chatte mouillée. Ça m'excite.

J'étais bouche bée. Horse s'est laissé aller contre le dossier de la chaise, a passé la main dans ses cheveux noirs et broussailleux. Sa bouche parfaite a dessiné un sourire, qui est venu éclairer la petite barbe couvrant à présent son menton. Il avait l'air très content de lui.

— Des nouvelles de ton ex ? a-t-il demandé. (J'ai fait « non » de la tête, décidée à ne pas relever son « ça m'excite » arrogant.) Content de l'apprendre. À mon avis il n'est pas près de revenir te harceler. Les gars ne vont pas tarder à arriver. Ils s'occupent du ravitaillement. On va camper ici ce soir avant de rentrer demain.

— Heu… ben, pas de problème. Jeff est au courant ?

Il a secoué la tête.

— Non, c'est toi que je suis venu voir, a-t-il précisé. Il est dans le coin ?

— Il est au casino avec des potes, ai-je expliqué, et, d'après ce qu'il m'a dit, il y a de grandes chances qu'il passe la nuit chez Krissie.

Son visage n'a laissé paraître aucune réaction, mais j'ai ressenti une certaine crispation. Ça ne me dérangeait pas. À moi non plus, elles ne plaisaient pas trop, les virées de Jeff au casino. Visiblement, il n'avait pas fini un boulot qu'il devait faire pour les Reapers. Depuis quelques semaines, je voyais bien que mon frère était sur une mauvaise pente, mais je ne savais pas quoi faire pour le sortir de là.

— Mais vous pouvez rester, me suis-je empressée de dire. Vous êtes les bienvenus, surtout si vous vous chargez de la bouffe.

J'étais sincère. Et, même s'il m'avait terrorisée ce fameux matin, je me sentais en sécurité auprès de lui, surtout maintenant. On m'avait fait du mal, et il m'avait protégée. Je me doutais bien qu'il n'y était pas allé de main morte avec Gary, et j'aurais certainement dû protester : la violence ne résout jamais rien, c'est bien connu. Mais Gary méritait ce qui lui était tombé dessus, et pas qu'un peu.

— Tu veux boire quelque chose ? a proposé Horse, en prenant la tasse en plastique vide qui se trouvait près de moi sur une caisse à lait.

Je lui ai souri, réprimant une grimace de douleur à cause de ma lèvre contusionnée.

— Thé glacé ?

— C'est comme si c'était fait, a-t-il dit en se dirigeant vers le mobil-home.

Un instant plus tard, il revenait avec une seconde tasse pour lui. Nous avons passé le reste de l'après-midi à papoter de choses et d'autres, en toute complicité. Horse avait grandi dans une famille de bikers, et son père avait été l'un des fondateurs des Reapers. Sa sœur était mariée avec Bam Bam. La première fois que je les avais vus, les Reapers m'avaient donné l'impression d'être une bande de délinquants, mais la façon dont Horse en parlait me faisait à présent davantage penser à une famille. Une famille de tarés un peu lourdingues, qui passaient leur temps à se battre et se retrouvaient parfois en prison, mais une famille quand même.

J'étais bien placée pour comprendre ça. Après tout, ma mère était elle-même assez atteinte et occupait en ce moment même une cellule dans une prison du comté. Ça ne m'empêchait pas de l'aimer énormément.

Je lui ai parlé des brochures que j'avais dans ma chambre sur la formation de cuisinier qu'offrait une école de Tri-Cities. Je lui ai aussi raconté qu'au

Women's Center on m'avait poussée à réfléchir à cette idée.

— C'est une bonne idée, a-t-il confirmé. Je sais que t'aimes bien bosser à la crèche, mais, à long terme, ça sert à rien, à part si tu ouvres ta propre crèche.

— Pas question, ai-je décliné en riant. J'adore les mômes, mais je ne me vois pas changer des couches toute ma vie.

— Ça veut dire que tu ne veux pas d'enfants ? T'en peux plus des couches ?

J'ai haussé les épaules.

— Eh ben, en tout cas, ce qu'il y a de sûr, c'est que je veux pas élever un enfant toute seule ! ai-je répondu. À l'heure où je te parle, ma mère est en taule pour agression à main armée. C'était stupide de sa part, c'est vrai, mais elle a toujours été une très bonne mère et elle nous a bien élevés. Si elle ne s'était pas cassé le dos à bosser comme une bête toute sa vie, elle ne se serait jamais mise à picoler. Douleurs chroniques, tu vois le truc ? C'est comme son programme de gestion de la colère, si elle n'avait pas abandonné, elle n'aurait jamais essayé de rouler sur ces flics. Je ne sais toujours pas pourquoi elle s'en est prise au deuxième, ce n'est même pas lui qui lui avait collé l'amende…

Horse a éclaté de rire, avant de se reprendre aussitôt.

J'ai secoué la tête et froncé les sourcils. Il a évité mon regard en avalant une gorgée de thé. J'ai tendu le bras et lui ai chatouillé les côtes, et il s'est mis à tousser pour masquer son fou rire. J'ai mis fin à sa torture.

— Oh, c'est pas grave ! l'ai-je rassuré d'un sourire. Ma mère aussi s'est marrée quand elle a enfin retrouvé son calme, et heureusement elle ne les a pas vraiment touchés. Elle n'en est pas très fière, c'est sûr. Et il lui reste encore quatre mois à tirer, ce qui la fait beaucoup moins rigoler.

Nous sommes restés silencieux quelques instants. Puis il a repris la parole :

— Ça répond pas à ma question.

— Ah, les mômes…

J'ai levé les yeux au ciel et j'ai bloqué sur un nuage qui ressemblait un peu à ma mère quand elle fume. Ça m'a fait sourire.

— En fait, je crois que j'aimerais en avoir. Mais pas toute seule, et seulement si je peux rester à la maison pour m'occuper d'eux. Jeff et moi, on était très souvent livrés à nous-mêmes. Ma mère faisait ce qu'elle pouvait, je ne lui en veux pas, mais, si j'ai une famille, je veux qu'ils connaissent autre chose.

Lorsque j'ai croisé son regard, je me suis rendu compte qu'il me dévisageait intensément. J'ai rougi, sans savoir pourquoi.

— Et toi ?

— Je veux des enfants, a-t-il affirmé. Ma mère va me tuer si je ne lui fais pas au moins deux petits-enfants. En même temps, je n'ai jamais eu de régulière. Enfin, jamais rien de sérieux. Difficile d'avoir des gosses sans copine.

— C'est clair, ai-je répondu, de plus en plus mal à l'aise. Mais dis-moi, une « régulière », c'est quoi exactement ? Je ne trouve pas ça très cool d'appeler comme ça quelqu'un à qui on tient.

— C'est une marque de respect, a-t-il rétorqué.

J'ai haussé les épaules, mais il a arrêté mon geste pour m'obliger à le regarder. Apparemment, c'était important pour lui.

— Je suis sérieux. Pour un biker, une régulière, c'est comme son épouse. C'est sa femme, sa propriété. S'en prendre à elle, c'est s'en prendre à tout le club. Faut pas nous chercher.

— « Sa propriété » ? ai-je lancé, retroussant le nez. C'est le bouquet !

— Tu ne comprends pas, a-t-il répondu en secouant la tête. Dans votre monde, ça ne se fait pas, je le sais bien. Mais être biker, c'est appartenir à une tribu. Une femme sans mec officiel, c'est une proie. À partir du moment où il en fait sa propriété, elle devient intouchable.

— N'empêche qu'être la propriété de quelqu'un, ça ne m'a jamais fait rêver !

Il a retenu son souffle, en signe d'exaspération.

Des rugissements de moteur au loin ont mis un terme à la conversation. Pour une fois, ses potes tombaient bien. Ils se sont garés dans la cour en faisant vrombir leurs engins, chargés de sacs pleins de poulet *KFC* et de biscuits. Normalement, la *junk food*, c'est pas trop mon truc, mais, alors que le soleil disparaissait à l'horizon et qu'ils déroulaient leurs sacs de couchage, j'ai savouré chaque instant de ce repas, avec mon assiette en équilibre sur les genoux.

J'ai apprécié que personne ne fasse allusion à mes ecchymoses. Picnic m'a offert une boîte de cerises enrobées de chocolat. On s'est tous assis autour d'un feu, et on a bu des bières en se marrant comme des baleines. Quand je suis allée me coucher, Horse m'a suivie et s'est allongé près de moi tout naturellement. Vu mon état de faiblesse, il s'est contenté d'un baiser, même si son sexe en érection m'a frôlée plusieurs fois au cours de la nuit. Je me sentais en sécurité entre ses bras. Le lendemain, ils sont partis à l'aube alors que j'étais encore à moitié endormie.

Dans l'après-midi, Horse m'a envoyé un texto pour me dire de jeter un œil à ma liste de « numéros favoris » sur mon téléphone.

Son nom y était inscrit. Tout en haut, bien sûr.

23 août

Horse: Ça va la vie?
Moi: Ça va. À part qu'un gamin m'a gerbé dessus au boulot, mais j'ai réussi à éviter le carnage:)

Horse: Je vois que tu t'amuses bien. Panne de moto pour moi.

Moi: Pas de bol. T'as une voiture?

Horse: 4´4. Idéal, surtout dans la neige. Mais je me sens enfermé, ça m'énerve. Tu fais quoi?

Moi: Je prends le soleil dans la cour.

Horse: Tu portes quoi?

Moi: Rien. Je travaille mon bronzage intégral.

Horse:!!!! Tu déconnes????

Moi: LOL. J'ai un tee-shirt et un short. ;)

Horse: Ça m'aurait étonné. Je vais essayer de passer la semaine prochaine.

Moi: Tiens-moi au courant.

Horse: T'inquiète. À +

27 août

Moi: Je m'ennuie. Et ta moto?

Horse: C'est mieux que de se faire gerber dessus. Moto réparée.

Moi: Bravo! Je suis un peu excitée, ce soir je sors. J'ai une pote de lycée qui vit à NY, Cara, elle est de passage. Ça va nous rappeler le bon vieux temps.

Horse: Où ça?

Moi: On va danser à Tri-Cities. En boîte. En mode pétasses!

Horse: Quoi? Faites gaffe à vous!

Moi: Toujours. Mais super contente. Première sortie depuis Gary.

Horse: Tu cherches un nouveau mec?

Moi: Heu... pas vraiment. Juste m'amuser.

Horse: Sois prudente et la robe, pas trop sexy. Je veux pas d'ennuis.

Moi: J'ai eu ma dose, crois-moi.

Horse: C'est vrai. Envoie-moi une photo tout à l'heure.

Moi: OK.

Moi: Alors? Pas trop pétasse?

Horse: Sexy. Et bien trop pétasse. Va te changer tout de suite.

Moi: Oh le coincé :-P

Horse: Envoie un texto quand tu rentres.

Moi: Soirée de merde

Horse:?

Moi: Jeff est malade, pour de vrai. Il m'a demandé de rester avec lui ce soir. J'ai cru qu'il faudrait l'amener à l'hosto, mais tout va bien maintenant.

Horse: Merde. Jeff est OK?

Moi: On dirait. On voit le médecin demain, mal de ventre.

Horse: Désolé.

Moi: Pas autant que moi. Cara repart demain, adieu ma soirée...

Horse: Comment va Jeff?

Moi: Bien. Comme avant. Des coliques peut-être, d'après le toubib.

Horse: Ah.

Moi: Pas cool.

Horse: Désolé pour ta soirée. Content que personne t'ait vue dans cette robe.

Moi: Jaloux?;)

Horse: À ton avis? Faut que j'y aille. C'est l'heure de la grand-messe.

Moi: La grand-messe?!?? J'aurais jamais cru que t'allais à l'église!

Horse: C'est le nom des réunions du club. L'odeur de l'encens, c'est pas trop mon truc.

Moi: Fais gaffe à l'eau bénite dans ta bière!

Moi: Je vais voir maman aujourd'hui. Je déteste les prisons.

Horse: Fais gaffe aux condés.

Moi: Les condés?

Horse: Les flics. Ça grouille, dans les prisons.

Moi: LOL. Pourquoi, tu me trouves dangereuse?

Horse: Non, à cause de tes mauvaises fréquentations :-> Visite comme ça ou y a autre chose ?

Moi: Non, la routine. J'essaie d'y aller une fois par semaine maintenant que j'habite moins loin. Avec Gary, c'était dur. Il n'aimait pas que j'aille la voir. C'est trop cher d'appeler de la prison, alors les visites sont importantes.

Horse: Je comprends. J'ai des frères qui y sont. J'espère que ça va bien se passer.

Moi: Merci.

Horse: Tu m'envoies une autre photo ?

Moi: Heu, je suis pas bien habillée.

Horse: M'en fiche. Envoie quand même. J'ai juste envie de te voir.

Moi: OK :)

Je déteste la prison du comté.

J'ai passé des plombes à poireauter dans cette salle d'attente, même si c'est sûrement mieux que d'aller dans une prison d'État. Les types du comté me regardent toujours comme si j'étais une merde et ils profitent de la fouille pour me peloter.

C'est le prix à payer pour avoir le droit de voir ma mère.

Ensuite, on est conduit dans une petite salle avec une table encastrée, un peu comme celles des *McDo*, qui ont des chaises fixées au sol. Sauf qu'ici il y a juste des tabourets, et tout est blanc. Après quelques instants, la porte s'est ouverte, et ma mère est entrée. Dans sa combinaison orange, pourtant loin d'être haute couture, elle était magnifique. Eh oui, ma mère a toujours été une bombe sexuelle ! Ça me rendait dingue quand j'étais au lycée. Mais, aujourd'hui, sa démarche indiquait que son dos la torturait encore plus que d'habitude. Elle souffrait d'une rupture multiple des disques et n'avait pas les moyens de se payer une assurance maladie pour se faire soigner. Les médecins voulaient qu'elle se fasse opérer, mais le comté refusait de couvrir les frais. Elle prenait son mal en patience.

Je me suis levée pour la prendre dans mes bras.

— Salut, maman, ai-je murmuré dans ses cheveux.

Des cheveux fantastiques, d'ailleurs, même au naturel. C'était incroyable qu'en prison ils puissent être aussi beaux, alors que les miens ne ressemblaient à rien même quand je passais deux heures à les domestiquer. Un mystère de plus chez cette femme tarée, aimante et parfois insupportable qu'était ma mère.

— Salut, ma chérie, a-t-elle répondu en me serrant fort.

Elle sentait un peu le tabac, une odeur dégoûtante pour la plupart des gens mais que je ne pouvais m'empêcher de trouver étrangement réconfortante, quand elle ne rendait pas notre mobil-home irrespirable. Ça me rappelait l'époque où elle rentrait tard du boulot quand on était petits. Elle entrait dans la chambre que j'occupais avec Jeff et venait nous embrasser pour nous dire bonne nuit. Le tabac avait pour moi le parfum du réconfort et de la sécurité.

On a fini par s'asseoir.

— Alors, comment tu t'en sors? a-t-elle demandé.

J'avais pris soin de dissimuler mes hématomes sous des couches de fond de teint, mais malgré mon stratagème les bleus n'ont pas échappé à son regard.

— Gary?

— Ouais, ai-je confirmé en rougissant. J'ai été débile. J'y suis retournée seule pour récupérer des affaires. Et il était bourré.

Sa bouche s'est crispée, et ses yeux se sont remplis de larmes de colère, ou d'impuissance peut-être.

— Si seulement je pouvais sortir, a-t-elle juré, je le tuerais, ce salaud.

— Ne parle pas comme ça, maman! On nous écoute sûrement… Ils vont croire que tu le penses vraiment.

Elle a haussé les sourcils, et j'ai compris qu'elle était sérieuse. Maman avait du caractère, c'est le moins qu'on puisse dire. C'était pour ça qu'elle était en prison. Mais j'adorais le fait qu'elle continue à nous protéger bec et ongles, encore aujourd'hui. Elle n'était pas parfaite, c'est clair, mais elle pouvait se transformer en ange exterminateur s'il le fallait, et plus d'une brute des cours d'écoles avait pu s'en rendre compte à ses dépens.

— Il ne va plus me causer d'ennuis maintenant, ai-je expliqué rapidement. Un de mes amis s'est chargé de lui faire passer le message.

— Un ami ?

— Euh… en fait un pote de Jeff. Un biker.

— Je vois. Et depuis quand Jeff traîne avec des bikers ? Je croyais que son truc, c'étaient les flambeurs.

— Depuis que je suis retournée vivre au mobil-home, ai-je répondu en haussant les épaules. Apparemment, il bosse pour eux. Je n'en sais pas plus.

— Et ces bikers, ce sont des gens bien ou de sales types ?

— Je ne comprends pas.

— Mais si, tu vois très bien ce que je veux dire.

J'ai laissé échapper un petit rire nerveux.

— Eh ben… Ils sont gentils avec moi. Ce ne sont pas des tendres, c'est clair, et ils peuvent faire flipper, mais ça me va.

Elle a plissé les yeux, comme pour mieux lire en moi. J'étais nerveuse et j'ai rougi encore une fois. Je n'avais jamais pu lui cacher quelque chose.

— C'est juste sexuel ou c'est plus sérieux ? m'a-t-elle interrogée.

J'ai haussé les épaules une deuxième fois, et elle a affiché un petit sourire entendu.

— Alors, fais gaffe. Les bikers peuvent être super, mais ils ne vivent pas dans le même monde que nous. Ils sont sans foi ni loi.

— Ouais, j'ai cru le comprendre, ai-je fait remarquer, non sans une certaine ironie. Mais t'inquiète, rien de sérieux, on se contente de flirter un peu.

Inutile de lui en dire plus. Personne n'a envie de raconter l'orgasme de sa vie à sa mère.

— Moi aussi, j'ai du nouveau, a-t-elle annoncé.

Je connaissais bien cette petite lueur dans son regard.

— Alors, c'est quoi ? ai-je questionné, surprise.

— Eh ben, comment dire ? Je me suis rabibochée avec quelqu'un. Un homme. Et ça devient sérieux.

Je voulais en savoir plus.

— Bon sang, mais comment tu fais en étant coincée ici ? me suis-je exclamée. Ma parole, t'es pire qu'un aimant, c'est hallucinant, tu les attires tous.

Elle a pouffé de rire comme une ado.

— Peut-être que je vieillis, mais je ne suis pas encore morte. Il m'a rendu visite peu de temps après mon arrivée dans la prison. Et, pour tout dire, il vient me voir au moins deux fois par semaine depuis.

— Qui ça ?

— John Benson.

— J'y crois pas, ai-je bredouillé, sous le choc. John Benson ? Notre propriétaire ?

— Oui, a-t-elle admis, l'air penaud. Tu ne le sais peut-être pas, mais lui et moi, on a eu une histoire à une époque…

— Je sais. Et je sais aussi qu'il était marié.

Elle a pris un air gêné.

— Je sais bien que j'ai fait des erreurs, mais sache qu'on a vachement culpabilisé. C'est pour ça que ça n'a pas duré. Sa femme n'a jamais rien su. Et là ça va faire trois ans qu'elle est morte, dans un accident de voiture. On s'évitait depuis tellement longtemps, John et moi, que c'était devenu une habitude. J'imagine que, lorsqu'il a vu mon nom dans le journal, il s'est remis à penser à moi…

Ma mère est la seule personne capable de trouver l'amour en essayant de renverser deux flics. John Benson n'avait pas toute sa tête, c'est clair.

— Il veut m'épouser.

Je n'en croyais pas mes oreilles. Je ne savais plus quoi dire.

— Eh ben, ai-je finalement réussi à répondre, j'imagine que c'est cool, maman. Qu'est-ce qu'il pense de ce qui t'est arrivé ?

— Il sait que j'ai mes problèmes, mais je suis sobre maintenant. Et ça m'a aidée à y voir plus clair.

C'était vrai. Elle avait rejoint les Alcooliques Anonymes avant sa petite bêtise. Avec Jeff, on l'avait confrontée au problème de son alcoolisme le jour où on l'avait retrouvée ivre morte dans la neige devant le mobil-home, l'hiver dernier. Par miracle, elle s'en était sortie.

— Aujourd'hui, j'ai compris qu'il fallait que j'apprenne à gérer mes émotions, sinon ça me… contrarie.

Bel euphémisme !

— Je croyais qu'il valait mieux éviter les relations la première année aux Alcooliques Anonymes ?

— Ça fera presque un an quand je sortirai, a-t-elle rétorqué. Je pourrais sortir plus tôt pour bonne conduite, mais, comme je me suis attaquée à des flics, ils ne vont rien lâcher.

On s'est regardées en repensant à ce jour. Elle a soupiré.

— On peut dire que je ne fais pas les choses à moitié, hein ?

— Je ne te le fais pas dire, ai-je renchéri avec un petit sourire de regret.

— Je m'installe chez lui dès que je sors. J'imagine que, pour toi et Jeff, c'est une bonne nouvelle. Vous aurez le mobil-home pour vous tout seuls.

J'ai haussé les épaules.

— Si c'est ce que tu veux, ai-je répondu. Ça ne me regarde pas vraiment, mais, si tu es heureuse, ça me va.

Elle a souri, et la tension sur son visage a disparu.

— Merci, ma chérie. Ça m'inquiétait de vous en parler. Tu le diras à Jeff ? Ça fait un mois qu'il n'est pas venu me voir, et je commence à me faire du souci. Tout va bien pour lui?

J'ai réfléchi à une réponse. Rien de précis dans le comportement de Jeff n'indiquait qu'il n'aille pas bien, mais j'étais sûre que quelque chose ne tournait pas rond. C'était difficile à expliquer.

— Il est un peu sur les nerfs, ai-je fini par lancer. Et il a maigri, aussi. Mais il ne m'a rien raconté de particulier et, quand j'ai voulu en savoir plus, il m'a envoyée balader. Je peux pas t'en dire plus.

— Merci quand même. Dis-lui que je l'aime, hein?

— Promis.

1er septembre

Moi: Une vraie partie de plaisir.
Horse:?
Moi: Je suis allée voir ma mère. Elle va bien, mais elle m'a annoncé un truc délirant. Elle va se marier.
Horse: C'est une bonne nouvelle?
Moi: Pas sûr. Avec le propriétaire du mobil-home. Ils avaient déjà eu une aventure, mais il était marié. Il est veuf depuis deux, trois ans.
Horse: C'est un mec bien?
Moi: Il a trompé sa femme.
Horse: Juste une nuit ou un truc sérieux?

Moi: D'après ma mère, ça n'a pas duré. Ils culpabilisaient trop. Ça explique pourquoi on a eu le mobil-home pour trois fois rien!

Horse: Pas possible.

Horse: Tu l'aimes bien?

Moi: Je crois. C'est un mec sympa. Elle s'installe chez lui à sa sortie.

Horse: Alors, sois heureuse pour elle.

Moi: Je vais essayer.

3 septembre

Horse: C'est quand, ton prochain jour de congé?

Moi: Jeudi. Pourquoi?

Horse: Je veux venir te voir.

Moi: J'ai rien contre :)

6 septembre

J'examinais mon reflet dans le miroir, et je stressais toujours autant. Les bleus s'étaient estompés, ce qui était plutôt cool, et on voyait à peine que j'avais eu la lèvre fendue. Il restait quelques taches jaunâtres ici et là, mais un maquillage stratégique les a fait disparaître. J'ai enfilé une jolie petite robe d'été, rien d'exceptionnel, non, un truc coloré et joyeux qui rendait hommage à mes nénés.

Somme toute, je reprenais figure humaine.

Horse n'allait pas tarder. Il lui fallait un peu plus de trois heures pour venir ici, et il m'avait envoyé un texto lorsqu'il avait pris la route ce matin à 7 heures. Je ne captais rien à notre relation. En tout cas, c'est moi qu'il venait voir, et pas Jeff. En plus, il venait seul. Ça devait bien vouloir dire quelque chose, non ? Je ne pouvais pas être juste un plan cul de plus, vu que mon cul, aux dernières nouvelles, il n'était pas près de l'avoir.

Lorsque je l'ai entendu arriver, je me suis postée devant la porte, tout en tirant nerveusement sur le haut de ma robe dans l'espoir de camoufler mes seins. Le décolleté qui m'avait semblé être une super idée tout à l'heure me mettait à présent très mal à l'aise. Il a frappé à la porte.

— T'es là, Joli-Cul ? a-t-il appelé.

J'ai ouvert, et son regard s'est figé aussitôt au niveau de mes seins.

— Ne m'appelle pas « joli cul », ai-je rétorqué d'un ton cassant.

Il m'a décoché un large sourire, et son doigt est venu tapoter mon nez.

— Je vois qu'on est en mode pétasse, j'ai vu juste ?

— Et toi en mode lourdingue ?

— Toujours.

On a éclaté de rire en même temps, et il m'a attirée dans ses bras. Son baiser m'a fait perdre la tête. Sa langue explorait ma bouche, et ses mains se baladaient le long de mon corps. Il m'a empoigné les fesses et m'a collée contre ses hanches. J'ai senti son membre contre mon ventre, et des étincelles se sont répandues à travers tout mon corps. Visiblement, je lui faisais de l'effet, à ce biker magnifique et imposant. Je n'arrivais pas à y croire.

Souffle coupé, je l'ai repoussé et l'ai pris par la main pour le conduire sur le canapé du salon. Il a regardé autour de lui et a remarqué la pipe de Jeff sur la table basse.

— Ton frère est là?

— Il est encore couché. C'est pas un matinal, tu comprends.

Il a affiché un petit sourire désolé.

— Moi non plus, et pourtant j'ai dû me lever aux aurores.

Un frisson d'excitation m'a parcouru le corps. S'il s'était levé aussi tôt, c'est qu'il était pressé de me voir.

— Alors, comme ça, t'avais des trucs à faire dans le coin? ai-je demandé, d'un air faussement détaché.

— Non, juste toi, bébé.

Je l'ai gratifié d'un sourire niais. Pour le détachement, faudrait repasser.

— Et t'as envie de faire quoi?

Il a haussé un sourcil.

— Comme si tu ne le savais pas.

J'ai répondu par un petit rire nerveux. Il était à tomber, c'est clair, mais on n'allait pas se sauter dessus d'entrée, je n'avais pas envie de ça. Sans échauffement, j'avais du mal.

— Euh… et qu'est-ce que tu dirais d'une petite balade ? Je te ferais visiter le coin, et on pourrait peut-être pousser jusqu'à la rivière, si ça te dit.

Il m'a regardée d'un air entendu.

— Trouillarde.

— J'assume.

— OK, c'est bon, c'est toi qui décides. On se fait un truc à emporter ou tu préfères manger quelque part ?

Je me suis souvenue de mon compte en banque, encore en convalescence, et j'ai décrété que le pique-nique était la meilleure solution.

— Donne-moi cinq minutes, et je nous prépare un petit quelque chose.

— Je te conseille aussi de te changer.

— Pourquoi ?

— Parce qu'avec cette robe tu vas avoir du mal à monter sur ma moto. Prends un jean. (Horse s'est penché et m'a collé un petit baiser rapide sur la bouche.) Ce sera ta première fois, bébé, et j'ai hâte de te la donner.

Chapitre 7

Une demi-heure plus tard, j'avais préparé notre pique-nique, préparé une couverture et glissé quelques capotes dans une poche discrète de mon sac – on sait jamais. Horse m'a passé un casque noir, du genre de ceux, aux bords évasés, que portaient les soldats allemands. Je ne savais pas comment le régler, on aurait dit une poule qui avait trouvé un couteau. Il me l'a collé sur la tête avant de le fixer soigneusement. J'avais l'impression d'être une petite créature fragile et précieuse. J'adorais cette sensation. Ensuite, je me suis installée derrière lui sur la moto, ce qui était une expérience en soi. La Harley de Horse était grosse et large, et j'ai dû écarter les jambes pour entourer ses hanches. Oui, je sais, j'ai l'esprit mal tourné. Et, comme je ne savais pas trop quoi faire de mes mains, je les ai posées sur son ventre.

— Accroche-toi, a-t-il prévenu. Si tu veux qu'on s'arrête, tapote-moi le ventre. Et fais gaffe aux pots, ils deviennent vite brûlants.

— OK, ai-je répondu, un peu nerveuse.

Alors, la moto a rugi, et nous avons pris l'allée.

Comment décrire cette première chevauchée ?

D'une part, quand on est sur une moto, ça vibre. Et pas qu'un peu. J'imagine que, à la longue, on ne sent plus rien, mais, pendant quelques minutes, j'ai eu l'impression d'être assise sur un sex-toy géant. Ensuite, j'ai trouvé ça plutôt cool d'être obligée d'enlacer un type au corps de rêve, qui n'était pas insensible à mes charmes. Quand nous sommes arrivés sur l'autoroute et qu'il a accéléré brusquement, je me suis cramponnée à lui comme à une bouée de sauvetage.

Je lui avais promis une visite guidée, mais, apparemment, il avait un plan en tête et semblait déjà bien connaître le coin. Une demi-heure plus tard, on quittait l'autoroute pour rejoindre les collines par un chemin de gravier qui a obligé Horse à ralentir et s'est bientôt transformé en piste boueuse. Ensuite, je crois qu'on a bifurqué sur un chemin encore plus étroit et à peine praticable, qui se terminait en cul-de-sac sur une sorte de petit parking. John a coupé les gaz.

En desserrant mon étreinte et sans le vouloir, j'ai effleuré son sexe tendu. J'ai aussitôt retiré ma main, mais il l'a prise dans la sienne et l'a reposée sur son membre pour le caresser de haut en bas.

— Ça m'a manqué, bébé.

Je n'ai rien répondu, comme intimidée. Pourtant, lorsqu'il a lâché ma main, j'ai continué mes caresses. Je pensais à son membre, à sa taille incroyable, à quel point il était dur la dernière fois que je l'avais vu, tout entier offert. Je me suis dandinée sur le siège, cambrée contre le cuir rigide. C'était assez excitant d'avoir les jambes ainsi écartées... mais ça ne me suffisait plus. Je voulais le sentir dans ma main. Je me suis jetée sur sa braguette.

— Merde ! Poupée, je vais pas te baiser sur un putain de parking, a-t-il protesté en se marrant.

J'ai poussé un cri et retiré ma main, morte de honte.

— J'ai une meilleure idée, suis-moi, a-t-il ajouté.

Je suis descendue de la moto, à coup sûr les joues en feu. Horse a pris les affaires de pique-nique et une de ses sacoches, puis il m'a tendu la main. Je l'ai acceptée, et nous avons pris un chemin à travers les broussailles.

Il faut dire que l'Eastern Washington, c'est loin de ressembler au « jardin des délices ». C'est la brousse et le désert en même temps avec des collines basses. Pourtant, au fur et à mesure que nous avancions dans un goulet entre deux de ces collines, la végétation est devenue de plus en plus verdoyante, et nous avons bientôt longé un filet d'eau. Après l'avoir suivi pendant près d'une demi-heure, on a débouché sur un petit étang circulaire au-dessus duquel s'élevaient de fines volutes de vapeur.

— Une source chaude ! me suis-je écriée, folle de joie.

Horse avait l'air tout content de lui, et je me suis précipitée vers la berge pour effleurer la surface.

— Comment tu connais ce lieu ? J'ai grandi dans le coin et je n'en avais jamais entendu parler !

— Je connais des tas de trucs intéressants que tu ne connais pas, s'est-il vanté en jouant des sourcils de manière suggestive.

J'ai laissé échapper un petit rire moqueur que j'ai aussitôt ravalé, avant de me mettre à courir quand je l'ai vu poser les affaires de pique-nique et se jeter sur moi. Je riais et hurlais en même temps lorsqu'il m'a plaquée au sol, puis soulevée pour m'allonger sur lui et me chatouiller. Il était sur le dos, bras autour de moi, jambes enroulées autour des miennes. Je ne pouvais plus bouger. Sa main s'est glissée sous mon tee-shirt et l'a fait passer d'un geste vif au-dessus de ma tête. Il n'arrêtait pas de me chatouiller.

Puis ses mains se sont posées sur la fermeture de mon jean.

— Dans tes rêves ! me suis-je écriée.

Il s'est marré et a ouvert mon jean d'un geste brusque, avant de réussir à le faire glisser le long de mes hanches. Lorsqu'il a relâché son étreinte, j'ai tressailli violemment, ce qui m'a fait basculer vers l'avant. À peine ai-je eu le temps de reprendre mes esprits qu'il était déjà derrière moi pour finir ce qu'il avait commencé. Il s'est levé, tenant mon jean à bout de bras, hors d'atteinte.

— Tu vas me le payer, me suis-je exclamée, riant toujours.

Mon rire s'est interrompu net, et j'ai repris ma course lorsqu'il a laissé tomber le jean pour se jeter sur moi de nouveau. Encore une fois, ma fuite s'est révélée vaine. Il m'a attrapée et balancée sur son épaule, avant de me transporter jusqu'à la source, en me frappant gentiment les fesses.

— Silence, femme !

J'ai à peine eu le temps de hurler « non » qu'il me jetait à l'eau.

J'avais l'impression de sauter dans un Jacuzzi. C'était juste assez profond pour ne pas se faire mal. J'ai refait surface, en lui jetant un regard noir, puis j'ai replongé la tête dans l'eau pour enlever les cheveux qui me couvraient le visage, avant de reparaître et de le fusiller du regard une deuxième fois.

Horse se moquait de moi, il était mort de rire.

Je l'ai éclaboussé de toutes mes forces, ce qui a décuplé son rire, puis je me suis retournée pour bouder.

Erreur fatale.

Il a plongé dans l'eau et m'a aspergée tellement fort que j'ai cru que j'allais tomber. Ensuite, il m'a enlacée contre son corps, torse nu. Ses doigts couraient sur ma peau, dessinaient mes courbes. Comment résister ?

— T'es mignonne quant t'es mouillée, bébé, m'a-t-il murmuré au creux de l'oreille.

Il avait déjà glissé un doigt dans ma culotte et venait taquiner mon clitoris, pendant que son autre main abaissait mon soutien-gorge et jouait avec mes tétons. Un frisson de plaisir m'a parcouru le corps, et je me suis cambrée lorsqu'il a accéléré le mouvement de ses doigts, tel un guitariste virtuose. J'ai joui en une seconde, soulagée de mettre fin à l'excitation qui me tenaillait depuis le matin.

— Merde, alors ! ai-je gémi, avant de m'effondrer contre lui.

Il m'a embrassée sur la nuque et m'a retournée face à lui. J'ai enroulé mes jambes autour de sa taille et mes bras autour de son cou, puis je l'ai embrassé de tout mon cœur. À mon tour, j'ai fourré ma langue dans sa bouche et enfoncé mes doigts dans ses cheveux. Mon soutien-gorge était déjà sous mes seins, et mes tétons frottaient son torse. Entre nos deux corps, tout était humide, glissant et grisant.

Finalement, il s'est arraché à mon baiser, souffle coupé. J'en ai profité pour empoigner son sexe. Pour me faciliter la tâche, il a relâché l'étreinte de ses bras, et j'ai fait glisser son caleçon sur son membre tendu. J'en ai entouré le dessous de ma paume et j'ai effectué de petits va-et-vient tout autour de son gland.

— Oh, bébé, c'est trop bon !

Encouragée, j'ai saisi son membre et me suis mise à le caresser de plus en plus vite, jusqu'à ce que je sente ses mains se resserrer autour de mes hanches et son souffle devenir de plus en plus saccadé. Je me suis aventurée un peu plus bas, pour faire rouler ses testicules au creux de ma paume, avant de les soulever et de resserrer mon étreinte à la base de sa verge. Il a frissonné et recouvert ma main de la sienne pour la faire coulisser le long de son sexe, bien plus violemment que je n'en aurais été capable.

— Nom de Dieu ! a-t-il marmonné, avant d'appuyer son front contre le mien. J'adore ça, bébé. Surtout, ne t'arrête pas.

Je l'ai caressé aussi rapidement que possible, savourant ses petits grognements de désir et de plaisir. Ensuite, j'ai senti son membre palpiter, et son sperme a jailli dans l'eau entre nous. Il a grogné violemment au moment de jouir. Mes caresses se sont faites plus tendres lorsqu'il s'est calmé, et il m'a pris la main pour la passer autour de son cou.

— Putain, t'es tellement sexy ! (Il m'a soulevée et m'a embrassé le lobe de l'oreille.) Vraiment trop sexy. Je t'ai maudite l'autre soir, quand je t'ai imaginée sortir sans moi, dans ta tenue de pétasse, et te faire tripoter par un autre type.

— Tu parles ! J'ai passé la nuit à écouter Jeff chialer et gerber. La lose totale, ai-je murmuré. Aucun mec n'aurait été à ta hauteur, je te rassure, même si j'ai raté l'occasion de faire la fête avec Cara.

Il a haussé les épaules.

— Jeff a fait ce qu'il fallait.

Ces mots m'ont paru étranges.

— Qu'est-ce que tu veux dire ?

— Il avait besoin de toi, c'est pour ça qu'il t'a demandé de rester. Il s'en est sûrement voulu à mort de t'empêcher de sortir. C'est comme ça.

— Oh ! me suis-je exclamée. Ouais, t'as sans doute raison. Il a toujours été là pour moi, je ne pouvais pas le laisser tomber.

J'ai posé ma tête au creux de son épaule, et nous nous sommes assis dans l'eau, savourant le calme après la tempête.

C'est le moment qu'a choisi son estomac pour se mettre à gargouiller tellement fort que j'ai ressenti des vibrations.

— T'as la dalle ? l'ai-je taquiné avec un sourire.

— Ça fait six heures que j'ai rien avalé, a-t-il admis. J'avais trop envie de te voir. Si j'avais pu, je serais venu hier soir.

— Ça me fait mal au cœur d'interrompre cet instant, mais je crois qu'il est temps de te nourrir.

— Je ne suis pas contre. Tu cuisines presque aussi bien que tu me branles.

— Horse ! ai-je bafouillé, rouge comme une tomate.

Je me suis penchée en arrière et lui ai aspergé le visage. Il m'a enfoncé la tête sous l'eau, et nous avons lutté quelques instants, avant de sortir de l'eau pour aller manger un bout.

Heureusement, il faisait assez chaud pour être bien, malgré nos corps trempés. C'était un peu bizarre de se retrouver assis à pique-niquer en sous-vêtements. Mais, après tout, c'était la même chose que d'être en maillot de bain. Surtout que j'avais choisi des dessous assez chics, noirs en dentelle œillet et à pois. Ma petite culotte garçonne, taille haute, soulignait les formes de mon derrière, et j'adorais sentir le regard de Horse posé sur la partie charnue de mon anatomie pendant que j'installais notre pique-nique.

Rien d'exceptionnel, juste quelques sandwichs, des bâtonnets de légumes crus, un melon et des brownies au fromage frais pour le dessert, mais Horse a paru apprécier le menu.

— Jeff est un sacré veinard de t'avoir avec lui, a-t-il fait remarquer entre deux bouchées. Moi aussi, j'aimerais bien qu'on prenne soin de moi.

— Tu vis seul? ai-je demandé, d'un ton qui se voulait désinvolte.

Je pensais qu'il n'avait pas de copine : il m'avait dit qu'il n'avait pas de régulière. Mais peut-être une liaison moins sérieuse? Peut-être que j'aurais dû poser la question avant de me jeter sur son sexe pendant nos ébats aquatiques.

Oups!

— Je vis seul depuis que j'ai été démobilisé.

— De l'armée?

— Ouais, dans les marines. J'ai servi deux fois en Afghanistan. Ça m'a suffi. À mon retour, j'ai roulé ma bosse ici et là, et puis j'ai rejoint le club.

J'aurais aimé lui poser des questions sur son expérience de soldat, mais ce n'est pas un truc qu'on demande comme ça de but en blanc. Je me suis contentée d'un coup d'œil interrogateur, en espérant qu'il se lancerait. Quand il a croisé mon regard, il a souri et plissé légèrement les yeux. De petites rides se sont dessinées autour de ses yeux, et je me suis rendu compte que je ne connaissais même pas son âge.

Ni même son vrai nom, bon sang. Re-oups !

— Comment tu t'appelles ?

— Horse.

— Non, ton vrai nom, ai-je insisté en lui poussant gentiment l'épaule. Je ne sais absolument rien de toi, c'est étrange. Dis-moi un truc, je sais pas, moi.

— Horse, c'est mon vrai nom, celui sous lequel on me connaît. C'est comme ça qu'on m'appelle. Mais, si tu veux voir mon permis de conduire, fais-toi plaisir.

Il a attrapé son jean et en a tiré son portefeuille, attaché par une chaîne. Il l'a ouvert et a sorti son permis. Je l'ai pris et je n'ai pas pu m'empêcher de rire lorsque j'ai vu son vrai nom.

« Marcus Antonius Caesar McDonnell ».

— Sérieux ?

— Sérieux, a-t-il répondu, un large sourire aux lèvres. Je suis né quand mon père était en taule. Il n'y était pas pour longtemps, mais ma mère lui en voulait à mort de la laisser tomber alors qu'elle était en cloque. Elle était en train de lire une saga sur Rome, elle adorait les bouquins d'histoire. Elle a choisi le nom d'un général romain, juste sur un coup de tête. Et le pire, c'est qu'elle a même pas été foutue de faire ça bien. Ce type, Marcus Antonius Caesar, il n'a jamais existé. T'imagines même pas la gueule de mon père, mais vu qu'il était en taule il n'a pas eu son mot à dire.

— Je n'arrive pas à savoir si ça déchire grave ou si c'est complètement ringard, ai-je réagi, en me marrant.

— C'est mon nom, donc il déchire forcément, point barre, a-t-il répondu d'un ton grave. Mais, pour tout te dire, je ne l'ai jamais utilisé, ce nom. C'est mon père qui m'a baptisé Horse, la première fois qu'il m'a vu.

— Waouh! Déjà tout petit!

— Eh ouais! s'est-il vanté. Et c'est resté. Ma mère ne le supporte pas.

— Voyons voir. Il est écrit ici que tu as trente ans et que tu vis à Cœur d'Alene, dans l'Idaho.

— Exact.

— Et c'est là que se trouve le club?

— Non, juste notre chapitre. C'est comme ça qu'on appelle les différentes sous-sections locales. Le chapitre mère est dans l'Oregon. On est à peu près dix-sept clubs affiliés. Il y a plus grand, mais, sur ce territoire, on est les plus nombreux, et c'est pas rien. On a aussi des sections nomades dans tout le pays, certains de nos gars sont même en train de se battre à l'étranger. Le club des Reapers a été fondé par des marines après le Vietnam, et c'est de là que viennent encore la plupart de nos recrues.

Waouh ! Horse s'était soudain transformé en véritable encyclopédie. J'en ai profité pour poser d'autres questions :

— Et toi, tu fais quoi dans la vie ?

Il a penché la tête et m'a regardée.

— J'appartiens à un club de motards, bébé.

Je me suis esclaffée.

— Non, je voulais dire, comme boulot ?

— Je bosse pour le club, essentiellement. On a différentes activités, bien établies dans notre zone. Une boutique de prêteur sur gages, un bar, un magasin de flingues et un garage. Je m'occupe des comptes.

Ça m'étonnait. J'avais du mal à imaginer Horse plongé dans un bouquin de comptes, en train de jouer avec des chiffres.

— Pas la peine de me regarder comme ça, a-t-il répondu en riant. Ce n'est pas parce que je suis gaulé comme un dieu que je n'ai pas de cerveau. En fait, je suis assez doué en maths, j'ai suivi un ou deux cours financés par l'armée. Donc tu as devant toi un putain de comptable. Mais, tu sais, nos finances sont plus complexes que ce qu'on pourrait croire.

— Et donc mon frangin s'occupe des sites Internet de vos différents business ?

Son sourire s'est effacé, et il a secoué la tête.

— Les affaires du club, bébé, c'est top secret. On ne parle jamais de ces choses-là. Fin de l'interview.

Sur ce, il m'a prise par le cou et m'a embrassée. J'ai laissé tomber ma nourriture, mais je m'en fichais. Il m'a attirée contre lui, sur ses genoux, tout en continuant d'explorer ma bouche. Lorsque notre baiser a pris fin, je l'ai regardé en souriant.

— J'adore tes transitions.

— Pour vous servir, mademoiselle ! Il est temps de virer tout ça, j'ai autre chose de prévu pour cette couverture.

Je ne voulais surtout pas le contrarier.

Je me suis mise à genoux à côté de lui, puis j'ai ramassé et rangé tout ce qui traînait.

— Tu pourrais m'aider un peu, non ? l'ai-je taquiné.

— Je ne voudrais pas rater le spectacle de ton joli petit cul.

J'ai fait onduler mes fesses, petit sourire en coin, et il a rampé vers moi, avant de m'empoigner par-derrière et de caresser le galbe de mes fesses du bout des doigts, à la naissance des cuisses.

— J'en peux plus, bébé. J'ai trop envie de toi. (J'ai frissonné, tout en reculant contre lui.) Nom de Dieu, ton cul est à tomber.

Puis il a penché la tête et est venu déposer un baiser au creux de mes reins.

« À tomber ».

« Croupe d'enfer ».

« Joli cul ».

— Horse, c'est quoi au juste, un « joli cul » ? me suis-je exclamée. (Il s'est immobilisé.) Je sais que tu m'appelles comme ça pour me faire chier, mais ça veut dire autre chose, non ? Je le sais. Dis-le-moi.

— Oublie ça, bébé. Tu n'appartiens pas à cette catégorie.

Oh, oh ! Je me suis écartée de lui, essayant de garder la tête froide. Ce que j'entendais ne me plaisait pas du tout. Je me suis assise en face de lui, genoux contre mon torse, et j'ai croisé ostensiblement les bras autour de mes jambes, dans l'attente d'une réponse.

— Laisse tomber, bébé, a-t-il marmonné, en s'asseyant sur ses talons. On est bien ici, non ? Profitons de l'instant. Tu réfléchis trop.

— Quand un mec me demande d'arrêter de réfléchir, c'est mauvais signe, ai-je rétorqué, en plissant les yeux. Explique-toi. Et tout de suite !

Horse a passé une main dans ses cheveux et haussé les épaules.

— Tu ne connais pas très bien les Reapers, pas vrai ? Ou les clubs de motards en général ?

— C'est vrai, je n'y connais rien du tout, ai-je admis.

— Eh ben, les bikers, en tout cas les bikers comme nous, ceux qui font partie d'un club pour la vie, ont une culture différente, a-t-il expliqué après un court silence. On est à part. On est plus comme une tribu qui partage un territoire avec les citoyens normaux, mais qui n'a de responsabilités qu'envers ses semblables. Dans un club, chacun est à sa place.

— OK, ai-je répondu, ne sachant pas très bien où il voulait en venir.

— Putain, ça va t'énerver ce que je vais dire, et je pourrai plus te niquer, a-t-il grommelé.

— T'es obligé d'être aussi vulgaire ? ai-je riposté.

— Tu me connais, non ?

— Qui te dit que je te laisserais faire ?

— Bébé…, m'a-t-il susurré d'une voix grave et rocailleuse.

J'ai rougi. OK, c'est vrai, j'en avais bien l'intention. Mais je pouvais très bien changer d'avis.

— Allez, vas-y, balance.

— Eh ben, il y a deux types de personnes, celles qui appartiennent au club et celles qui n'y appartiennent pas, a-t-il expliqué. Quand on est membre, on fait partie de la famille, et tout le monde se protège mutuellement. On a droit à un cuir et à deux ou trois écussons, et on devient membre à part entière, ce qui nous donne le droit de voter. Ensuite, il y a les aspirants. S'ils ne merdent pas et font leurs preuves, ils peuvent devenir membres à leur tour.

— Et les femmes ?

— Il n'y a pas de femmes dans le club, a-t-il dit en secouant la tête. Elles traînent avec le club, mais elles n'en font pas partie.

— C'est carrément sexiste.

— C'est comme ça, a-t-il répondu avec nonchalance. T'es pas obligée d'être fan, mais c'est la réalité chez les bikers. Je te l'ai déjà dit, nous ne vivons pas dans le même monde que vous, c'est un monde à part avec ses propres règles. Certains clubs laissent rouler les femmes, mais pas le nôtre. On est de la vieille école. Et pas qu'un peu. Mais ça ne veut pas dire que les femmes ne sont pas importantes pour nous. (Je m'attendais au pire.) Quand un homme prend une femme, c'est pour la garder, elle devient sa propriété. On en a déjà parlé… C'est une marque d'engagement, de respect. Ça veut dire qu'il la protégera, et, bordel, personne n'a intérêt à poser ses sales pattes sur elle, à moins d'être prêt à se battre avec lui et tous ses frères. Il vaut mieux éviter de se taper la régulière d'un biker.

— Je trouve ça carrément malsain, Horse.

Il a fait « non » de la tête. Visiblement, mon point de vue l'énervait.

— C'est parce que tu as le regard d'un citoyen lambda, mais nous ne sommes pas comme vous. Rappelle-toi que nous sommes une tribu. On vit ensemble, on meurt ensemble, et ce qui est à nous est à nous. Quand tout va bien, tout le monde en profite. Quand les temps sont durs, on bouffe peut-être de la merde, mais c'est la même merde pour tout le monde. La plupart des gens ne pourraient pas supporter un tel engagement. C'est un peu comme au combat, sous le feu ennemi… T'as intérêt à être sûr que tes frères sont prêts à mourir pour toi. C'est ce type de fraternité qu'on ressent quand on fait la guerre. Alors, quand on en revient, faut pas s'attendre à ce qu'on retourne bosser derrière un bureau comme avant. Les hommes, en tout cas les hommes comme moi, ne fonctionnent pas comme ça. L'Afghanistan a fait de moi un autre homme, et je ne peux pas faire comme si de rien n'était. Le club comprend ça très bien.

— C'est terrible, ai-je murmuré.

— Sans déc' ! Je sais que ce n'est pas facile pour toi, mais il faut que tu comprennes. C'est un mode de vie différent, nous avons nos propres règles et nos propres lois. C'est pas si mal que ça. En fait, je peux te dire que c'est de la balle, nom de Dieu ! J'ai une belle maison, je gagne pas mal de thunes et je m'éclate presque tous les jours, merde ! Je suis en vie, bébé. Quatre-vingt-dix-neuf pour cent des mecs acceptent d'obéir aux règles. Nous, on est le un pour cent restant. C'est pour ça qu'on s'est construit un monde avec ses propres règles. Si tu ne veux pas qu'on te fasse chier, faut pas nous faire chier. Mais si on cherche à nous baiser, alors faut s'attendre à être baisé en retour.

J'ai frissonné, même si l'air était chaud. J'ai attrapé mon tee-shirt et l'ai enfilé. Horse me suivait des yeux, avec une expression totalement impénétrable.

— Finis ton histoire, ai-je demandé, rompant le silence. Tu ne me racontes pas tout ça pour rien, j'imagine. Qu'est-ce que ça veut dire, « joli cul » ?

— Eh ben, toutes les femmes ne sont pas liées au club en tant que régulières, a-t-il déclaré avec franchise. Le statut de régulière, ce n'est pas rien, comme je te l'ai dit. Faut être prêt à se battre pour elles, alors, vaut mieux choisir quelqu'un de bien. En même temps, on est des mecs, et faut bien qu'on baise. C'est la fonction des « Jolis-Culs ». (Ça me plaisait de moins en moins.) Certaines nanas veulent être des régulières, a-t-il poursuivi, et d'autres veulent simplement traîner avec des bikers. Parfois, elles cherchent juste un endroit pour crécher. Elles viennent au clubhouse, et, si elles sont capables d'être sympas, on les laisse rester. Elles font le ménage, s'occupent de certains trucs, et on… comment dire… (Il s'est interrompu et a détourné le regard.) Tu ne vas pas du tout aimer ce que je vais dire, a-t-il marmonné.

— Vas-y, accouche !

— Eh ben, elles servent, comme qui dirait, de fond commun. Un mec, ça a besoin d'une femme. C'est pour ça qu'elles sont là. C'est ça, un Joli-Cul.

J'ai vu rouge.

— Espèce d'enfoiré !

Je me suis levée pour aller récupérer mon pantalon. Il a essayé de me retenir, mais j'ai repoussé sa main d'une claque tout en ramassant mon jean d'un geste brusque.

— Tu me prends pour une pute !

— Non. Je sais que tu n'es pas une pute. Je te l'ai dit, c'est juste parce que j'adore te foutre en rogne, ça m'excite. Et tu n'es pas non plus un Joli-Cul. Tu vois d'autres types avec nous ? T'emmener dans un plan amazone orale, c'est pas trop mon truc, Marie !

— QUOI ?

Je ne savais même pas de quoi il parlait, mais j'étais sûre que ça craignait. J'ai fini de m'habiller, attrapé mon sac et sorti mon téléphone. *Génial ! Pas de réseau.*

— Putain ! a juré Horse.

Il a remis son tee-shirt et son pantalon, puis a attrapé son blouson de cuir et l'a enfilé.

— Tu ne veux même pas m'écouter. Tu n'es pas comme elles, bébé. Je le sais bien. Tous les autres le savent. Ça ne veut rien dire.

— Alors, pourquoi tu m'as appelée Joli-Cul la première fois que tu m'as vue ? On ne se connaissait même pas, tu ne l'as pas dit juste pour me faire chier. Comment tu expliques ça, Monsieur Le-Reaper-Dur-À-Cuire ?

Il a détourné les yeux, frotté sa barbe de trois jours, puis s'est retourné vers moi.

— Parce que c'est ce à quoi tu ressemblais, a-t-il fini par avouer. Tu étais allongée à moitié nue sur cette table devant le mobil-home, en mode bimbo.

On savait que Jeff n'avait pas de meuf, enfin pas de meuf attitrée. Les apparences sont parfois trompeuses.

— Ramène-moi à la maison.

— S'il te plaît, bébé…

— Ramène-moi à la maison !

Il s'est retourné et, d'un coup de pied violent, a envoyé une pierre dans la source chaude, tout en repassant une main dans ses cheveux. J'aurais préféré qu'il évite. Il était tellement sexy quand il se passait la main dans les cheveux. Et là je n'avais pas du tout envie de penser à son côté sexy.

Il fallait que je me rappelle que ce type était un vrai porc.

— OK, je vais te ramener, m'a-t-il grogné. Mais, avant, je voudrais te montrer un truc.

— Mais très certainement ! me suis-je exclamée pompeusement, en ouvrant grands les bras. Je t'en prie, tout ce que tu veux, tant que je me tire loin d'ici et loin de toi.

Horse s'est dirigé vers la sacoche en cuir et l'a ouverte. Il est resté planté devant, pendant ce qui m'a semblé durer une éternité, puis il a tourné la tête et m'a regardée.

— Il faut que tu saches, Marie, que, si je t'ai amenée ici, ça n'était pas seulement pour te baiser. (J'ai ricané et levé les yeux au ciel.) Pas de ça avec moi, a-t-il grogné. Je peux baiser quand je veux, je n'ai pas besoin de faire plus de six cents bornes aller et retour pour me vider les couilles. Les meufs, elles bloquent sur la moto, les tatouages et le cuir, c'est tout. Tirer un coup, c'est tirer un coup, et pour ça j'ai l'embarras du choix. Mais toi, tu es différente. C'est pour ça que je t'ai fait faire ça… Je voulais que tu rentres avec moi, que tu donnes une chance au club.

Il a tiré de son sac un cuir noir, beaucoup plus petit que le sien, et l'a tendu devant lui. Au dos, il y avait deux écussons brodés sur lesquels on pouvait lire : « Propriété de Horse, Reapers MC ».

Nom de Dieu !

— Tu te fous de ma gueule ? ai-je protesté.

Son visage s'est crispé, et son regard est devenu glacial.

— C'est la première fois que j'offre ça à quelqu'un, bébé. C'est sérieux.

— Eh ben, offre-le à quelqu'un d'autre, ai-je persiflé. Je te connais à peine, mais je sais au moins une chose : c'est que t'es un gros porc macho, et que toi et ton foutu club, vous pouvez tous aller vous faire foutre !

— N'insulte pas le club, Marie.

Quelque chose dans sa voix a stoppé net mon coup de gueule. En face de moi, je n'avais plus le Horse tendre que j'aimais, mais le biker effrayant dans toute sa splendeur. Ma colère est retombée d'un coup, laissant la place à un malaise épouvantable. J'avais oublié à quel point il pouvait être terrifiant.

— Vaut mieux laisser tomber, ai-je repris après un court silence. Ça ne sert à rien, on se fait du mal. Arrêtons de parler et partons avant que ça dégénère.

— Ça me va. Prends tes affaires.

Si, tout à l'heure, j'avais eu l'impression que notre balade avait duré à peine une demi-heure, le chemin du retour m'a semblé interminable. Quant au trajet retour en moto, je n'en parle même pas. Je n'ai pas arrêté de flipper tellement j'avais peur de tomber. Il était hors de question que je l'enlace ou que je pose la tête contre son dos. Je me suis tenue à ses hanches du bout des doigts, en essayant d'éviter le moindre contact, ce qui était presque impossible.

Quand nous sommes arrivés devant le mobil-home, il n'a même pas pris la peine de descendre de sa Harley, encore moins d'attendre que j'aie ouvert la porte.

Horse a fait vrombir son engin et a disparu sans un seul regard.

Chapitre 8

7 septembre

Moi : T'es là ?

9 septembre

Moi : Horse, il faut qu'on parle. Je ne veux pas qu'on se déteste. On a commis une erreur, je t'en prie, appelle-moi. Tu me manques. On peut pas en rester là.

10 septembre

Moi : Je ne sais même pas si tu reçois ces messages. S'il te plaît, même si tu me détestes, appelle-moi. J'ai un truc à te dire.

13 septembre

Moi : OK, t'as gagné. Adieu.

Depuis notre balade à la source chaude, tout partait en vrille.

Côté boulot, ça allait, mais je crois que ce job n'était pas fait pour moi. Les mômes étaient super, ce n'est pas ce que je veux dire, mais être entourée toute la journée de petits bouts qui ne savent même pas s'essuyer le derrière, je trouvais ça crevant. Et parfois leurs couches ne suffisaient pas, si vous voyez à quoi je fais allusion…

Là, c'était l'éclate totale…

Quant à la vie avec Jeff, ce n'était pas ça non plus. On s'entendait bien, c'est vrai, et on ne se prenait jamais la tête, mais il ne me parlait plus et ne faisait pas grand-chose à part fumer des joints du matin au soir. J'ai commencé à soupçonner qu'il y avait un truc grave lorsqu'il m'a demandé combien je gagnais. Ça ne me dérangeait pas de payer les courses, vu qu'il m'avait filé de la thune à mon arrivée, et aussi quand j'avais été blessée. Mais, contrairement aux apparences, ça ne lui ressemblait pas de vivre aux crochets des autres. Il avait toujours payé sa part, et je suis à peu près sûre qu'il avait soutenu maman financièrement plus d'une fois.

La situation est devenue critique après la dernière visite des Reapers, sans Horse cette fois. Jeff ne m'avait pas prévenue, du coup je ne savais pas si leur arrivée était prévue ou non. J'avais compris la leçon : éviter les questions dont on ne veut pas connaître les réponses. Ça tombait bien, je n'avais pas vraiment envie de connaître les détails de leurs affaires.

En rentrant du boulot, j'ai vu les motos dans l'allée. Horse n'était pas là. On n'avait plus rien à manger et à boire parce que je n'avais pas fait les courses de la semaine. J'ai soupiré de dépit et j'ai décidé d'aller acheter des pizzas. Je n'avais pas envie de cuisiner à la va-vite, et il me restait un peu de liquide.

Quand je suis entrée dans le mobil-home, Picnic, Bam Bam, Max et Jeff étaient debout autour du bar de la cuisine, silencieux.

— Euh… salut. Ça va ? ai-je demandé, en posant mon sac.

— Salut, Marie, a répondu Picnic.

Si sa voix n'avait rien de chaleureux, elle n'était pas glaciale non plus. J'imagine que Horse n'avait pas balancé trop de saloperies sur moi quand il était rentré.

— On parle affaires, rien de grave, a-t-il précisé.

— Ouais, je vois ça. Ça vous dirait que j'aille chercher des pizzas ? Alors ?

— Génial, Marie, est intervenu Bam Bam.

Il a pris son portefeuille et en a tiré quelques billets avant de me les tendre. J'étais sur le cul.

— Ce n'est pas la peine, ai-je murmuré.

— Prends ce fric et n'oublie pas les bières, a ajouté Picnic, d'un ton sec.

Sachant qu'il ne valait mieux pas les contredire, j'ai pris les billets et j'ai battu en retraite. J'ai pris tout mon temps pour aller acheter les pizzas. Je n'avais pas du tout envie, mais alors pas du tout, de rentrer trop tôt. Cependant, après que j'ai traîné chez le vendeur de pizzas, Jeff m'a prévenue par texto que la voie était libre. J'ai pris les pizzas et repris le volant, en espérant que le comportement étrange que Jeff adoptait depuis quelque temps n'avait aucun lien avec les Reapers. Je n'arrêtais pas d'entendre la voix de Horse dans ma tête.

« Si tu ne veux pas qu'on te fasse chier, faut pas nous faire chier. »

Jeff n'était quand même pas aussi stupide. Si ?

Quand je suis rentrée au mobil-home, l'ambiance était irréelle, comme c'était de plus en plus souvent le cas depuis que je fréquentais les Reapers. Peut-être que j'aurais dû m'inquiéter. Tout à l'heure, j'aurais juré que, entre eux et Jeff, ça allait mal tourner. Et là je me retrouvais dans une atmosphère conviviale, voire enjouée, et j'ai été accueillie – enfin, surtout les pizzas ont été accueillies – par des acclamations dignes d'une héroïne de guerre. J'ai tenté de rendre sa monnaie à Bam Bam, mais il a refusé tout net en me disant que c'était pour l'essence.

La soirée a pris son rythme habituel. On a mangé, et ils ont bu leurs bières pendant que je débarrassais.

Plus l'heure avançait, plus les blagues devenaient vulgaires. Je me suis enfilé plusieurs bières, et ils ont fait un feu de camp. Quelqu'un a proposé une tournée de shots de tequila. Normalement, je ne suis pas fan, mais, sous l'effet de la bière, l'idée m'a semblé géniale. Cela dit, comme je m'étais levée aux aurores et que je devais remettre ça le lendemain matin pour aller bosser, j'ai fini par aller me pieuter.

Impossible de dormir. Je n'arrêtais pas de penser à tous ces mecs dehors et au fait que Horse n'était pas avec eux. Je me suis imaginée à l'abri et au chaud dans ses bras puissants, comme lorsqu'on avait dormi ensemble. Mais ce souvenir m'a rendue triste, et c'est là que j'ai vraiment déconné.

On dit qu'il ne faut jamais envoyer un texto quand on a picolé.

Et «on» a toujours raison, c'est bien connu.

Moi: Horse, toi manquer à moi.

Moi: Pourquoi tu réponds pas?

Moi: Horse, je kiffe trop ton nom. Horsey. Moi vouloir chevaucher toi, bel étalon, LOL. Tu dors? T'es avec quelqu'un d'autre?

Moi: Je sais que t'es là. Je parie que t'as déjà une autre meuf. Va te faire.

Moi: Allez vous faire voir, toi et ta pute. Je te déteste. Et ton club, tu peux te le foutre bien profond, je ne serai pas ta régulière même pour 1 million, va mourir.

Le lendemain, quand mon réveil a sonné, j'avais une gueule de bois de la mort. J'ai découvert les messages que j'avais envoyés entre ma séance de gerbe numéro deux et la numéro trois, et surtout celui particulièrement gratiné après cette dernière. J'avais envie de disparaître sous terre et de mourir. La honte de ma vie! Grâce à un effort surhumain de volonté, j'ai réussi à arriver à l'heure au boulot. Je n'arrêtais pas de penser à ces messages et je ne savais pas si je devais appeler Horse pour m'excuser ou lui renvoyer un texto.

Finalement, j'ai opté pour le texto, en me disant que, de toute façon, il n'aurait jamais décroché en sachant que c'était moi qui appelais. Ce que je comprenais tout à fait. Mais je ne pouvais pas en rester là, je n'y peux rien, je suis comme ça. En arrivant à la maison après le boulot, j'ai attrapé un grand verre d'eau et j'ai rédigé mon message le plus soigneusement du monde.

Moi: Je suis vraiment désolée pour les messages d'hier soir. Je sais que ce n'est pas une excuse, mais j'étais bourrée et je n'ai pas réfléchi. Je suis désolée de t'avoir dérangé et je veux m'excuser de ce que j'ai dit. Je me suis comportée comme une conne sans aucune raison et je me sens nulle. Je te promets que je ne te dérangerai plus.

J'étais assise, téléphone à la main, redoutant une réponse. Merde, j'avais un de ces maux de crâne ! Pourquoi j'avais bu de la tequila ? Je ne supportais pas la tequila. Je le savais bien pourtant. La dernière fois que je m'étais bourrée à la tequila, j'avais dansé torse nu sur la table basse lors d'une soirée, où, heureusement, il n'y avait pas beaucoup de monde. Gary avait fourré des billets dans la poche de mon pantalon en m'encourageant à picoler. Et, quand ses potes m'avaient acclamée en agitant des billets, il avait trouvé ça trop cool.

Quelle conne ! Si seulement je m'étais rendu compte plus tôt que ce type était un salaud…

La porte s'est ouverte brusquement, et j'ai grimacé.

— Marie, il faut que je te parle, m'a lancé Jeff, en s'asseyant lourdement sur le tabouret à côté du mien.

— J'ai la gueule de bois. Je n'ai pas envie de parler, ai-je marmonné, en fermant les yeux.

— C'est important. J'ai besoin de fric.

— Heu… il doit me rester quelque chose dans mon sac. Tu veux combien ?

— Beaucoup, a-t-il répondu, détournant la tête. Je crois que je suis dans la merde.

Ces mots m'ont fait réagir, et je l'ai regardé. Vraiment regardé. Et ce que j'ai vu m'a choquée. Il avait perdu au moins cinq kilos en deux semaines, et ses cheveux n'avaient pas eu droit à un shampooing depuis un bout de temps. Il avait le teint jaunâtre et le regard éteint, et pas seulement à cause de l'alcool.

— Jeff, t'es malade? Tu n'as pas l'air en forme. Laisse-moi prendre ta température.

— Bon sang, Marie! a-t-il explosé.

Il a frappé le comptoir de la main avec une telle violence que j'ai senti le mobil-home trembler. J'ai sursauté, stupéfaite.

— Pour qui tu te prends? a-t-il poursuivi. T'es pas ma mère! Je ne suis plus un gamin.

J'étais tétanisée. Jeff ne me hurlait jamais dessus. En fait, il ne hurlait jamais, point barre. Il avait toujours été doux, et toute l'herbe qu'il s'enfilait ne risquait pas de changer ça.

— Désolé, s'est-il excusé. (Il s'est massé le haut du bras comme s'il portait un fardeau énorme, trop lourd pour ses épaules.) Je ne devrais pas te crier dessus. Mais il faut que je trouve de la thune, Marie, et rapidement.

— Pourquoi?

— Pour investir, a-t-il répondu en évitant mon regard. Pour un super plan sur lequel je suis, mais il faut que je mette du fric. Une somme énorme, en fait. C'est l'occasion rêvée. Je ne peux pas me permettre de la laisser passer.

J'ai secoué la tête, en me demandant s'il n'avait pas perdu la raison.

— T'es sérieux? Tu sais bien que je n'ai pas une telle somme, ai-je répliqué. Je veux bien te donner tout ce que j'ai, mais ça ne va pas bien loin, à peine 1 200 dollars. Pas plus.

— Et Gary ?

Ça m'a arrêtée net.

— « Gary » ?

— Vous étiez sous le régime de la communauté de biens, non ? a demandé Jeff, en se balançant nerveusement d'un pied sur l'autre. Tu pourrais l'appeler et l'obliger à te filer ta part. Tu peux bien faire ça pour moi, Marie. J'ai vraiment besoin de cette thune.

J'ai fait lentement « non » de la tête. Je n'en croyais pas mes oreilles.

— Eh ben, d'une part, Gary n'a jamais un sou en poche, ai-je répondu avec prudence. Il a toujours vécu au-dessus de ses moyens, et on n'a jamais rien eu qui ait de la valeur. D'autre part, tu oublies un détail important : la dernière fois qu'on s'est vus, il m'a fracassé la tronche.

Jeff s'est penché vers moi et a posé ses mains sur mes épaules. Puis il m'a regardée droit dans les yeux.

— Je suis prêt à tout, sœurette. Et votre maison ? Tu pourrais pas demander une marge de crédit ?

Encore une fois, j'ai fait signe que non, sous le choc. Il avait vraiment perdu la raison.

— La maison est déjà hypothéquée à mort. On est endettés jusqu'au cou. Qu'est-ce qui se passe, Jeff ?

Son super plan, je n'y croyais pas une seule seconde et je refusais de croire que Jeff avait oublié ce que Gary m'avait fait subir. Je ne pouvais plus faire l'autruche, il se passait un truc grave, c'est clair. Assez grave pour que mon petit frère adoré soit prêt à tout.

— Rien, a-t-il éludé, avant de secouer la tête et de tourner le dos. Je voulais que cette affaire se concrétise et je pensais que tu pourrais m'aider. T'as raison, je n'aurais pas dû t'en parler. Je m'excuse.

Sur ce, il est allé vers la porte et il est sorti du mobil-home. Quelques secondes plus tard, j'entendais sa voiture disparaître dans la nuit. Avec le recul, j'aurais dû me douter de quelque chose, mais, franchement, je n'ai rien vu venir.

Absolument rien.

Chapitre 9

Horse

Horse, appuyé contre le lit, regardait le cul de Serena, qui le chevauchait comme une reine de rodéo.

Valait mieux ça que de voir sa tête. Elle n'était pas moche, au contraire, mais elle n'arrivait pas à la cheville de Marie.

Et son… Il aurait pu contempler son visage des heures durant.

La plupart de ses frères lui avaient conseillé d'oublier cette belle salope. Pas la peine de se prendre la tête pour une femme comme elle. Vaut mieux se choisir un Joli-Cul et en faire son animal de compagnie, si les coups d'un soir ne suffisent plus. Et en cas de prise de tête, ben, y a toujours une pouffe prête à remplacer l'autre.

Serena s'est arrêtée, puis s'est tournée vers lui pour le regarder.

— Tu pourrais te concentrer !

Il a éclaté de rire et secoué la tête.

— Désolé, chérie. J'étais perdu dans mes pensées. Reprenons, OK ?

En guise d'encouragement, il lui a asséné une claque sur les fesses, et elle lui a souri de ses lèvres soigneusement maquillées. Cette fille était une pro, c'est clair. Un étau à la place du vagin et un aspirateur en guise de bouche. Il serait taré de rejeter une fille aussi douée et aussi bien gaulée pour une régulière capable de se changer en furie.

Mais quelle furie…

Avec Marie, il ne s'ennuyait jamais, il était bien obligé de l'admettre. *Putain !* Et, si elle le chevauchait de la sorte, il ne penserait jamais à autre chose. Peut-être qu'elle n'était pas une pro comme Serena, mais il n'avait jamais eu autant de plaisir à goûter une fille. Cette pensée l'excitait encore plus.

Une heure plus tard, Serena était partie, et Horse n'avait toujours pas bougé du lit. Ce serait bientôt l'heure d'aller au clubhouse, mais il ne pouvait s'empêcher de penser à Marie. La grand-messe du jour était consacrée aux magouilles de ce trou du cul de Jeff.

Bon sang, cet enfoiré était un vrai idiot ! Et c'était le frère de Marie.

La patience des Reapers avait des limites.

Horse s'était aperçu qu'il y avait des « erreurs » dans les comptes trois mois plus tôt. De petites erreurs d'abord, 1 000 dollars par-ci, 500 par-là. Puis des sommes plus importantes. Jeff avait invoqué tout un tas d'excuses, de la faute de frappe au retard dans son travail. Mais, au final, tous les soupçons s'étaient tournés vers lui. Jeff détournait du fric. Quelle tête de nœud ! Il pensait peut-être pouvoir entuber les Reapers et s'en tirer à bon compte !

Horse se sentait vieux à force de penser à toute cette histoire.

Ce n'est pas comme si Jeff ignorait dans quoi il s'embarquait. Putain, c'est lui qui était venu les chercher ! Et ce n'était pas faute de l'avoir prévenu dès le départ que, s'il essayait de les doubler, ça lui coûterait cher. Très cher. Le pire dans cette histoire, c'étaient les dommages collatéraux. Marie. Elle aimait ce débile. Elle l'aimait vraiment.

Cette histoire ne pouvait que mal tourner.

Si Marie était sa régulière, Horse aurait pu sans doute davantage protéger son frère, lui donner une chance de sauver ses fesses. Dans l'état actuel des choses, ce connard était grillé, comme lui l'était probablement auprès de Marie. Dans le meilleur des cas, elle ne saurait jamais ce qui était arrivé à Jeff et passerait le restant de sa vie à soupçonner les Reapers.

Dans le meilleur des cas.

Et dans le pire ?

Un condé se pointerait un beau jour à sa porte pour lui dire que le corps de Jeff avait été retrouvé émasculé dans une tombe de fortune, avec un « R » pour Reapers gravé au couteau sur son putain de torse. Et Marie qui ne voulait pas qu'ils « se détestent » pour ce qui s'était passé à la source chaude… Bordel ! C'était le cadet de ses soucis.

Merde !

Horse repensait à Marie sur la photo qu'elle lui avait envoyée, celle où elle s'était faite belle pour sortir. Comme prévu, son sexe se dressa au garde-à-vous, réclamant son dû, alors que Serena venait de lui vider les couilles.

La photo de Marie était jolie et sexy, tout comme elle. Elle l'avait prise dans le miroir de sa salle de bains, toute pimpante, pensant qu'elle allait faire la fête avec sa copine. Une petite robe noire, au décolleté bien trop suggestif. Et ses jambes… On ne les voyait pas complètement, mais n'importe quel connard assis à côté d'elle aurait pu profiter du spectacle, voire plus, à la minute où elle se serait penchée. Et les bas résille ? *La totale, putain !*

Il a posé sa main sur son sexe et s'est mis à se caresser vigoureusement. De son autre main, il cherchait son téléphone pour retrouver la photo, mais l'appareil n'était pas sur le lit.

Merde, il l'avait oublié au clubhouse hier soir !

Peu importe. Cette image était marquée au fer rouge dans son cerveau. Il avait failli péter un câble le soir où elle la lui avait envoyée. Elle était splendide, c'est clair. Mais cette fille aurait dû arrêter de sortir habillée comme ça sans garde rapprochée. N'importe quel type voyant cette paire de guibolles aurait voulu la renverser sur une table et prendre du bon temps.

Cette image de Marie, allongée jambes écartées sur une table, lui a coupé le souffle. Des gouttes perlaient déjà sur son gland. De sa main, il les a étalées et s'est mis à se masturber énergiquement. C'était comme s'il y était.

Dans le club, il s'approchait discrètement par-derrière. Elle parlait avec son amie, toutes deux en train de rire et de siroter un truc rose de gonzesse, parce que Marie, c'était une vraie fille. Ses lèvres entouraient la paille, aspirant l'alcool comme elle avait aspiré son sperme après l'avoir sucé.

Les doigts de Horse sont revenus étaler les gouttes autour de son gland. Putain, c'était bon !

Que dire d'un mec qui prenait plus son pied en s'astiquant sur un souvenir qu'avec une gonzesse sexy comme Serena ? Alors qu'elle venait de l'honorer d'un cheval renversé !

Il était sur le point d'exploser dans un orgasme fulgurant, rien que pour elle. Marie. La bouche la plus sexy qu'il ait jamais goûtée, des mains d'une douceur hallucinante. Et son sexe ! Il serait prêt à mourir pour ce sexe. Tout ce qu'il voulait, c'était éjaculer sur ses seins et la voir étaler son sperme sur sa peau pendant qu'elle se donnerait du plaisir.

Bordel, pourquoi n'avait-il toujours pas réussi à la pénétrer ?

Il était grand temps d'y remédier.

Il s'avançait vers elle, toujours de dos, et lui ôtait son verre des mains pour le poser sur la table. Puis il la prenait par la taille avant qu'elle puisse réagir, serrant son petit corps entre ses bras et l'amenant directement dans les toilettes.

Un cul comme le sien était bien trop sexy pour attendre de rentrer à la maison.

Elle se rebellerait sûrement un peu quand il la renverserait, mais il la ferait taire en la menaçant de la menotter au comptoir.

Putain ! Cette fille se révoltait déjà pour un rien. La pensée de Marie, complètement furax parce qu'il l'appelait Joli-Cul, l'a soudain fait tressaillir, le forçant à immobiliser sa main pendant un instant.

Pas cool. Il ne fallait pas qu'il en finisse trop tôt. Le meilleur était encore à venir.

Après une minute, il était de nouveau assez calme pour continuer son fantasme.

Il la faisait basculer vers l'avant et glissait les mains sous cette petite robe, la soulevant jusqu'à voir le creux de ses reins. Ses bas noirs étaient accrochés à un porte-jarretelles et assortis à un string de même couleur, dont il écartait l'étoffe pour glisser un doigt en elle, tellement étroite et si brûlante.

Elle rechignerait sans doute, mais Marie était toujours partante avec lui, c'est clair. Horse se laissait de nouveau submerger par son fantasme. *Putain!*

Il se voyait ensuite défaire la fermeture de son pantalon, le baisser juste assez pour sortir son sexe. Puis il se frottait contre la raie des fesses de Marie. Elle frissonnait. Alors, il faisait glisser sa culotte coquine jusqu'au sol. Elle s'en débarrassait complètement et écartait ses talons hauts, tout en s'inclinant vers lui. Offerte.

Et une telle offre, ça ne se refusait pas.

Il faisait glisser son membre contre elle. Ensuite, il prenait ses hanches à pleines mains et la pénétrait en profondeur. Elle criait, muscles contractés autour de lui. Il aurait dû y aller plus en douceur, elle n'avait pas l'habitude des mecs bien montés.

— Désolé, bébé, marmonnait-il.

— Ça va, murmurait-elle, haletante.

Il sentait son intimité se resserrer sur lui, encore plus intensément que cette fichue masseuse du spa de Spokane. Ça l'excitait tellement, bordel! Il n'en pouvait plus.

Lentement, il se retirait, résistant à la pression de ses muscles qui se contractaient, pour s'arrêter à hauteur de ses lèvres et les sentir se resserrer autour de son gland, avant de lui donner un nouveau coup de boutoir.

Puis c'était un vrai feu d'artifice.

Il lui fallait toute sa volonté pour rester debout alors qu'il baisait Marie. Elle haletait sous ses assauts, tellement contractée autour de lui que c'en était presque douloureux. Putain, c'était tellement bon ! Il allait et venait, forçant le passage dans son corps mince et étroit, jusqu'à ce que l'orgasme l'emporte et qu'il déverse en elle sa chaude semence.

Marie était aussi sur le point de jouir. Elle était si humide que chacun des assauts de Horse faisait un bruit de succion. Elle le suppliait de continuer, de la prendre encore plus fort. Son corps couvrait à présent le sien, et, pendant que l'une des mains de Horse prenait appui contre le comptoir, l'autre cherchait son clitoris.

Avec succès.

Trop à fond pour faire preuve de tendresse et de subtilité, il se mettait à le labourer du doigt. Apparemment, ça plaisait à Marie, parce que, dès qu'il le touchait, elle explosait comme une vraie bombe, hurlant de plaisir. C'était hallucinant de sentir à quel point son corps s'accordait au sien, à quel point elle l'enserrait, le suppliait de jouir en elle.

Il allait la satisfaire.

Abandonnant son clitoris et prenant maintenant appui des deux bras sur le comptoir, il la martelait à grands coups. Et leurs grognements de plaisir se mêlaient. Il la baisait, comme l'on marque son territoire, si fort et si profondément, qu'elle allait sentir son sexe venir lui cogner les amygdales.

Marie.

Sa copine.

Sa propriété.

Privée.

Horse explosait, en proie à une telle jouissance qu'il en avait oublié de respirer.

Il a laissé retomber sa main, retomber son fantasme. Alors, il a éclaté de rire, un rire pour se moquer de lui-même, un rire forcé qui n'avait rien d'amusé. Au bout du compte, coucher avec Marie en imagination était mille fois mieux que coucher avec Serena en chair et en os.

Autant se tirer une balle. Il fallait en finir.

Horse s'est garé devant le clubhouse juste à temps pour la grand-messe.

L'un des aspirants était dans le parking, occupé à surveiller les bécanes et le portail. Il y avait quinze ans, les Reapers avaient acheté l'ancien arsenal de la Garde nationale. Ses murs en béton, sa cour entourée de murs et ses petites fenêtres en faisaient une forteresse idéale pour accueillir leur quartier général et le clubhouse. Pourtant, on ne risquait pas de les attaquer, ça n'était pas arrivé depuis un sacré bout de temps. Leur domination sur la région était bien établie, et tous les autres clubs étaient sous leurs ordres. C'était d'ailleurs l'ordre du jour de la réunion.

Assurer cette domination.

Horse est entré dans le clubhouse, qui était avant tout un bar et un lieu de rencontres où l'on pouvait se détendre. À l'étage se trouvait une pièce équipée pour les visites nocturnes, bien sûr, ainsi qu'un dépôt, où l'on n'entreposait cependant rien de risqué. En tout cas, rien que des condés puissent découvrir. Les descentes de police étaient assez rares, et la dernière fois qu'ils étaient venus avec un mandat ils n'avaient rien trouvé. Que dalle.

L'endroit était immonde et aurait eu besoin d'un bon coup de balai. Les filles avaient du pain sur la planche. Les restes poisseux de la soirée de la veille jonchaient encore les tables, les canapés et l'immense comptoir du bar situé le long d'un des murs. La plupart des mecs et des nanas devaient encore dormir à l'étage, même si une blonde un peu cradingue, en jean moulant et tee-shirt dos nu, s'était échouée, jambes écartées, sur l'un des canapés. Dieu merci, il n'habitait plus ici! Maintenant qu'il avait sa propre maison, il faisait la fine bouche devant ce qu'il avait jusque-là considéré comme tout à fait normal en termes d'hygiène.

C'est clair, il vieillissait.

— Tu viens, frangin? l'a hélé Ruger, un type avec une crête, couvert de tatouages.

Il était près de la porte avec Painter, un autre aspirant.

— T'es le dernier.

— Ouais, je sais. Désolé, a répondu Horse.

Il a tendu son revolver à Painter, qui l'a placé soigneusement sur le comptoir avec les autres, à côté d'une boîte pleine de téléphones portables.

— Vous avez retrouvé le mien ? a-t-il questionné. Je crois que je l'ai oublié hier soir.

— Ouais.

Horse a hoché la tête en signe de remerciement puis a rejoint la grand-messe.

Quinze types, tous, sauf trois, membres officiels et à part entière du club, étaient déjà assis autour d'une grande table en bois très abîmée, qui, dans une autre vie, avait dû orner la salle de conférences d'une grande entreprise. Elle était désormais couverte de milliers d'entailles et de petits messages gravés, ainsi que d'une inscription peinte au milieu : « RJRT » – *Reapers un jour, Reapers toujours.*

— Cool que t'aies pu te joindre à nous, a fait remarquer Picnic, qui présidait l'assemblée. Je pensais que Serena t'aurait aspiré tout entier. Tu t'es perdu dans sa chatte ?

— Il est 17 heures pile, a rétorqué Horse, haussant les épaules et s'affalant de tout son corps puissant sur une chaise vide. Il n'y a rien à dire, non ? Tu es en face d'une machine haute performance au réglage hyperprécis, contrairement à toi et à la bécane de merde que tu conduis.

— Va te faire foutre, a répliqué le président, avec un grand sourire. (Il a pris un air sérieux.) OK, les gars, on a un truc important à discuter aujourd'hui. Je pense que vous savez tous que nous avons un voleur : Jeff Jensen, l'informaticien, celui de Yakima Valley. Je l'ai vu ce matin encore, et autant vous dire qu'il n'y a aucun progrès.

— C'est le type qui s'occupe de nos trucs à l'étranger, c'est ça ? a questionné Ruger.

— Ouais, a répondu Horse. Un vrai génie des ordis, c'est un pro, nos transactions sont intraçables. En même temps, on le paie assez cher pour ça. Mais apparemment ça ne lui suffit pas, parce qu'il nous arnaque depuis des mois. Ça fait un moment déjà que je le piste, et je lui ai largement donné le temps de rétablir la situation. C'est pas comme s'il avait juste foiré une fois ou deux. On est au-delà de ça maintenant. Il s'agit bien d'arnaque. Par rapport au volume total de nos activités, c'est pas méchant, mais on peut pas laisser ce genre de saloperies se produire. C'est pas bon pour les affaires.

— Faut qu'on fasse un exemple, sinon tout le monde va s'y mettre, a souligné Picnic. C'est une question de respect. Si on laisse faire, toutes les filles du *Line* vont se tirer pour payer des coups à boire et faire des séances de lap-dance à d'autres clubs de bikers.

— Et donc les pertes s'élèvent à combien ? a demandé Bam Bam.

— Exactement 50 000 dollars, a indiqué Horse. Ce type joue au Yoyo. Il prend 1 000 ou 2 000 dollars, et ensuite il essaie de rembourser. Il s'en sert pour couvrir ses dettes de jeu ou juste pour vivre. Le problème, c'est qu'on ne peut pas se permettre de le perdre, parce qu'on n'a personne d'aussi compétent pour le remplacer. C'est bien pour ça qu'on lui a donné autant d'occasions de se refaire. Mais ses pertes augmentent. La semaine dernière, il nous devait seulement 20 000 dollars, et là c'est l'escalade. Si on le laisse faire, les pertes vont devenir plus importantes. Il pourrait avoir l'idée de disparaître de la circulation.

— Faut le refroidir, a décrété Max d'une voix ferme et glaciale.

Horse lui a jeté un coup d'œil, surpris de voir que son visage avait viré au rouge et qu'un petit muscle de sa mâchoire tressautait nerveusement. Max était encore en conditionnelle, et, en général, les types dans sa situation ne l'ouvraient pas autant lors des grand-messes. C'est vrai qu'il avait le sang chaud, Max. Pour tout dire, c'était l'un des types les plus durs que Horse ait rencontrés.

— On l'a assez torché, ce mec, a-t-il poursuivi. Il fait des promesses, il a toujours une bonne excuse, mais y a rien qui change. Tu aurais dû le voir hier soir. Il est pas clair, c'est évident. Il est temps de minimiser les pertes.

Ses mots ont alourdi l'atmosphère.

— Il sait quoi exactement des affaires du club ? a demandé Duck, un vétéran du Vietnam qui avait du mal à tenir la distance, désormais.

La plupart du temps, il squattait au clubhouse, à s'enfiler des bibines et à raconter aux filles des histoires du temps où les hommes étaient encore de vrais mecs et où les nanas savaient rester à leur place. Horse ne l'appréciait pas des masses, mais il lui aurait quand même confié sa vie.

Comme il aurait confié sa vie à tous ses frères Reapers.

— Un peu trop de choses, a répondu Horse, d'une voix pesante. Bien trop. Il est devenu gênant, on ne peut pas prendre ce risque. C'est pas comme si on avait une garantie.

— Aucune garantie n'est assez bonne pour un type comme lui ! s'est emporté Max. (Il cherchait clairement la bagarre, et Horse aurait bien voulu savoir pourquoi.) C'est un menteur doublé d'un voleur. Le fric qu'on lui donne pour son boulot aurait suffi à n'importe qui. Mais lui, il préfère vivre dans un trou à rats, à fumer de la beuh, en attendant que sa frangine lui ramène ses salaires minables. Ça dit tout sur lui. Et, même s'il devenait réglo, on pourrait plus gober ce qu'il nous raconte. Il essaierait encore de nous faire avaler des bobards.

— Il a raison, a murmuré Picnic. (Il regardait Horse d'un air grave.) Tout le monde confirme ?

Horse a jeté un œil à l'assemblée. Sur chaque visage était gravée la sentence de mort de Jensen. Difficile d'argumenter : ce type en savait trop. Il fallait l'éliminer.

Putain !

Il pensait à Marie, à sa façon de s'énerver contre lui. On aurait dit un petit dragon crachant des flammes. Merde, il fallait qu'il la possède. Et pas qu'une fois. Comme d'hab, son membre s'est dressé au garde-à-vous pour saluer cette idée. Cela dit, ce qui le démontait vraiment, c'était d'imaginer Marie en train de pleurer sur ce tocard.

Il ne pouvait pas laisser faire ça.

— Et on fait quoi de sa sœur ? a-t-il demandé.

— C'est-à-dire ? a répliqué Picnic, d'une voix volontairement neutre.

— Elle va devenir ma régulière. Si c'est pas une garantie, ça ! a suggéré Horse, sans ignorer les regards acérés qu'échangeaient certains de ses frères. Et, quand c'est la famille, on règle les affaires différemment, vous le savez bien.

— Aux dernières nouvelles, c'était pas gagné c't'histoire, a objecté Picnic lentement. Hier soir, elle n'a même pas demandé de tes nouvelles, Horse.

— Il y a des précédents. Les priorités des régulières ne sont pas toujours conformes à nos attentes au début. Mais ça ne veut pas dire qu'une régulière ne peut pas être réclamée si le président l'approuve et que les autres membres acceptent. C'est déjà arrivé.

— Ouais, c'est ça, y a trente ans, a rétorqué Bam Bam. À l'époque, toutes les conneries étaient autorisées. Mais on est au XXIe siècle, mon frère, et on peut plus kidnapper une meuf pour la ramener chez soi.

Duck a ricané, puis frappé violemment la table de la main. Tout le monde a sursauté.

— Écoutez-moi ces mauviettes qui parlent du XXIe siècle. Comme si on en avait quelque chose à branler de leurs règles ! Vous oubliez qui nous sommes, bon sang ! On est des vrais mecs, des un pour cent. Les rois des bikers, putain ! On ne suit pas les règles, on invente les nôtres, nom de Dieu ! Mon frangin Horse veut une femme, et, s'il la veut au point de venir la défendre devant nous, ce n'est pas pour rien. Vous l'avez déjà vu mendier quelque chose ?

Tour à tour, il a dévisagé chaque homme présent en lui lançant un regard noir.

Horse a ravalé un sourire. Duck en pleine inspiration. C'était une vraie surprise.

— Notre frère est venu devant nous pour nous informer de son intention de prendre une régulière, a poursuivi Duck. La situation est complexe. Nous savons tous qu'il fera passer le club avant tout. Donc, on l'écoute et on le soutient. Il n'a peut-être pas toujours raison, mais c'est quand même notre frère.

Vous feriez bien d'y penser, bande de trous du cul! Parce que si vous continuez comme ça, un de ces quatre, je vais vous retrouver avec des loches à la place des couilles.

Avec un grognement, Duck s'est rassis.

— Et si tu nous disais le fond de ta pensée, Duck? a lancé Ruger en se marrant et en se détendant sur sa chaise. Bordel!

— Il a raison, a repris Horse, d'un ton plus que grave. Je n'ai pas toujours raison, mais je suis toujours votre frère. Enfin, je pensais que je l'étais encore. Un Reaper, ça fait ce que ça veut. Vous êtes avec moi?

Picnic a poussé un soupir.

— T'es un con, t'es au courant? a-t-il fait remarquer. Elle ne fait pas partie de notre monde, elle n'a aucune idée de ce qui l'attend et elle n'a même pas envie d'essayer. Ça va mal se terminer.

— C'est mon problème maintenant, non?

— Oui, tant que tu contrôles la situation et que ça ne rejaillit pas sur les affaires du club, a répondu le président. Elle est sympa, cette môme, elle me plaît. Elle cuisine bien, putain! Sa salade de pommes de terre est une vraie tuerie. C'est le bacon qui change tout. Et ça me dirait bien qu'on en ait à becqueter la prochaine fois qu'on fait griller un cochon. Cela dit, ça ne change rien au problème avec son frère. Ça complique tout.

Horse a souri. Il avait gagné. Tout le reste, c'étaient des détails.

— Donc, si elle est notre garantie, a-t-il repris, il faut faire savoir à son frangin qu'il n'est pas près de la revoir s'il ne nous rembourse pas. On lui donne quelques mois, histoire de voir où ça nous mène.

— Tu crois qu'il va trouver un moyen pour nous rembourser ? s'est interrogé Picnic.

— Aucune idée, a reconnu Horse. Mais, quand il est dans son état normal, c'est comme s'il la fabriquait, la thune. Avec une bonne motivation, il pourrait réussir.

— Jusqu'ici, on n'a rien vu venir.

— Il adore sa sœur, a ajouté Bam Bam d'une voix calme. C'est un vrai serpent, ce bâtard, mais il tient vraiment à sa sœur. Je l'ai vu de mes yeux. Ça m'étonnerait qu'il la laisse tomber.

— On va faire en sorte qu'il comprenne que, s'il ne nous rembourse pas, sa sœur risque très gros, a renchéri Horse. S'il paie, très bien. S'il foire, on lui fait la peau. Tout le monde s'y retrouve.

Sauf Marie. Mais Jensen était un grand garçon. C'était lui qui était venu les chercher et qui avait décidé d'entuber les Reapers. Sans elle, il serait déjà mort.

— Et pour ce qui est du respect ? a protesté Ruger. Il faut qu'on assure nos arrières. Notre réputation est en jeu.

— C'est vrai, est intervenu Picnic. Mais prendre la sœur d'un type en otage, c'est pas rien. Il paie de son sang. Suffit de faire passer le mot au bon endroit, et ça devrait le faire.

— Tu oublies une chose, a fait remarquer Max.

Horse a scruté son visage, essayant de lire sa pensée. Y avait un truc qui clochait chez Max. Les autres se souciaient avant tout du club, mais, avec lui, c'était autre chose. Comme s'il en faisait une affaire personnelle.

— La thune, a poursuivi Max. C'est une chose d'accorder à Horse son petit sex-toy, mais j'en ai rien à foutre, moi, de ses histoires de cul. Et, là, on est en train de perdre 50 000 dollars. Peut-être que vous avez du blé de côté, mais moi, c'est pas mon cas. Vous êtes sûrs de vouloir risquer cette somme avec cette tête de nœud, sans compter le risque qu'il nous balance aux condés ?

Horse a fusillé Max du regard, mais ce dernier n'a pas bronché.

— Bonne remarque, a dit Bam Bam d'une voix douce. Mais c'est clair que, si on le descend, on ne reverra jamais notre blé, Max.

— Eh ben peut-être qu'on serait pas là à se morfondre si Horse l'avait mieux surveillé.

Picnic s'est redressé.

— Fais gaffe à ce que tu dis, mon frère, a-t-il ordonné, d'un ton froid. Horse a fait son boulot. Si j'ai laissé faire, j'avais mes raisons. Ce petit enfoiré a rapporté 1 demi-million de dollars au club, sans se forcer, ces deux dernières années. On ne se débarrasse pas d'un mec comme ça à moins d'y être forcé. Ce salaud est doué, et je ne peux pas le remplacer. C'est pour ça que cette idée me plaît. Peut-être qu'y a encore moyen de rétablir la situation.

— Comptez pas sur mon vote, s'est rebiffé Max. Il faut qu'on le bute!

— Et si je l'achetais? a proposé Horse.

Tout le monde s'est retourné vers lui, stupéfait.

— J'achète Marie au club, et on donne une dernière chance à Jensen. Je verse sur le compte du club 50 000 dollars de ma poche. Et on attend de voir si Jensen s'acquitte de sa dette, plus les intérêts. Si oui, je suis remboursé. Sinon, c'est pour ma pomme.

— C'est complètement tordu, a marmonné Bam Bam. Aucune pute ne vaut une telle somme.

— C'est pas une pute.

— C'est toutes des putes, a rétorqué Max.

Horse l'a défié du regard.

— Tout doux, les gars, s'est interposé Picnic. Je pense que t'es complètement taré, Horse, mais c'est OK pour moi. Ça te va, Max?

Celui-ci a incliné la tête en signe d'accord.

— Je suis d'accord avec Picnic, t'es complètement taré, a observé Bam Bam. Ça va être quelque chose. Elle te déteste, Horse. Jensen me l'a dit.

— Eh ben, je lui en veux pas mal moi aussi, a répliqué Horse. Il va falloir qu'on trouve une solution. Mais, en tout cas, elle m'appartient, et ça s'arrête là.

Picnic a levé les yeux au ciel pendant que Ruger ricanait.

— Ça fait plaisir de voir des jeunes se conduire en mecs plutôt qu'en danseuses de revue, a grogné Duck, regardant tout le monde d'un air satisfait. Passons au vote. J'ai envie d'une bière.

À la fin de la réunion, Horse était assez content de lui. Filer la thune, ça n'allait pas être facile, c'est sûr, mais il avait mis pas mal d'argent de côté, dans l'intention d'acheter une nouvelle boutique. Au fond, il en avait rien à foutre de cette boutique. Marie était bien plus importante. Tout ce qu'il voulait, c'était la retrouver chaque soir après une dure journée de boulot, sentir l'odeur de ses petits plats dans la maison, et rien d'autre.

Bien.

En récupérant son téléphone dans la boîte, il s'est dit qu'il aurait dû l'appeler plus tôt. Il avait lu ses petits textos d'amour et il savait qu'elle souffrait. Bon Dieu, il était content qu'elle souffre, il l'admettait. Elle lui avait fait du mal, il avait bien le droit de la laisser mariner quelques jours.

Cela dit, maintenant que leur relation devenait officielle, tout était différent. Il était temps de passer à autre chose. Il est sorti du clubhouse dans la lumière du soleil, puis il a allumé son portable, qui s'est mis à sonner sans interruption. Ça voulait dire qu'il avait raté un tas de textos depuis hier soir.

Marie : Horse, toi manquer à moi.

Marie : Pourquoi tu réponds pas ?

Marie : Horse, je kiffe trop ton nom. Horsey. Moi vouloir chevaucher toi, bel étalon, LOL. Tu dors ? T'es avec quelqu'un d'autre ?

Marie : Je sais que t'es là. Je parie que t'as déjà une autre meuf. Va te faire.

Marie : Allez vous faire voir, toi et ta pute. Je te déteste. Et ton club, tu peux te le foutre bien profond, je ne serai pas ta régulière même pour 1 million, va mourir.

Putain !

Elle était bourrée, c'est clair. Et, quand on boit, on dit toujours des conneries, mais on dit la vérité. Peut-être que Marie avait envie de lui, mais elle ne voulait pas être sa régulière, aucun doute là-dessus, malgré tous ses gentils petits messages pour essayer de recoller les morceaux.

— Bordel ! a-t-il hurlé, en explosant violemment son portable sur le mur en béton du clubhouse juste au moment où Ruger sortait.

— T'as un problème ? s'est étonné celui-ci.

Il regardait tour à tour Horse et le téléphone.

Horse a secoué la tête.

— Aucun problème, a-t-il dit, en essayant de retrouver son calme.

Il avait pris sa décision et l'avait défendue devant le club. Il allait tenir parole, en veillant d'une manière ou d'une autre à faire payer à Marie ces 50 000 dollars.

— J'étais juste en train de me dire qu'il fallait que je change de téléphone, c'est tout.

— T'avais un problème avec celui-ci ? a demandé Ruger, d'une voix douce.

— Il est mort.

17 septembre – Présent

Horse regardait Jeff, impassible.

Jeff était agenouillé sur le sol au milieu de la pièce, mains menottées derrière le dos, Picnic debout derrière lui, flingue posé sur sa nuque. Il avait du sang sur le visage. Il venait de se faire tabasser copieusement par les Reapers, pas assez pour l'envoyer à l'hosto, mais juste assez pour lui faire passer le pire quart d'heure de sa vie et pour filer les jetons à Marie.

Il garderait quelques cicatrices indélébiles, histoire de ne pas oublier qu'il ne faut pas faire chier les Reapers.

— Tu crois que ta p'tite sœur va te tirer d'affaire ? a lancé Picnic à Jeff. Tu t'es vraiment mis dans la merde, cette fois, pauvre minable. Tu ne connais pas notre devise ? Si tu ne veux pas qu'on te fasse chier, faut pas nous faire chier.

— Je suis désolé, a murmuré Jeff, les yeux hagards derrière ses paupières déformées. Je suis tellement désolé ! C'était pas prémédité, il faut me donner une dernière chance.

— Et t'as besoin de combien de chances ? l'a fait taire Horse. On a du mal à te prendre au sérieux.

Le téléphone de Jeff s'est mis à sonner sur le comptoir, et Ruger l'a regardé.

— Un texto de Marie, a-t-il annoncé. Elle sera là dans quelques instants. Elle sort du magasin.

— Réponds-lui ! s'est tout de suite exclamé Jeff. Je vous en prie, elle n'a rien à voir avec toute cette histoire. Épargnez-la. Vous n'avez qu'à lui dire de ne pas revenir avant une heure ou deux. Je ne veux pas qu'elle ait cette dernière image de moi.

— Ta gueule ! a rétorqué Picnic, d'un ton exaspéré.

Jeff l'a fermée.

— Vous m'aviez prévenu que ce type était une merde, mais à ce point je ne pensais pas, a commenté Ruger. (Il a rappuyé son dos contre le mur et croisé les bras devant lui, tout en continuant à observer la scène.) Quand je pense que tu laisses vivre ta sœur comme ça, t'es vraiment un pauvre type, surtout avec tout l'argent qu'on te file.

— Je suis une merde comme frère, a bredouillé Jeff. Je le sais. Mais ne faites pas de mal à Marie, elle est tellement bonne ! Elle n'a jamais fait de mal à personne. Elle n'a pas mérité ça.

— Oh, pour être bonne…, a répondu Ruger, narquois.

Horse lui a lancé un regard noir, sans pouvoir le faire taire.

Ruger l'a gratifié d'un grand sourire.

— Sérieux, Horse, tu croyais pas vraiment qu'on allait pas te faire chier là-dessus ?

Horse a haussé les épaules. Il s'en doutait, évidemment. *Quel bordel !* Cinquante mille dollars dans la nature pour une femme qui ne voulait même pas de lui. Il a passé une main dans ses cheveux. Au moins, il allait pouvoir se la taper.

Pour 50 000 dollars, son entrejambe avait intérêt à être plaqué or.

— Elle arrive, a prévenu Painter, en poste à la fenêtre. Elle a les bras chargés de courses. Vous croyez que je dois aller l'aider ?

Les autres n'ont rien répondu, se contentant de le regarder en secouant la tête, perplexes.

— Tu plaisantes, rassure-moi ? s'est moqué Ruger.

— Désolé. J'ai parlé sans réfléchir, a répondu Painter.

Horse avait des doutes sur cet aspirant, un petit jeunot qui allait avoir du mal à gagner ses galons de biker.

La porte s'est ouverte, et Marie est entrée.

Et là elle s'est mise à hurler.

— Je suis vraiment désolé, sœurette, a dit Jeff, d'une voix assourdie et saccadée.

Marie regardait autour d'elle, paniquée, sous le choc et incrédule. Horse a senti son sexe durcir. Il fallait qu'il soit taré pour avoir encore envie d'elle. Elle était terrifiée et elle ne voulait pas de lui, et pourtant elle l'excitait. De toute façon, tout ce qu'elle faisait l'excitait.

Tout, sauf le fait qu'elle lui avait jeté à la gueule sa proposition de devenir sa régulière. Quelle salope, avec ses textos ! Il avait déboursé 50 000 dollars, et elle lui balançait que même pour 1 million elle refuserait.

Elle aurait dû le remercier de sauver la peau de son frangin.

Picnic a regardé Marie et lui a adressé un clin d'œil. C'était carrément flippant, même pour Horse, et il était surpris qu'elle ne fasse pas un infarctus sur-le-champ. Très bien. Il voulait qu'elle ait peur.

— Ton petit frérot a fait des bêtises, a dit Picnic. Il nous a volé du fric. T'étais au courant ?

Elle a secoué la tête. Un des sacs de courses a glissé de son bras, et des pommes ont rebondi sur le sol. L'une d'elles est venue percuter le pied de Horse. Sans un effort de volonté surhumain, il aurait shooté dedans en visant la tronche de Jensen.

— Je ne comprends pas, a-t-elle dit, jetant un regard suppliant à son frère.

— Il est censé bosser pour nous, a expliqué Picnic. Il est sacrément doué avec ce petit ordi portable. Mais, au lieu de bosser, il est allé flamber au casino avec notre putain de blé. Et maintenant il a les couilles de me dire qu'il a tout perdu et qu'il ne peut pas nous rembourser.

Il a ponctué les quatre derniers mots de sa phrase en donnant des petits coups secs sur la nuque de Jeff avec le canon épais et rond de son revolver. Marie avait l'air sonnée et clignait des yeux à toute vitesse. Horse pouvait presque voir ses pensées bouillonner dans sa si jolie petite tête.

— T'as 50 000 dollars sur toi ? a-t-il demandé d'une voix détachée.

— Il a volé 50 000 dollars ?

— Eh ouais ! a répondu Horse. Et, si on n'est pas remboursés sur-le-champ, je ne vois pas comment il va pouvoir s'en sortir.

— Je croyais que vous étiez potes, a-t-elle murmuré, en posant les yeux sur Jeff.

— T'es gentille, s'est moqué Picnic. Mais je crois que t'as pas bien compris à qui t'avais affaire. Il y a le club, et tous les autres. Et ce débile ne fait pas partie du club, que ce soit bien clair. Faut pas nous faire chier. Quand on nous baise, faut s'attendre à être baisé en retour. Mais bien plus fort. C'est la règle.

Jeff avait les lèvres qui tremblaient, et ses yeux se sont emplis de larmes. Horse était vraiment surpris qu'il ne se soit pas encore mis à brailler. Ensuite, Jeff s'est pissé dessus.

— Merde ! s'est exclamé Ruger. Je déteste ça, quand ils se pissent dessus, putain ! (Il a regardé

Jeff avec consternation tout en secouant la tête.) Ta sœur au moins, elle ne se pisse pas dessus, pas vrai ? Quelle chochotte ! a-t-il ajouté avec un air de mépris.

— Vous allez nous tuer ? a demandé Marie, qui s'est mise à trembler.

Son visage est devenu blême. Horse a lancé à Jensen un regard de dégoût. Seul un pauvre type pouvait laisser sa sœur traverser une telle épreuve ! Sans compter qu'ils vivaient dans un trou à rats et qu'elle bossait toute la journée à changer des couches pour un salaire de misère.

— Enfin, vous voyez, vous n'allez pas me dire que vous pourriez tuer quelqu'un à qui vous avez montré les photos de vos filles ? a-t-elle plaidé, les yeux rivés au visage de Picnic. L'une doit même avoir mon âge, non ? Y a peut-être moyen de s'entendre, vous ne croyez pas ? On pourrait peut-être payer en plusieurs fois, je ne sais pas, moi ?

Horse a poussé un petit grognement de mépris et a fait « non » de la tête. Il était temps de passer à la vitesse supérieure.

— Tu n'y es pas du tout, mon chou. Le fric, c'est secondaire. On n'en a rien à secouer de la thune. C'est une question de respect et d'éthique, personne ne s'attaque au club. Si on laisse ce petit morveux s'en tirer, tout le monde va s'y mettre. On n'est pas du genre à passer l'éponge. Faut pas rêver. Il doit payer de son sang.

Elle a fermé les yeux un instant, et Horse a remarqué des larmes qui perlaient entre ses cils. Merde, il détestait les femmes qui pleurent! Non, ce qu'il détestait, c'étaient les salopes qui pleurent, et Marie était une salope comme les autres. Il ne fallait pas l'oublier.

— Pourquoi t'as fait ça, Jeff? a-t-elle murmuré.

Le chagrin et le désespoir dans sa voix ont fait tressaillir Painter. Horse s'est durci, tentant de faire abstraction, mais il bouillonnait de rage intérieurement. Son pauvre connard de frère la regardait avec des yeux de chien battu. Pour qui il se prenait? Qu'est-ce qu'il avait fait pour mériter sa loyauté?

— Je ne pensais pas tout perdre, a-t-il gémi d'une voix désespérée. Je croyais que j'allais me refaire, d'une manière ou d'une autre. Je me disais que je pourrais trafiquer les comptes bancaires…

— Ferme ta putain de gueule! a hurlé Picnic en lui filant une baffe. Les affaires du club, ça ne te regarde pas. Même si tu vas bientôt passer l'arme à gauche.

— Y a peut-être un autre moyen, est intervenu Horse.

Il avait décidé d'être clair avec Marie. Autant en finir tout de suite, pour qu'elle sache quel parti prendre. Il lui avait proposé mieux, mais elle avait refusé. À présent, elle n'avait plus le choix. Il fallait qu'elle se contente de ce qui lui était offert, sans se plaindre.

— Payer de son sang, ça peut vouloir dire plusieurs choses, a-t-il poursuivi.

— Vous n'êtes pas obligés de le tuer, s'est-elle empressée de dire. On pourrait trouver autre chose. Je ne sais pas, moi, brûler le mobil-home, par exemple.

Elle lui a souri comme si elle venait de décrocher la timbale.

— Oh, c'était prévu, de toute façon ! a répondu Horse d'une voix traînante. Mais il n'y aurait pas de sang dans ce cas. Je pensais à un truc encore plus dur.

Jeff, toujours aussi accablé, a semblé reprendre espoir.

— Quoi donc ? Je ferai tout ce que vous voudrez. Je le jure. Si vous me laissez une chance, je pourrai pirater tous les comptes que vous voudrez, vous n'avez pas idée de ce qu'on peut faire. J'arrêterai même de fumer, pour avoir l'esprit plus clair, être plus efficace.

Sa voix n'était plus qu'un murmure lorsque Horse a éclaté de rire, en même temps que le type à la crête secouait la tête et souriait de toutes ses dents à Picnic.

— Pas très convaincant, ce petit con, pas vrai ? s'est-il moqué. Sérieux, le mongol, je ne suis pas sûr que ça t'aide beaucoup de nous avouer à quel point t'es un glandeur.

Jeff a poussé un gémissement, et Horse a vu Marie esquisser un pas en avant, comme si elle avait voulu aller réconforter son frère, avant de se raviser. Ce qui l'a énervé encore plus. Elle ferait mieux de se concentrer sur lui, plutôt que de perdre son temps avec son frère. Il fallait vraiment qu'il se calme, il démarrait au quart de tour. Il s'est étiré le cou un instant, inclinant la tête de gauche à droite, avant de se faire craquer les doigts. Il avait retrouvé sa lucidité.

— Que les choses soient claires, a-t-il annoncé. Tu n'as rien à craindre, Marie.

— C'est vrai ? a-t-elle demandé.

Le ton de surprise dans sa voix a atteint Horse en plein cœur. Elle pensait qu'il était capable de la frapper, comme cette grosse brute de Gary, son ex. À ses yeux, il était un monstre, c'est clair. Il s'est forcé à revenir à la conversation.

— Ouais. Tu n'as rien fait de mal, c'est pas à toi qu'on en veut. Ça ne te concerne pas. Tu es assez maligne pour fermer ta gueule si tu veux t'en sortir. Si tu es là, c'est pour une autre raison.

— Ah bon, et je peux savoir laquelle ?

— Pour que tu puisses te rendre compte que ton frère est un gros naze, a-t-il répondu. Parce que, tu vois, s'il ne trouve pas un moyen pour nous rembourser, on va le descendre. Avec un peu de motivation, je suis sûr qu'il va finir par trouver une solution.

— Comptez sur moi, a bafouillé Jeff. Je vous rembourserai jusqu'au dernier centime, merci beaucoup…

— Nous, c'est le double qu'on veut, espèce de branleur, a dit Picnic.

Puis il lui a décoché un violent coup de pied dans les côtes du bout de sa lourde botte en cuir. Jeff s'est effondré sur le sol, gémissant de douleur.

— Enfin, si on te laisse en vie. Et ça dépend seulement de ta frangine. Sans elle, tu serais déjà mort.

C'était l'instant de vérité. Horse se demandait s'il faudrait argumenter ou s'il allait tout simplement la balancer dans le pick-up, mains liées dans le dos.

— Je suis prête à tout, a-t-elle répliqué.

Eh ben, mince ! C'était un peu trop facile. On aurait dit qu'elle se fichait de son propre sort. En fait, tout ce dont elle se préoccupait, c'était de son salaud de frangin. Horse a ricané, méprisant, et laissé errer son regard sur le corps de Marie. Bordel, qu'est-ce qu'elle était sexy ! Même comme ça, après une journée de boulot, et terrorisée. Sa petite Marie était toujours aussi fine, aussi jolie, avec ses cheveux qui sculptaient son visage et sa poitrine qui se soulevait sous le coup de la peur. Elle ne s'était sûrement pas aperçue que les quatre boutons du haut de sa chemise s'étaient défaits et révélaient un décolleté hallucinant, ainsi que le contour de son soutien-gorge.

Son sexe à lui confirmait. Il aurait bien aimé se faufiler entre ces nichons et y cracher un joli collier de perles en leur honneur. Horse a pris une profonde inspiration. Il fallait qu'il reste concentré.

Il se caresserait contre ses seins un peu plus tard. Ça serait peut-être même en haut de sa liste de priorités.

— Tu ne veux pas savoir d'abord de quoi il s'agit ? a-t-il demandé.

— Heu… si, bien sûr, a-t-elle balbutié. Qu'est-ce que je dois faire, alors ?

— Il semblerait que Horse ici présent ait besoin d'un petit animal de compagnie, est intervenu Picnic.

Le visage de Marie était sans expression. Picnic a soupiré et regardé Horse.

— Elle ne capte rien, tu es sûr que c'est ce que tu veux ? À mon avis, tu vas en baver.

Horse lui a lancé un regard noir en retenant son poing. Il n'avait pas envie de tout faire foirer. C'était risqué. Il s'est retourné vers Marie, s'obligeant à rester calme et posé.

— C'est ta seule issue, a dit Horse d'un ton brusque. Si tu veux que Super-Connard reste en vie, tu fais ta valise et tu montes sur ma bécane. Tu fais ce que je te dis, quand je te le dis, pas de questions ni de coups de pute.

— Pourquoi ? a-t-elle lancé.

Elle était tellement mignonne, elle avait l'air tellement paumée et sous le choc que ça l'énervait encore plus. Comment pouvait-on manquer à ce point d'instinct de survie ?

— Pour que tu me mijotes des petits desserts, a-t-il répliqué.

Elle était bouche bée. Sérieux, elle faisait exprès de ne rien comprendre ou quoi ? Il a secoué la tête, exaspéré.

— Qu'est-ce que tu t'imagines, bordel ? a-t-il rétorqué d'une voix dure et enrouée. Pour que je puisse te baiser.

Chapitre 10

— Tu menaces de tuer mon frère juste pour pouvoir faire l'amour avec moi ? s'est exclamée Marie, le visage défait.

Ruger s'est approché de Horse et a passé un bras autour de ses épaules.

— Jolie pouliche, mon frère, mais un peu limitée. Laisse-moi l'emmener faire un petit tour, histoire de la débourrer à ta place.

Ruger a fait remuer son bassin de manière obscène en direction de Marie. Horse s'est retourné et lui a décoché un coup de poing dans le ventre. *Quel connard !* Cette histoire s'éternisait, il avait envie de passer à autre chose. Il voulait Marie pour lui tout seul, nue, le chevauchant. Fini de rigoler.

Il a attrapé son bras et l'a traînée dehors dans le verger, avant de l'acculer contre un arbre. Elle était à bout de souffle, sa poitrine se soulevait et s'abaissait, sensuellement. Il était en colère contre Jeff, contre Ruger et contre Marie. Il lui en voulait d'être aussi attirante, de l'avoir poussé à cette extrémité alors qu'il aurait dû se débarrasser d'elle. Il lui avait offert l'impossible, et elle l'avait envoyé chier. En même temps, ça ne la dérangeait pas de faire la pute pour sauver son enfoiré de frère.

— Rectification. Je ne veux pas «faire l'amour» avec toi, a-t-il précisé d'un air sombre. Ce que je veux, c'est te baiser. Faire l'amour, les câlins, tout ça, c'est des conneries, c'est réservé aux petites amies ou aux régulières. Et, si je m'en souviens bien, t'en as rien à branler. Alors, que les choses soient claires. Si je menace ton frangin, c'est parce qu'il a arnaqué le club, ça n'a rien à voir avec toi au départ. Mais, quand on s'amuse à faire ça au club, on le paie de son sang. Et tu es de son sang. C'est pour ça qu'on t'embarque. Te baiser, c'est juste un bonus.

— Tu veux dire que tu m'emmènes pour montrer à tout le monde ce qui arrive quand on s'en prend au club?

Pour la première fois, Horse voyait une lueur de compréhension dans son regard. Mieux vaut tard que jamais.

— J'y crois pas, bordel, elle a compris! a-t-il marmonné, levant les bras au ciel. Ton frère est un sacré veinard, parce que j'ai plus envie de te baiser que de le liquider. Sinon je vois pas l'intérêt. Si ce trou du cul de Jeff arrête de déconner et rembourse le club, alors peut-être que tu pourras partir, mais seulement quand j'en aurai fini avec toi. S'il ne paie pas, je te trouverai une autre utilité. C'est pigé?

La laisser partir? Sûrement pas. Mais il fallait qu'il soit crédible. Elle allait probablement parler avec son frère à un moment ou à un autre. Autant que l'autre tête de nœud capte bien le message.

— Et je te préviens, pas d'embrouilles ou de coups foireux, a-t-il averti.

Il a reculé d'un pas et s'est éloigné, essayant de se calmer, puis s'est retourné pour lui faire face. Elle avait l'air terrorisée. Elle se tordait les mains, et des larmes s'écoulaient le long de ses joues. Il avait soudain le sentiment d'être un vrai salaud.

— Si tu acceptes, c'est ton choix. Je ne suis pas là pour te violer. C'est toi qui décides si tu veux payer pour l'erreur de ton frère. On est d'accord ?

Elle le fixait d'un air réprobateur. Il avait honte, et il détestait ce sentiment. Il se sentait plus à l'aise avec la colère.

— Je suis sérieux, a insisté Horse, regard noir et sans appel.

Il aurait préféré qu'elle se rebelle plutôt que de la voir tout accepter en silence pour son frère. Putain ! Il adorait se prendre la tête avec elle. Rien de tel pour éveiller l'attention, là, en dessous de la ceinture.

— Tu peux annuler à tout moment, a-t-il poursuivi. Je ne vais pas t'enfermer et passer mon temps à te surveiller. Si tu acceptes ce marché, tu dois le respecter. Mais tu peux encore le refuser, ce putain d'accord. Ton frère est un connard, et on savait ce qu'il était en train de manigancer. Toi, t'y es pour rien, c'est pas à toi de le sortir de sa merde.

— Je me trompe ou t'es en train d'essayer de me faire dire non ? a-t-elle demandé d'un air digne et posé. C'est impossible. J'étais sérieuse tout à l'heure. Je ferais n'importe quoi pour Jeff. N'importe quoi.

Horse a serré les mâchoires et a brusquement fait volte-face. Il avait besoin d'évacuer sa colère et sa frustration avant de commettre un acte stupide. Il a balancé un coup de pied dans un arbre, et la douleur lancinante lui a permis de retrouver sa concentration.

Qu'est-ce qu'il voulait vraiment de la part de cette fille ? Il la voulait dans son lit, dans sa maison. Et elle lui avait clairement fait comprendre qu'elle n'y finirait pas de son plein gré. Ce n'était pas sa faute si son frère était un gros naze. Horse leur offrait une issue de secours, et, pourtant, elle le rejetait. Encore une fois. Comme elle l'avait rejeté lorsqu'il lui avait offert de devenir sa régulière.

Cette idiote ne savait pas ce qu'elle voulait. Pourtant, il était bien décidé à le lui donner quoi qu'il arrive.

Plutôt dix fois qu'une.

Horse regardait Marie fouiller dans son placard. Il se sentait à l'étroit dans cette chambre et il avait du mal à respirer. En plus, chaque fois qu'elle se penchait, sa chemise se soulevait et son pantalon s'abaissait, révélant la ficelle noire d'un string qu'il avait envie d'arracher à pleines dents.

Son membre n'était plus seulement dur, mais douloureux et turgescent. De sa main, il essayait de l'ajuster, de trouver une position confortable, mais le seul endroit où il aurait voulu se loger était entre les jambes de Marie. Bien décidées à le rendre fou, ses fesses se tortillaient devant lui sans arrêt. Si ça continuait, il allait exploser sur-le-champ. Marie a sorti une boîte à chaussures et l'a balancée sur le lit. Il s'est assis et a regardé les photos étalées, essayant à tout prix de penser à autre chose. Il a contemplé des photos d'elle à l'adolescence, une d'elle et de Jeff en maillot de bain quand ils étaient petits, bras dessus bras dessous. Il y avait aussi une photo d'un bal de lycée… Et puis sa photo de mariage.

Merde!

En l'observant de plus près, il a remarqué qu'elle était maculée de traînées de sang séché. À côté d'elle, on voyait Gary. À l'époque, il ressemblait à n'importe quel champion de lycée sur le retour, une grosse brute épaisse qui avait dû prendre du bide et faire du gras en l'absence d'un coach pour lui botter le cul. Un vrai connard, qui tenait Marie par la main comme s'il brandissait un trophée de foire agricole. Marie, elle, était splendide, mais on aurait dit une gamine. Elle portait une petite robe blanche toute simple et tenait un bouquet de jonquilles. L'autre débile n'avait même pas pris la peine de mettre un costume. Bref, ça avait tout du mariage un peu cheap entre deux gamins. Pourtant, Horse s'est senti submergé par une immense vague de jalousie.

Gary avait eu le privilège d'amener cette jolie fille dans la maison sur la photo, de lui retirer sa robe et de coucher avec elle.

Il aurait dû refroidir ce type quand l'occasion s'était présentée.

Horse a jeté un coup d'œil à Marie, toujours occupée à fouiller dans le placard. Son string l'excitait. Il s'est dit qu'elle avait dû acheter ce foutu truc pour Gary. En plus, elle gardait leur photo de mariage. La vague de jalousie se transformait en lame de fond. Horse les imaginait ensemble, Gary suppliant Marie de ne pas le quitter. Les losers, ça fait toujours craquer les meufs.

— C'est pour lui que tu portes ce truc? a-t-il grogné en montrant la photo de mariage.

— Que je porte quoi? a-t-elle demandé.

— Ce cache-raie, a-t-il répliqué d'un ton cassant. Pourquoi tu portes un putain de string pour aller bosser avec des mômes? Tu le revois?

— Non! a-t-elle hurlé, yeux écarquillés. Je ne l'ai pas revu depuis qu'il m'a tabassée, tu devrais le savoir. Même pas un coup de fil, rien. Quand tous les papiers seront prêts, le mari de Denise m'a dit qu'il voulait bien s'en occuper.

Horse a poussé un grognement, essayant de ne pas exploser. Bien sûr qu'elle ne l'avait pas revu! Ce type l'avait battue. Marie n'était pas stupide. *Et le salaud qui est en train de la kidnapper, alors?* s'est demandé Horse. *Qu'est-ce qu'elle peut bien penser de moi?* Repoussant cette idée, il a de nouveau porté son attention sur le string. Dès qu'ils seraient à la maison, il l'amènerait chez *Victoria's Secret*, pour lui offrir de nouveaux trucs. Pas question de passer après Gary.

— Tu gardes ça? a-t-il demandé, en regardant la photo.

— Ouais, a-t-elle répondu. Je ne veux pas oublier. En tout cas, pas encore.

Il a laissé tomber, écœuré, et a regardé Marie s'approcher de sa commode. Chaque fois qu'elle tendait le bras, il avait un aperçu de sa taille minuscule, qui s'élargissait sur des hanches idéales pour accueillir les siennes. Sa silhouette harmonieuse, à la fois menue et toute en courbes voluptueuses, frisait la perfection.

Horse n'en pouvait plus. Il n'était pas sûr de pouvoir supporter encore longtemps ce spectacle. Il fallait qu'il y goûte, juste un peu. Et tout de suite. Il s'est levé pour se poster derrière elle, a saisi ses hanches et les a attirées contre les siennes. Il a frotté sa bite contre son cul. L'excitation était telle que c'en était douloureux. Il s'est penché sur elle, respirant l'odeur de ses cheveux. Étonnamment, il est devenu encore plus dur.

Cette nana allait le tuer.

— J'adore l'odeur de tes cheveux, a-t-il marmonné.

Il imaginait leur caresse sur son torse ou sur son sexe. Un autre point à ajouter sur sa liste.

Le corps de Marie s'est contracté.

— Il ne me reste que dix minutes, a-t-elle murmuré, gorge nouée. S'il te plaît.

Difficile de rester calme, de ne pas perdre le contrôle. Il se demandait combien de temps ça allait encore durer. Elle était sa propriété à présent. Il avait déboursé la foutue somme de 50 000 dollars pour cette meuf. Putain, il avait même fallu qu'il descende dans l'arène pour sauver la peau de son bon à rien de frère auprès du club ! Il avait offert à Marie tout ce qu'il avait, et elle le lui avait balancé à la gueule.

Horse lui a lâché les hanches et, l'attrapant brusquement par les cheveux, lui a fait tourner la tête sur le côté. Il l'a embrassée sauvagement, en fourrant sa langue dans sa bouche comme il serait entré en elle – violemment, rapidement, sans pitié. Elle a poussé un gémissement et s'est effondrée contre lui. L'autre main de Horse glissait déjà le long de son ventre et arrachait les boutons de son pantalon. Ses doigts se sont enfoncés en elle. Il lui a tiré la tête vers l'arrière pour voir son visage en proie au feu du désir et de la passion, voir son souffle s'accélérer. Ce spectacle le remplissait d'une satisfaction sauvage, animale.

Marie était sa propriété maintenant.

— Cette chatte, a dit Horse, fourrageant toujours en elle. Cette chatte m'appartient. Et toi aussi, tu m'appartiens. Je te baiserai où et quand je voudrai, c'est à prendre ou à laisser, nom de Dieu ! C'est bien clair ?

Marie, yeux dilatés et frissonnante, a acquiescé silencieusement. Horse sentait qu'elle était sur le point de jouir, la tension entre ses cuisses était à son comble. De nouveau, il s'est emparé de sa bouche, poursuivant le supplice infligé par sa langue, ivre de pouvoir. Quand ses hanches se sont collées aux siennes, suppliantes, ses lèvres ont quitté sa bouche pour se poser sur son cou, qu'il s'est mis à lécher et à sucer, comme s'il voulait marquer à jamais sa chair au fer brûlant de son désir. Cette femme lui appartenait.

Quand il lui a mordillé le cou, elle s'est mise à crier de plaisir. À pleine voix.

Jubilant devant son triomphe, Horse a retiré la main de la culotte de Marie et a reculé d'un pas. Son membre s'était transformé en colonne de granit et son cœur en marteau-piqueur, mais au moins il avait fait passer le message. C'était lui, le chef. Il a porté la main à sa bouche et léché lentement le si doux breuvage offert par Marie.

— Peut-être que j'adore te sucer, mais c'est pas toi qui mènes le jeu, a-t-il murmuré. C'est bien clair ?

Elle a hoché la tête, visage écarlate et suppliant, toujours frémissante.

— C'est toi qui commandes, lui a-t-elle répondu tout bas. Sinon, je n'ai qu'à me barrer. Mais, si je me casse, qu'est-ce qui va m'arriver ?

Surtout, ne pas s'énerver.

— À toi ? Rien. (Comment lui dire qu'il était prêt à la ramener par les cheveux ?) Tu es avec moi de ton plein gré. Mais, avec le club, on paie de son sang, Marie. C'est une règle contre laquelle je ne peux rien moi-même. Ne l'oublie pas.

Elle s'est empressée de hocher la tête.

Il l'a éloignée gentiment de lui pour ouvrir le tiroir à dessous et fouiller à l'intérieur, et en a sorti plusieurs strings et un teddy, avant de les étaler sur le sol.

— Tu n'auras pas besoin de tout ça, a-t-il dit, en retournant à sa fouille.

Au fond du tiroir, il y avait quelque chose de planqué, un tissu noir aux couleurs des Reapers. *C'est quoi, ce bordel ?* En l'attrapant, il s'est rendu compte que c'était son tee-shirt, avec un truc enroulé à l'intérieur. Elle avait gardé son tee-shirt. Il s'est retourné vers Marie.

Rouge de honte, elle tendait la main vers lui.

Horse a secoué lentement la tête, déroulé le tee-shirt et découvert ce qu'il y avait dedans. Son érection s'est réveillée de plus belle. Un vibromasseur. Et pas n'importe lequel : un vrai monstre. Pas très long mais à deux têtes, pour stimuler à la fois le point G et le clitoris.

Marie gardait un sex-toy dans son tee-shirt.

Cette femme était vraiment à lui. Plus de doute là-dessus.

— Emballe tes affaires et n'oublie pas ce petit joujou, a-t-il ordonné, non sans mal.

Il l'imaginait en pleine action. Bientôt, il pourrait savourer ce spectacle.

Elle a balancé ses affaires dans son sac à dos, l'a refermé et glissé sur son épaule.

— C'est bon ? a-t-il demandé. Si t'as besoin de prendre d'autres trucs dans le salon ou la cuisine, profites-en, ça m'étonnerait que tu les retrouves un jour.

Tout aura cramé d'ici là, avec les preuves que ton frère aurait pu dissimuler ici.

Marie a secoué la tête, rougissant violemment. Il s'est approché tout près d'elle et a murmuré au creux de son oreille :

— La prochaine fois que t'as envie de faire mumuse avec ton petit joujou rose, je veux être là pour te mater. Et, si t'es sympa, je te laisserai peut-être porter le tee-shirt. C'est clair ?

Marie a hoché la tête. Horse l'a prise par le bras, lui a fait traverser le salon, où se trouvaient Jeff et ses frères Reapers, et ils sont sortis rejoindre sa monture.

Chapitre 11

Marie

Le voyage à moto jusqu'à Cœur d'Alene m'a stupéfiée.

D'abord, ça m'a paru interminable. Être à l'arrière d'une moto, ce n'est pas de tout repos. Il a fallu que je m'accroche et que je reste sur le qui-vive tout au long du trajet, et, vu la journée que je venais de me farcir, le voyage m'a épuisée.

Le côté positif, c'est que je n'étais pas obligée de parler à Horse.

On s'est arrêtés deux fois sur une aire de repos pour que je puisse faire pipi et pour que Horse passe quelques coups de fil. Je me sentais nue sans mon portable. Les Reapers me l'avaient pris avec mes clés de voiture, et, à mon avis, je n'allais pas le revoir de sitôt. Horse est resté silencieux à propos de ses coups de fil, et je n'ai pas posé de questions. Je ne savais pas où se trouvaient mon frère et les autres Reapers, ni ce qu'ils étaient en train de faire. Tout ce qui m'importait, c'était de ne pas tomber de moto.

Quand nous avons pris la sortie d'autoroute de Cœur d'Alene, il faisait nuit. Je n'ai pas fait attention à notre itinéraire ou à la direction. Je me rappelle que nous avons traversé plusieurs quartiers habités, près d'un immense lac, avant de prendre une route étroite à travers bois. Les habitations se faisaient plus rares. Horse s'est arrêté devant une vieille ferme, avec des dépendances au charme un peu désuet et une immense grange peinte en rouge.

Radicalement l'inverse de ce à quoi je m'attendais de la part d'un biker.

Il a coupé le moteur, et je suis descendue de la moto, muscles raidis, tentant de m'étirer à grand-peine.

— C'est chez toi ?

— Ouais. J'ai acheté la ferme il y a trois ans, a-t-il répondu.

Il est passé devant moi et s'est dirigé vers le large porche couvert, sur lequel se trouvait même une balancelle. *Bon sang !* On se serait cru dans une vieille carte postale. La propriété n'était pas immense ni luxueuse, mais elle était très bien entretenue. Les peintures ne devaient pas dater de plus d'un an.

J'ai attrapé mon sac à dos et suivi Horse à l'intérieur. Je me suis retrouvée dans un salon au décor typiquement masculin : immense écran plat, canapé d'angle gigantesque, quatre télécommandes différentes sur la table basse et, sur le mur, le poster d'une femme nue, chevauchant une moto à l'envers et à plat ventre, la joue posée sur le siège arrière.

Je ne savais pas que les femmes pouvaient coucher avec des motos. C'est pourtant ce que cette image laissait entendre. *Charmant!*

Un couloir conduisait à ce qui devait être la cuisine, et un escalier longeait le mur gauche de la maison. Horse est monté. Je n'avais vraiment pas du tout envie de le suivre, mais alors, pas du tout.

— Ramène ton cul.

En même temps, je n'avais pas vraiment le choix.

À mon tour, j'ai gravi les marches en bois, dont le centre était recouvert d'un tapis d'escalier tellement vieux que l'on n'en distinguait plus le motif. Horse a allumé la lampe et m'a attendue sur un palier qui devait faire toute la largeur de la maison. On aurait pu facilement y installer une table et des chaises, mais il y avait seulement des boîtes empilées un peu partout. Trois portes donnaient sur d'autres pièces, deux à l'arrière de la maison et une à l'avant. Celle qu'il m'a indiquée du doigt.

— C'est ma piaule. T'avise pas d'y foutre les pieds, sauf si je t'invite.

— OK.

— Çà, c'est la salle de bains, et là, c'est ta chambre. Il y a une autre salle d'eau en bas si tu en as besoin. Ne tire pas la chasse si quelqu'un est sous la douche, la plomberie date un peu. Va poser tes affaires et rejoins-moi en bas. J'ai la dalle.

Je n'avais qu'une envie : tirer la chasse pendant qu'il se douchait pour l'ébouillanter. Un peu cruel, certes, mais au moins ça m'a fait sourire. Horse a plissé les yeux et m'a regardée d'un air soupçonneux. Je l'ai ignoré et suis entrée dans ma chambre. C'était une petite pièce toute simple au parquet usé et rayé. Une frise un peu vieillotte ornait les murs de couleur crème. Il y avait aussi deux fenêtres à guillotine. Un grand lit double occupait tout l'espace, recouvert d'une literie très moderne, du style de celles qu'on trouve chez *Walmart* pour trois fois rien, avec couette géante et ultramoelleuse. Contre le mur en face de la porte se trouvait une commode sur laquelle était posé un miroir, et, sur la droite, il y avait un petit placard.

L'endroit manquait singulièrement de vie, mais d'un côté ça me plaisait. J'aurais moins de mal à y imprimer ma touche personnelle, même si je n'avais pas grand-chose. L'idée d'avoir mon propre espace me soulageait. Je n'aurais pas à affronter Horse en permanence, ni ce mélange de colère et de désir qu'il éveillait en moi chaque fois que j'étais avec lui.

J'ai défait mon sac rapidement parce que moi aussi, j'avais faim. Et, surtout, je n'avais aucune envie qu'il vienne me chercher dans ma chambre. Ses intentions pour la nuit à venir n'étaient pas vraiment claires, donc autant éviter d'apporter de l'eau à son moulin.

Lorsque je suis descendue, la télé était allumée sur une chaîne de sport, mais Horse avait disparu. Il ne me restait plus qu'à trouver la cuisine. Sous l'escalier à gauche, une porte devait donner sur une petite salle de bains. En face, deux portes coulissantes s'ouvraient sur la salle à manger, dans laquelle trônait une table de billard, surmontée d'une lampe ornée de logos de bières. Encore une fois, l'antre du mâle dans toute sa splendeur.

Ce qui pourrait expliquer mon étonnement lorsque j'ai découvert la cuisine.

Au bout du couloir se trouvait la cuisine la plus adorable que j'aie jamais vue, tout droit sortie d'un magazine de déco pour la campagne. Un vrai monde parallèle… Horse sortait des trucs du frigo et les étalait sur une table de travail en bois massif, posée au centre de la pièce et surplombée d'un râtelier en fer forgé auquel étaient suspendues des casseroles. Autour, il y avait des tabourets.

Un plan de travail de cette dimension aurait bouffé tout l'espace dans une cuisine habituelle, mais, dans cette pièce immense, il passait presque inaperçu. Horse avait une cuisine à l'ancienne, pièce à vivre à part entière. Au fond, une petite porte devait conduire au garde-manger. Près du plafond, les murs jaune vif étaient bordés d'un papier peint orné de poules. Aux fenêtres, des rideaux lumineux à fronces en tissu vichy, ourlés de dentelles.

— Qui t'a aidé à décorer la cuisine ?

— Ma mère, a-t-il répondu sans me regarder. Elle voulait faire toute la maison, mais, quand j'ai vu la cuisine, je l'ai tout de suite arrêtée.

— Pourquoi ? Je trouve ça trop chou, ai-je répliqué, en me forçant à ne pas éclater de rire.

Ça me faisait du bien de le taquiner, car la tension devenait insupportable. Horse s'est retourné et m'a regardée. Avec ses bottes, son blouson en cuir des Reapers, son visage assombri par une barbe de deux jours et ses cheveux ébouriffés, il incarnait l'archétype du biker dur à cuire.

— Je lui ai demandé d'arrêter parce qu'aux dernières nouvelles je n'ai pas de vagin, a-t-il expliqué d'un ton sec.

Au temps pour moi ! Cette fois, je n'ai pu réprimer un petit sourire moqueur.

— Je vais prendre une douche, tu n'as qu'à préparer à manger, a-t-il ordonné.

Je m'apprêtais à protester, mais je me suis retenue. Il valait mieux que je ferme ma gueule. C'était Horse qui commandait, pas moi. J'aurais du mal à m'y faire, car j'avais appris à me sentir à l'aise en sa compagnie.

Après avoir fouillé dans le frigo et les placards, j'ai trouvé de quoi nous faire quelques sandwichs. Il faudrait que je fasse rapidement le plein, sinon on allait vite mourir de faim. Lorsqu'il est sorti de la douche, tout était prêt, et je commençais à me demander si je n'allais pas entamer le repas sans lui.

Heureusement, Horse a reparu, cheveux mouillés et plaqués à l'arrière. Sans sa queue-de-cheval, ils lui arrivaient jusqu'aux épaules. Il portait juste un bas de survêtement, en mode taille basse.

Bon sang!

Je me suis perdue dans le spectacle qu'offrait Horse, savourant la splendeur de son corps nu, tatoué et musclé. Il a rompu le charme.

— Content que tu apprécies.

— Hein? Quoi? ai-je demandé, un peu honteuse.

— Mon corps, m'a-t-il rétorqué, sourire moqueur aux lèvres. C'est le seul que tu vas pouvoir regarder ou baiser, alors autant que l'emballage soit à ton goût.

J'ai rougi violemment et me suis retournée pour attraper les assiettes et les poser sur la table. Il s'est assis sur un tabouret et a pris un sandwich. Je l'ai imité en essayant d'éviter son regard. Ce qui n'était pas évident. J'étais assise en face de ce mec, costaud et torse nu, dont j'aurais bien aimé observer de plus près tous les tatouages. Je les avais déjà vus, mais pas suffisamment pour assouvir ma curiosité.

— Tu veux une bière? m'a-t-il lancé en se levant pour aller jusqu'au frigo.

— Ouais, pourquoi pas?

J'en ai profité pour mater son cul. Pas mal. Il m'a prise en flag lorsqu'il s'est retourné, mais il n'a pas réagi, et nous avons poursuivi en silence cette sympathique collation. Après une deuxième bière, j'ai commencé à me détendre. À la fin du repas, en hôte parfaitement éduqué, il m'a aidée à remplir le lave-vaisselle. Souvent, je me disais que Horse avait deux visages complètement différents : l'enfoiré de biker qui se la jouait dur à cuire et donneur d'ordres, et l'homme doux et sexy qui me faisait ressentir des trucs dont Gary se foutait totalement.

Lequel des deux était le vrai Horse ?

— Tu veux prendre une douche ? a-t-il proposé.

— Ouais, je ne dis pas non, la journée a été longue.

— Tu n'as qu'à utiliser la salle de bains du haut, elle est un peu plus confortable que celle-ci.

J'ai acquiescé et je l'ai laissé dans la cuisine, occupé à éponger la table et le comptoir comme n'importe qui d'autre dans cette situation. C'était tellement étrange.

Avec ma veine bien sûr, la salle de bains ne fermait pas à clé.

D'un autre côté, elle venait visiblement d'être rénovée, voire aménagée pour remplacer une autre chambre. On ne manquait donc pas d'espace. L'ameublement était parfaitement assorti au reste de la maison, avec une énorme baignoire à pattes de lion et une ancienne commode coiffeuse reconvertie en évier et habillée de marbre. Dans l'un des murs s'ouvrait une fenêtre à guillotine. L'absence de rideaux dignes de ce nom m'a un instant inquiétée, avant que je me rende compte qu'il y avait très peu de risque d'être vue à cette hauteur, qui plus est, dans une maison perdue au milieu de nulle part.

En plus de la baignoire, il y avait aussi une immense cabine de douche dernier cri avec des jets de chaque côté et un long banc pour s'asseoir. Bizarrement, elle s'accordait bien avec le reste de la déco. Et, pour couronner le tout, un gigantesque velux, qui devait illuminer la pièce lorsqu'il faisait beau. Incroyable qu'une telle salle de bains puisse se retrouver dans cette vieille ferme.

Les vêtements de Horse étaient encore en tas sur le sol. Je les ai ramassés et balancés dans le panier à linge sale, pensant que la lessive allait désormais faire partie de mes nouvelles attributions. Il restait juste à trouver la machine à laver et le sèche-linge, il devait bien y avoir une buanderie quelque part. En fin de compte et en dépit de son côté rustique, cette maison ne manquait pas de confort. En tout cas, c'était bien mieux que le mobil-home, à tout point de vue.

Faut pas chercher à comprendre.

L'absence de verrou continuait tout de même à me turlupiner, puisque, malgré mon envie, j'ai préféré ne pas répondre à l'appel de l'immense baignoire. Après avoir enlevé mes vêtements, je suis entrée dans la cabine de douche, ravie d'y trouver savon, shampooing et après-shampooing. Des trucs de base qui feraient l'affaire en attendant mieux. Heureusement, l'eau chaude ne manquait pas, même si, comme j'étais à l'étage, il m'a fallu patienter un peu. Après m'être lavé les cheveux, je les ai rincés avant d'appliquer un peu d'après-shampooing.

La porte de la cabine s'est ouverte sur Horse au moment où je commençais à me savonner le corps. J'aurais dû y penser, c'était tellement évident. La baignoire m'avait paru risquée, mais je n'avais absolument pas pensé à la douche, puisqu'il venait d'en prendre une. Il n'allait quand même pas en prendre une autre…

Quelle conne!

Enfin bref. Lorsque je l'ai vu, j'ai poussé un cri perçant qu'il s'est empressé d'étouffer en me soulevant et en me collant à lui. Instinctivement, j'ai enroulé bras et jambes autour de lui alors qu'il me poussait contre le mur de la douche. Ensuite, il m'a embrassée à pleine bouche. La soirée s'annonçait chaude.

Comment décrire ce baiser?

Profond et rugueux. Sa langue allait et venait sans arrêt, et j'ai senti son sexe caresser le mien, au rythme de ses coups de reins épousant celui de sa langue. J'adorerais dire que ça ne m'a fait aucun effet, que j'étais la victime innocente et naïve de ce Grand Méchant Biker, mais non. Je me suis embrasée au premier contact, et je me serais lascivement frottée contre lui comme une chatte en chaleur, s'il ne m'avait pas tenue fermement entre ses bras. Je me suis contentée d'enfoncer les mains dans ses cheveux et de pencher la tête vers l'arrière, histoire de profiter encore plus de son baiser.

L'une de ses mains a glissé le long de mon dos et longé la raie de mes fesses, avant d'en effleurer l'orifice Je me suis cabrée, mais ça ne l'a pas empêché de poursuivre son exploration. Alors, ses doigts m'ont pénétrée, et, pour tout dire, c'était génial. Pendant que son sexe labourait mon clitoris, ses doigts exploraient mon intimité. Ses assauts, bille en tête et concentrés sur mon point G, me faisaient tressaillir, mon corps était traversé de soubresauts, proche de l'orgasme. Puis il a retiré sa bouche de la mienne et m'a clouée sur place du regard tout en continuant à explorer mes fesses. Une vraie torture.

Il s'évertuait à m'amener aux limites de l'orgasme, et je le suppliais, gémissante, de me faire jouir. Lui me regardait de cet air froid et impassible. Je détestais cette expression, qui, pourtant, décuplait mon plaisir. Impitoyable, il contrôlait chacune de ses caresses, la moindre réaction de mon corps. Finalement, il a retiré ses doigts et soulevé mes hanches à hauteur de son torse. Sa bouche s'est immédiatement posée sur mon téton droit, et son doigt s'est enfoncé entre mes fesses. Je gémissais, tendue comme un arc, face à cette intrusion.

Comme si de rien n'était, il s'est concentré sur mon téton et s'est mis à le sucer à pleine bouche pendant que son doigt explorait mon derrière, sensation que je ne connaissais pas. J'avais toujours cru que ce serait douloureux, et, si sa langue experte alternait avec une certaine rudesse suçotements, caresses et mordillements, son doigt savait rester tendre. J'étais tellement excitée que j'avais du mal à rester consciente de ce que je ressentais. J'ai senti une vague me traverser le corps, prête à exploser. Je me suis raidie, figée et contractée autour de son doigt.

Et là, sans prévenir, il l'a retiré et m'a reposée au sol.

Après avoir chancelé un instant, j'ai réussi à retrouver l'équilibre. Tous mes nerfs se tendaient, au bord de la rupture, comme pris de fièvre. J'ai poussé un gémissement de protestation, mais le sourire glacial dont il m'a gratifiée aurait éteint n'importe quel volcan.

— La vengeance est un plat qui se mange froid, tu ne trouves pas ? a-t-il murmuré.

Il s'est éloigné de moi et est allé s'asseoir sur le banc, jambes écartées. *Enfoiré!* Si j'avais pu avoir des doutes sur son excitation, le spectacle offert les aurait détruits sur-le-champ. Son membre était long et dur, et ses testicules, tendus, semblaient prêts à se vider.

— Mets-toi à genoux, a-t-il ordonné, d'un ton dur.

Lentement, je me suis agenouillée devant lui, telle une esclave au service de son conquérant, ce qui, j'imagine, n'était pas loin de la réalité. J'ai pris son sexe dans mes mains pour l'apaiser de mes caresses, sans le lâcher des yeux. J'ai taquiné d'une langue rapide le petit bout de peau sur la face intérieure du gland.

— Baise-moi…, grognait-il.

Je ne savais pas si c'était un ordre ou une marque de plaisir intense. Ses doigts sont venus s'entremêler à mes cheveux, pressants, comme une sommation à couvrir son membre de mes lèvres. Je n'avais rien contre. J'ai ouvert la bouche et je l'ai englouti autant que faire se peut, compte tenu de sa taille hallucinante. En tout cas, j'ai fait de mon mieux, avec la langue dans un premier temps, puis en jouant des mains pendant que je le suçais goulûment. La droite le caressait au rythme des mouvements de ma bouche pendant que la gauche saisissait ses testicules pour les presser ou les faire rouler entre mes doigts. Il est devenu encore plus dur. Il répondait à chacune de mes caresses par un coup de reins, mains agrippées à mes cheveux, qu'il tirait à présent plus que violemment.

Horse s'est penché vers l'arrière, tête tournée sur le côté et yeux fermés. Sur son visage se lisait une expression de désir infini. Je me suis alors rendu compte de l'immensité du pouvoir que j'avais sur lui. Et ça, il ne pouvait pas me le prendre. Tant qu'il me désirait, je pourrais un tant soit peu contrôler la situation.

Bordel, ça m'excitait encore plus !

J'ai abandonné ses testicules pour me concentrer sur mon intimité, et je me suis caressée. De plus en plus vite. Il m'encourageait par de petits grognements, et je sentais de brèves pulsations à la base de son sexe. Mes jambes se sont mises à trembler, signe que j'allais bientôt jouir, moi aussi.

Ensuite, à l'instar des fantasmes que j'avais depuis des mois, Horse a joui dans ma bouche. Comme d'habitude, il ne faisait pas les choses à moitié. Rien qui ressemble à mon expérience avec Gary, le seul homme à qui j'avais fait une fellation jusqu'ici. À la fin, j'ai continué à le sucer tout en frottant vigoureusement mon clitoris. Il était encore ferme, même si l'urgence de son désir avait disparu. À ce moment-là, il a remarqué ce que j'étais en train de faire. Pas de bol.

— Arrête ça tout de suite, a-t-il ordonné.

Il a attrapé mon bras et m'a forcée à me mettre debout devant lui.

— Horse, je t'en prie ! l'ai-je supplié.

— Tu vois ce que ça fait ! J'ai passé des heures à me branler en pensant à toi, m'a-t-il rétorqué, toujours assis. (J'ai secoué la tête, stupéfaite.) Ça te donne une idée de ce que j'ai ressenti quand tu m'as rejeté. Les couilles bleues de frustration, à côté, c'est rien, chérie. À mon tour d'en profiter, maintenant.

— Je suis désolée. Mais je ne pouvais pas faire l'amour avec toi en sachant qu'il y avait un public. C'était au-dessus de mes forces.

— « Faire l'amour » ? Tu rêves, Marie. Je te parle de baiser, a-t-il lancé.

S'il voulait me blesser, c'était réussi. Et bien mieux que je ne l'aurais imaginé. Ça ne l'a pas empêché d'en rajouter une couche.

— Pour ce qui est du public, il va bien falloir que tu t'y fasses. Arrête de faire la fine bouche. Tu ne t'en tireras pas aussi facilement la prochaine fois.

— Je ne comprends pas, ai-je balbutié, soudain nerveuse.

— Dans le monde où je vis, il n'y a pas de loi, bébé, a-t-il expliqué. On ne se cache rien entre nous. Rien du tout. T'as pas oublié ce que je t'ai dit quand tu faisais ton sac, j'espère?

— Non.

Ma voix n'était plus qu'un murmure. J'étais pétrifiée.

Il s'est penché vers moi et a enfoui son nez entre mes cuisses. Deux coups de langue sur mon clito ont failli me faire jouir.

Juste failli.

Je me tortillais nerveusement. Si seulement j'avais pu rapprocher mes jambes, les presser l'une contre l'autre, juste assez pour en finir, mais il m'en empêchait.

Il a enfoncé deux doigts dans mon sexe et, volontairement, en a exploré les contours.

— Cette chatte m'appartient, a-t-il dit. (Je frissonnais.) Je la baise quand je veux et comme je veux. Si on fait la fête avec les mecs du club et que j'ai envie de baiser, tu écartes les jambes sans moufter, que ça te plaise ou non. Contre un mur, par terre ou au milieu d'un supermarché : c'est moi qui décide. C'est pigé ?

J'ai hoché la tête, tiraillée entre un sentiment de colère et le désir dévorant qu'il me touche. Heureusement pour moi, il a arrêté de parler et s'est décidé à me sucer le clitoris. J'ai joui en moins de dix secondes en poussant des gémissements qui résonnaient dans la cabine de douche. Je tenais à peine sur mes jambes, accrochée à ses épaules comme une dingue, imprimant sur sa peau la marque de mes doigts.

Il est sorti de la cabine de douche pour me laisser terminer ma toilette, ce qui a essentiellement consisté à rincer l'après-shampooing et à retrouver un rythme cardiaque à peu près normal. J'ai enroulé mes cheveux d'une serviette et enfilé un bas de survêt avec un tee-shirt miteux, avant de retourner dans ma chambre. La porte de celle de Horse était fermée, et la maison plongée dans le silence. J'étais un peu surprise, je m'attendais à le revoir, à ce qu'il profite encore de moi. Je savais qu'il aimait qu'on dorme ensemble. Les deux fois où ça s'était produit, il m'avait tenue dans ses bras toute la nuit. C'est à ce moment-là que j'ai vraiment compris la situation.

Horse ne voulait pas de moi dans sa chambre parce que je n'étais pas sa femme. J'avais raté le coche. Désormais, mon rôle se bornait à assouvir ses désirs en évitant de le contrarier. Tout à coup, le fait d'avoir une chambre à moi ne me paraissait plus aussi excitant. Il me manquait, l'enfoiré, et j'aurais bien aimé passer la nuit avec lui. Pourtant, Horse avait été on ne peut plus clair. Les câlins étaient réservés aux petites amies et aux régulières.

Moi, je n'étais là que pour lui vider les couilles. Bien fait pour ma gueule.

Chapitre 12

À un moment, cette nuit, j'ai senti une main se glisser dans mon survêtement, des doigts effleurer mon clitoris, une bouche s'emparer de mes seins. J'ai gémi, à moitié endormie. Je ne savais plus si je rêvais ou si c'était la réalité. Et puis la main a fait descendre mon pantalon. J'ai ouvert les yeux, tout à fait réveillée à présent, en me demandant ce qui se passait. Il y avait un type sur moi. Gary, peut-être ? Alors que j'allais me mettre à hurler, une main est venue couvrir ma bouche, et j'ai entendu quelqu'un parler.

— Je t'interdis de dormir dans des trucs pareils, a murmuré Horse, qui insérait une jambe entre les miennes. Soit tu dors nue, soit tu portes un truc sexy, t'as pas le choix.

Ensuite, il m'a embrassée tendrement en dessous de l'oreille, le nez enfoui dans mon cou. Il a retiré sa main de ma bouche, et je lui ai décoché un coup de poing dans l'épaule.

Ça l'a fait marrer.

— Je ne supporte pas d'être bâillonnée, ai-je maugréé.

— Je n'avais pas envie que tes hurlements me détruisent les tympans, bébé, a-t-il répliqué d'une voix chaude et grave.

Il s'est collé à moi, et j'ai frissonné. Comment pouvait-il m'exciter autant que m'énerver ? C'était trop injuste.

— Il va falloir que tu te calmes si tu ne veux pas que je t'attache !

— T'es sérieux ?

— Putain, bien sûr que je suis sérieux ! a-t-il affirmé en posant sa main sur mon clito.

Je me suis arquée, gémissante. Malgré la colère, la femme sauvage qui se cachait en moi vibrait pour lui. À n'importe quel prix.

— C'est moi, le chef. Ça finira bien par entrer dans ta petite tête.

Il s'est emparé de mes mains et les a soulevées brusquement au-dessus de ma tête. Pendant qu'une des siennes les immobilisait, l'autre m'explorait comme elle l'avait déjà fait un peu plus tôt sous la douche. Mon corps n'attendait que ça. Après la douche, j'étais trop flippée pour me masturber : j'avais peur qu'il entre dans ma chambre et me surprenne. Je ne sais pas pourquoi je ne voulais pas lui révéler cette partie de moi ; en tout cas, c'était important pour moi.

Je me suis enflammée en moins de deux. Il a relâché son étreinte, et j'ai entendu le bruit d'un emballage de préservatif que l'on déchire. Horse a proféré un juron à mi-voix avant de reprendre mes mains et de les bloquer de chaque côté de ma tête, pendant qu'il ajustait son membre contre ma fente.

Horse avait un sexe énorme, je le savais. Mais j'ai réellement compris ce que ça impliquait lorsqu'il a commencé à me pénétrer, lentement mais sûrement, sans la moindre hésitation. Je me tortillais sur le lit, heureuse de me sentir ainsi comblée. Je ressentais un peu de douleur mais je ruisselais de plaisir.

Dans la lueur du clair de lune à travers la fenêtre, l'expression de désir et de détermination que j'ai pu distinguer sur son visage m'a bouleversée. Déjà, il touchait le fond de mon vagin, enfoncé en moi jusqu'aux testicules. Mon corps luttait pour le contenir, parcouru de frissons, et mes muscles se sont contractés autour de lui.

— C'est une question d'habitude, bébé, a-t-il murmuré.

Il a assailli mon visage de baisers, avant de reprendre ma bouche, pour une fois sans aucune urgence.

— Je vais y aller en douceur.

Il a tenu parole. Peu à peu, j'ai senti mon corps se détendre, et, lorsque le premier va-et-vient a commencé, son énorme membre a exploré des zones encore inconnues. Quand son rythme s'est accéléré, je me suis cambrée contre lui, transportée de désir. Normalement, je suis plutôt clitoridienne, mais, avec Horse, c'était différent, tout simplement parce qu'il était assez puissant pour m'ouvrir totalement, exposer le centre de mon corps au glissement délicieux de son sexe en érection. En plus, sans l'usage de mes mains immobilisées, je ne pouvais rien faire pour l'arrêter. Je devais prendre ce qu'il me donnait, sans discuter, et, bizarrement, ça m'a libérée. Je découvrais le cul sans culpabilité.

En moins d'une minute, j'ai joui, corps arc-bouté, endolori.

À partir de cet instant, il a décidé de se lâcher et de me baiser sérieusement.

L'amant tendre et attentionné s'est changé en biker sauvage et brutal. À genoux, il a libéré mes bras, m'a prise par la taille et a incliné mon bassin pour me prendre à sa guise.

J'ai perdu la notion du temps. Je sais juste qu'à un moment ma main s'est retrouvée sur mon clitoris, cherchant un second orgasme. Lorsque j'ai joui, tout mon corps s'est contracté, agrippé au sien.

Nom de Dieu!

Nous nous sommes posés, haletants et enfin apaisés.

Puis Horse a basculé sur le côté, s'est levé, a retiré le préservatif et l'a balancé dans la petite poubelle à côté de la commode. Il est sorti de la chambre sans un mot, m'abandonnant à l'obscurité.

Je ne me suis jamais sentie aussi seule de ma vie.

Lorsque je me suis réveillée, la chambre était silencieuse et tout ensoleillée.

Je me suis levée péniblement, l'entrejambe encore douloureux, mais je ne regrettais rien. Jamais je n'avais ressenti une telle jouissance, même avec mon vibro. J'ai enfilé un débardeur avec soutien-gorge intégré, un jean, mais pas de culotte. J'avais oublié de rincer celle que je portais hier soir, et il n'y avait pas moyen que je remette la même. Je sais bien que Horse avait déclaré mes parties intimes «zone interdite de culottes» jusqu'à nouvel ordre, mais il faudrait qu'on en discute. Le mode commando sans culotte, ce n'était pas mon truc.

Après une toilette rapide, je suis descendue vers la cuisine, en quête d'un peu de vie.

— Horse, t'es là ? ai-je appelé.

Aucune réponse, en dehors du cliquetis des griffes d'un chien sur le parquet. Je ne me sentais pas très à l'aise avec les chiens, et, apparemment, celui-là était assez gros.

Horse ne m'aurait jamais laissée seule avec un animal dangereux, me suis-je dit, pour me donner du courage. C'était un vrai enfoiré, aucun doute là-dessus, mais il ne voulait certainement pas me voir morte. J'ai pointé le nez par-dessus la rampe, prête à courir m'enfermer dans ma chambre si je découvrais un molosse effrayant. En lieu et place du monstre attendu, j'ai découvert un chien de taille moyenne aux longs poils noirs hachurés de blanc, qui me regardait d'un air plein d'espoir.

Gueule pendante et langue sur le côté, on aurait dit un jeune chiot au large sourire. Un vrai tueur !

— Salut, toi, ai-je murmuré, en descendant les marches.

J'ai eu droit à un regard attentif, puis il a refermé la gueule, en se figeant dans l'attitude du chien de berger aux aguets.

Arrivée en bas, j'ai tendu la main. Le chien s'est approché de moi, l'a reniflée, avant de lui donner de petits coups de tête pour que je le caresse. Je lui ai accordé ce petit plaisir, et il a fondu sur place, se frottant au sol, extatique.

— Tu n'es pas bien grand, toi, ai-je remarqué d'une voix douce. Je suis sûre que tu t'envoles quand tu sautes. Tu aimes jouer avec les bâtons ?

— Fais attention à ce que tu lui dis, est intervenu Horse. Si tu commences à lui faire des promesses, il ne va plus te lâcher. Tu risques de te fatiguer avant lui.

— Je ne savais pas que tu étais là, ai-je marmonné.

— Y en a qui savent rester discrets. En revanche, d'en bas, j'ai cru qu'il y avait un troupeau d'éléphants.

Je l'ai fusillé du regard.

— Je ne suis pas un éléphant. Ce n'est pas ma faute si tes vieux planchers n'arrêtent pas de craquer.

— Je n'ai pas dit que t'étais un éléphant, a-t-il protesté, d'un air presque chaleureux. Mais que tu faisais autant de bruit. Nuance.

J'ai levé les yeux au ciel.

— J'ai préparé le petit déj, a-t-il lancé, en indiquant la cuisine d'un geste de la tête. Ce n'est pas grand-chose, mais, dorénavant, c'est toi qui cuisineras. J'avais trop la dalle pour attendre que tu te lèves.

J'ai rougi en me rappelant pourquoi j'étais aussi fatiguée. Il a eu un petit rire satisfait.

— Au fait, je te présente Ariel, a-t-il ajouté en me montrant le chien. Mais je l'appelle Ari.

— Ton chien s'appelle Ariel ? me suis-je étonnée, croyant avoir mal entendu.

— C'est ma nièce qui l'a baptisé, a répondu Horse, en haussant les épaules. Ça lui briserait le cœur que je change, et, de toute façon, je crois qu'il en a rien à foutre. J'assume.

J'ai hoché la tête, en me mordant l'intérieur de la bouche. Une fois encore, le biker dur à cuire me surprenait. Il proférait des menaces, se baladait avec un flingue, dont il savait à coup sûr se servir, et, en même temps, il autorisait sa nièce à donner à son chien le nom d'une petite sirène.

Ce type était bipolaire, je ne voyais que ça.

Le petit déjeuner n'avait rien de spécial, si ce n'est que je me suis régalée. Il avait préparé du pain perdu, servi avec du jambon et de larges tranches de melon. Comme la veille, nous avons mangé en silence, sauf qu'à la fin il m'a demandé de faire une liste de courses. Ensuite, il s'est éclipsé, suivi du chien.

J'ai passé une heure à dresser l'état des lieux de la cuisine, carnet en main, histoire de noter ce qui manquait. À ma grande surprise, le peu d'appareils ménagers qu'il possédait étaient robustes et de bonne qualité. Idem pour les casseroles. Lorsqu'il a reparu, ma liste remplissait toute une feuille. Il l'a étudiée sans rien dire, sourcil haussé.

— Je suis garé devant, a-t-il dit, en se dirigeant vers la porte.

Je l'ai suivi en hâte, sans même aller chercher mon sac, par crainte de le faire attendre. Ari gambadait entre nous et a tenté de grimper dans le Tahoe vert foncé garé près de la maison.

— Pas question, a indiqué Horse à Ari.

Ari a répondu par des jappements pour tenter de le faire changer d'avis.

— J'ai dit non, a répété son maître d'un ton ferme.

Le petit chien s'est éloigné, queue basse.

— Tu ne l'attaches pas ? ai-je demandé alors que nous prenions l'allée.

— C'est inutile. La maison est assez isolée, je n'ai pas à m'inquiéter que des inconnus ou des enfants s'en prennent à lui. Il sait qui est son maître, et, s'il a envie de se barrer, je ne pourrai rien y faire. Jusqu'à maintenant en tout cas, il a l'air de se plaire ici.

Un peu comme moi, ai-je pensé. Je pouvais partir quand je le souhaitais, mais je ne le ferais pas, et Horse le savait.

J'ai été surprise qu'il prenne l'autoroute après Cœur d'Alene et que nous traversions la frontière de l'État du Washington. Au bout de vingt minutes environ, il a pris une sortie près d'un centre commercial gigantesque, avant de se garer sans un mot.

— Je pensais qu'on allait faire des courses, ai-je fait remarquer, un peu paumée.

— C'est le cas. Mais il y a plus urgent.

Dans le centre commercial, j'ai remarqué à quel point il attirait l'attention. Des femmes surtout. Ce que je comprenais, car Horse offrait un sacré spectacle. Grand, tatoué, avec une queue-de-cheval et un blouson de cuir par-dessus une chemise tellement délavée qu'elle ne ressemblait plus à rien. De plus, son jean dessinait à merveille son cul exceptionnel, et la chaîne attachée à son portefeuille, qui se balançait sur sa hanche, complétait parfaitement le tableau. Les hommes aussi le remarquaient. La plupart s'écartaient de son chemin, y compris les jeunes voyous qui se la jouaient gros durs en affichant les couleurs de leur gang. Je ne savais plus si je marchais aux côtés d'un super-héros ou d'un super-méchant.

Je l'ai suivi sans l'ouvrir, mais, lorsque nous nous sommes arrêtés devant l'enseigne *Victoria's Secret*, j'ai croisé les bras et secoué la tête.

— Bon sang, non! Y a pas moyen que je rentre là-dedans avec toi. On n'a qu'à aller dans un supermarché, je sais pas, moi!

— Et moi, je te dis qu'y a pas moyen que tu portes les mêmes trucs qu'avec Gary, a rétorqué Horse.

Il m'a prise par le cou et m'a enlacée. Corps un peu incliné, il me parlait directement dans l'oreille d'une voix rauque.

— J'en ai rien à secouer que tu ne portes plus jamais de culotte, mais je sais que pour les meufs c'est spécial, tout ça. Je te propose un compromis. Je t'achète de nouveaux dessous, mais c'est moi qui choisis. Et tu les enlèveras seulement quand j'aurai envie de te baiser. Tout le monde s'y retrouve.

J'ai ouvert la bouche pour protester, mais je me suis ravisée. Il me fallait des culottes et des soutiens-gorge, et je n'avais pas de moyen de transport. Et si, hier soir, j'avais eu la bonne idée de glisser de la thune et ma carte de crédit au fond de mon sac à dos, cet argent devait me faire tenir au moins jusqu'à ce que je trouve un nouveau boulot.

Merde, le boulot, j'avais complètement zappé !

— Il faut que j'appelle ma patronne, me suis-je écriée.

— T'étais censée bosser aujourd'hui ? a-t-il demandé, faisant glisser la main dans mes cheveux.

J'ai secoué la tête.

— Non, non. Pas avant demain.

— Donc, ça peut attendre qu'on rentre à la maison.

— Qu'est-ce que je vais bien pouvoir lui raconter ? me suis-je inquiétée. Elle s'est montrée tellement sympa avec moi, elle ne mérite pas que je disparaisse sans rien dire…

— T'as qu'à lui dire que t'as été kidnappée par un biker et qu'il te retient prisonnière dans les montagnes.

Puis il s'est penché et a posé la bouche sur la mienne, me gratifiant d'un long baiser langoureux qui m'a fait frissonner des pieds à la tête. Avant de pouvoir reprendre mes esprits, il me prenait par la main et m'entraînait à l'intérieur du magasin. Je traînais les pieds, toujours récalcitrante. Alors, il s'est retourné, a posé les mains sur mes épaules, s'est penché et m'a regardée droit dans les yeux.

— Écoute-moi, chérie. Je crève d'envie de te voir dans un de ces trucs, a-t-il dit. Ton ancien boulot, ce n'est pas ma priorité. Je m'en bats les couilles de ce que tu peux lui dire, tant qu'elle ne te déclare pas disparue et qu'elle ne transforme pas ma vie en enfer. Si elle s'amuse à ça, ça risque de mal tourner. C'est pigé ?

— OK, ai-je répondu, en me mordant la lèvre.

Son regard, posé sur ma bouche, s'est assombri, et j'ai préféré disparaître et déambuler dans un rayon culottes, qui proposait des articles de base assez jolis, mais rien d'assez coquin. C'était plutôt du genre culottes taille haute en coton. Horse, qui m'avait suivie, a vu les modèles que j'avais choisis et a secoué la tête.

— Ça te servira quand t'auras tes règles, a-t-il marmonné, en touchant l'une des culottes avec un air méprisant. En dehors de ça, je veux te voir dans un truc carrément plus sexy.

Vu le ton de sa voix, ce n'était pas la peine que j'essaie de négocier. Du coup, j'ai préféré ne pas protester lorsqu'il m'a poussée à grands pas vers le rayon haut de gamme. Une vendeuse s'est approchée, cils papillonnants et sourire aguicheur en direction de Horse. Sans m'en rendre compte, je me suis retrouvée dans une cabine d'essayage avec elle. Elle m'avait déjà mesurée, et j'avais devant moi un tas de trucs à essayer. Horse aurait bien aimé nous suivre, mais j'ai tenu tête, et il a sagement attendu à l'extérieur. Je l'appelais chaque fois que je passais un ensemble. Je ne sais pas si le magasin autorisait les couples à rester seuls en cabine, mais apparemment, ici, on n'avait rien contre les bikers baraqués.

Malheureusement, ça voulait dire qu'il aurait le dernier mot sur ce que j'avais essayé et sur ce qu'il avait l'intention d'acheter. En fin de compte, je me suis retrouvée avec six paires de dessous de charme, en plus des six plus classiques. Il y avait des strings et des shorties échancrés à mort, mais je dois dire qu'ils me faisaient une silhouette hypersexy. Ensuite, Horse a choisi des bustiers et des nuisettes ajourées, en dentelle noire ou en satin rouge vif, qu'on aurait dits tout droit sortis d'un bordel. Certains choix étaient de meilleur goût, et j'ai eu droit à une longue chemise de nuit en dentelle assortie à un déshabillé en soie presque virginal. Mais ce que j'ai vraiment adoré, c'est le bustier ivoire lacé de rubans rose pâle en forme de minuscules roses. Avec culotte assortie, bien sûr. À me remémorer le visage de Horse quand il a vu l'ensemble sur moi, j'en suis encore liquéfiée.

En fin de compte, il avait claqué plus de 1 000 dollars. J'ai failli faire un malaise lorsque Horse a payé en cash, mais il ne m'a pas calculée. Quand il a sorti sa liasse de billets, la nana à la caisse avait les yeux comme des soucoupes, et je devais faire à peu près la même tête. Ensuite, il m'a tendu un string et un push-up noirs, en m'ordonnant d'aller les enfiler sur-le-champ.

J'ai obéi.

Je pensais que notre sortie shopping allait s'arrêter là, mais nous avons repris la voiture, et je me suis retrouvée chez un concessionnaire de motos, où il m'a offert des débardeurs Harley-Davidson, impossibles à porter en public tellement ils étaient moulants, et un blouson en cuir léger. Ensuite, on a fait une pause au *Line*, un club de striptease attenant à une boutique de vêtements pour femmes, qui, d'après ce que j'ai compris, appartenait aux Reapers. Ce n'était pas encore ouvert, mais le personnel était déjà sur le qui-vive.

— Je n'aime pas cet endroit, ai-je déclaré à Horse, en traversant la boîte derrière lui.

Où que je regarde, je voyais des femmes à moitié nues, en string et talons hauts, ou en robes satinées. Certaines prenaient Horse par le bras et se collaient à lui, d'autres me regardaient d'un air interrogateur. L'une d'entre elles ne s'est pas gênée pour lui palper l'entrejambe et l'embrasser dans le cou.

— Lâche-moi la grappe, lui a lancé Horse, visiblement contrarié.

Elle a fait la gueule et s'est retournée, tout en me fusillant du regard.

— Toutes des salopes, a-t-il murmuré, avant de déverrouiller une porte conduisant à la boutique voisine.

Heureusement, elle n'était pas encore ouverte, et ça m'a rassurée, parce que, à côté d'elle, *Victoria's Secret*, c'était un magasin de burqas. L'endroit regorgeait de culottes comestibles, de talons aiguilles coquins, de dentelle, de cuir et de sex-toys, dont quelques spécimens assez flippants qui dépassaient de loin l'organe pourtant avantageux de Horse. J'osais à peine regarder. Du coup, je me suis concentrée sur Horse, qui était en train de me choisir une tenue idéale pour ce qu'il conviendrait de nommer la « pétasse postmoderne ». Elle se composait d'un bustier en cuir qui s'arrêtait au milieu du ventre, dévoilant mon nombril et le haut de mes hanches, et d'une jupe ras-la-touffe carrément obscène.

— Je suis incapable de porter ça, lui ai-je fait savoir.

Je regardais mon image dans le miroir et je faisais « non » de la tête, pendant que lui restait planté près de la caisse, sans faire attention à moi.

— C'est impossible, Horse. Je préférerais mourir.

— Mais si, mais si, a-t-il dit d'un air préoccupé, nez plongé dans un livre de comptes.

— Mais non, je te dis !

Il a enfin levé les yeux et a pris conscience de ma rébellion. Il a plissé les yeux, et, pendant au moins une minute, nous nous sommes défiés du regard sans qu'aucun cède.

— T'as peut-être besoin que je te rafraîchisse la mémoire, non ? a-t-il fini par déclarer. Parce que, dans mon souvenir, tu m'as promis à genoux que tu ferais tout ce qu'il faudrait pour sauver ton enfoiré de frère, sachant que c'est lui qui est venu chercher notre soutien et que, ensuite, il a voulu nous baiser. Dans le monde qui est le mien, c'est signer son arrêt de mort. Alors, si notre accord ne tient plus, ne te gêne pas, la porte est grande ouverte, bébé.

— Je ne te comprends pas, ai-je répondu d'une voix faible et peu assurée. Tu réussis parfois à être tellement gentil. (J'ai montré la tenue horrible qu'il m'avait choisie.) Pourquoi tu fais ça ? Tu me détestes autant ? Je ne crois pas l'avoir mérité, Horse.

Il a secoué la tête et s'est frotté le nez.

— Je ne te déteste pas, bébé. Tu me tapes sur les nerfs, mais ça me va. La plupart du temps, je trouve ça bandant. Le problème, c'est que tu ne comprends pas tout ce qui se passe, et, si je t'expliquais, ça ferait tout foirer. Si ça te dérange, je suis désolé, mais il y a une bonne raison. Fais-moi confiance.

Il s'est replongé dans le livre de comptes pendant une minute comme si je n'étais pas là. Je le regardais, en me demandant si je ne ferais pas mieux de rompre notre accord, mais je ne pouvais pas faire ça à Jeff. Il avait besoin de moi.

— Merde, j'allais oublier ! s'est exclamé Horse. Il te faut des chaussures. Va choisir un truc, ce que tu veux, je m'en fiche.

Ça tombait bien, j'avais besoin de penser à autre chose, et je suis allée flâner devant le mur où étaient exposées les chaussures, heureuse d'avoir enfin le droit de choisir. J'ai vite compris pourquoi il s'en fichait, il n'y avait que des pompes de stripteaseuses. Finalement, j'ai opté pour une paire de babies en cuir verni, qui auraient pu être discrètes sans les talons aiguilles de dix centimètres.

Étonnamment, tous les autres modèles avaient des talons encore plus élevés, certaines à plates-formes tellement hautes que j'aurais été incapable de marcher avec elles. J'ai donné les chaussures à Horse, qui les a prises sans un mot, même si son regard s'est assombri et s'il a ajusté son pantalon. Un frisson de désir et de toute-puissance s'est emparé de moi… ce qui m'a foutue vraiment en rogne. Je n'arrivais pas à savoir si je l'aimais ou si je le détestais. Je passais de la colère à l'excitation pour un oui ou pour un non. Ce n'était pas juste. Je suis allée me changer, et il a glissé les vêtements dans un sac en compagnie de minuscules débardeurs et de tee-shirts hypermoulants portant l'inscription : « Soutenez votre Reapers MC local ».

La visite au supermarché, en revanche, s'est plutôt bien passée. Il nous a fallu au moins une heure pour trouver tout ce qui était sur la liste. Une fois encore, les gens s'écartaient de son chemin, ce qui me convenait parfaitement, puisque, même à la caisse, on nous laissait passer devant.

— C'est toujours comme ça ? lui ai-je demandé en chargeant les courses dans le coffre.

— Normalement, oui. On n'est pas le plus gros club, mais, dans le coin, c'est nous qui sommes aux commandes. Tant qu'on fait preuve de respect avec nous, tout va bien. Y en a pas beaucoup qui osent s'en prendre aux Reapers, c'est clair.

— Et qu'est-ce qui se passe si on s'en prend à vous ?

J'ai eu droit à un regard acéré.

— À ton avis ?

Ma question était débile.

Quand nous sommes rentrés, Horse a insisté pour décharger les courses et m'a demandé d'aller enfiler mes nouveaux atours. La seule pensée de la jupe me filait de l'urticaire, mais je dois dire qu'avec les chaussures je me suis sentie sexy en diable. Je n'ai pas pu m'empêcher de réessayer le bustier, qui, avec mon jean moulant, rendait plutôt pas mal. Je ne pouvais pas me voir en entier dans le miroir sur la commode, mais ça m'a suffi pour me trouver assez canon.

Très canon, même.

Une fois les étiquettes enlevées et les fringues rangées, je suis descendue voir ce qui se passait dans la cuisine. Horse avait disparu en laissant un mot sur la table.

J'ai des trucs à faire. Profites-en pour faire ce que t'as envie de faire. Retour prévu à 19 heures. Prépare le repas. Ce soir, on sort.

Côté communication, il avait encore des progrès à faire.

J'ai pris le téléphone sans fil et un bouquin, et je me suis installée sur le porche à l'avant de la maison pour appeler Denise et la prévenir que je ne reviendrais pas bosser. Je ne me sentais pas brillante lorsque je lui ai annoncé qu'il n'y aurait pas de préavis. Elle n'a pas avalé un seul de mes bobards.

— Qu'est-ce qui se passe ? m'a-t-elle questionnée. Ne me raconte pas de salades, Marie. Ton mobil-home a brûlé hier soir, et maintenant tu me dis que tu habites avec un mec que tu connais à peine ? Dis-moi la vérité ! Donne-moi une bonne raison de ne pas appeler les flics.

Ça n'a pas été facile, mais j'ai réussi à faire passer assez d'inquiétude dans ma voix s'agissant du mobil-home, tout en essayant de paraître heureuse de ma nouvelle situation.

— Jeff m'a appelée hier soir et m'a dit pour le mobil-home, ai-je expliqué d'une voix qui se voulait à la fois grave et triste. Il m'a dit que c'était sa faute, qu'il avait oublié d'éteindre sa pipe quand il est sorti boire des bières en ville. Heureusement, j'avais déjà pris toutes mes affaires et déménagé. Jeff crèche chez un pote et ne veut pas que je revienne. Il dit que c'est son problème et que, de toute façon, il n'y a pas assez de place pour moi.

— Je vois, a prétendu Denise, même si sa voix disait le contraire. Je suis sûre que tu me caches quelque chose, mais j'imagine que tu vas t'en tenir à la version officielle. Ça me fait mal au cœur de te dire ça, Marie, mais je ne vais pas pouvoir te donner de références.

— Je comprends, ai-je répondu, un peu déprimée.

Elle a poussé un gros soupir.

— N'hésite pas à appeler si tu as besoin de quoi que ce soit. Je respecte ta décision, mais tu sais, quand les choses tournent mal, ça peut aller très vite. Tu peux compter sur moi pour te sortir de là.

— Merci, Denise, ai-je dit, larmes aux yeux.

Je ne méritais pas cette gentillesse offerte de si bon cœur. En reposant le téléphone, je me suis dit que la gentillesse faisait parfois encore plus mal que la souffrance physique.

Faut pas chercher à comprendre.

Fidèle à sa parole, Horse n'a reparu qu'un peu avant 19 heures. J'en ai profité pour rester seule et explorer la propriété. En plus des dépendances, il y avait une vieille grange et un dortoir. La grange avait été aménagée en atelier, dans lequel Horse remontait des motos. Un frigo contenant quelques bières m'a fait penser à Picnic, à Max et à Bam Bam, à l'époque où ils nous rendaient visite au mobil-home, avant que tout parte en couille. Derrière la grange, j'ai découvert aussi un grand brasero entouré de souches de bois qui servaient à la fois de sièges et de billots, ainsi que quatre tables de pique-nique en bois, visiblement fabriquées par Horse.

Décidément, il savait se servir de ses mains.

Pour le repas, j'ai préparé du poulet et des chaussons aux pommes, un truc que j'adore faire parce que la maison se remplit d'une odeur accueillante et chaleureuse, idéale pour une fin de journée. J'ai entendu le moteur de la Harley, puis Horse est entré en passant par la buanderie.

— Ça sent super bon, ici, a-t-il déclaré en m'enlaçant.

Je me suis laissée aller contre lui, savourant le plaisir de son corps contre le mien. Apparemment,

Horse le Tendre allait partager ce dîner avec moi, et non son jumeau maléfique.

— Après manger, on sort. Et je veux que tu portes les fringues qu'on a choisies à la boutique collée au *Line*.

Je me suis raidie et me suis éloignée de lui. Horse le Tendre, mon cul ! Il a soupiré sans essayer de me retenir. Il s'est dirigé vers le four pour jeter un œil à ce qui mijotait dans la casserole. Je lui ai jeté un regard noir. S'il voulait manger, il n'avait qu'à la prendre, sa foutue bouffe ! Il a haussé les épaules, a pris un bol et s'est servi, avant de poser un peu de salade sur une assiette. Ensuite, il est allé s'asseoir et a commencé son repas.

— Tu ne manges pas ? a-t-il demandé au bout de quelques minutes.

J'avais envie de lui dire d'aller se faire voir, lui, ses stripteaseuses et leurs tenues cradingues et racoleuses, mais mon estomac a comme par hasard choisi cet instant pour gargouiller. La lose totale. J'ai pris à manger et me suis assise en face de lui.

— Cet endroit où on va ce soir, a-t-il expliqué, c'est le clubhouse d'un autre club de bikers, les Silver Bastards, à côté de Callup.

— Et c'est où, Callup ?

— Dans la Silver Valley, entre ici et le Montana. Un coin complètement paumé. C'est un club qui nous soutient et qui nous prête main-forte dans la vallée.

J'aurais voulu en savoir plus, mais j'ai préféré me concentrer sur la logistique, car, à coup sûr, mes questions touchaient les «affaires du club».

— Et j'y vais comment ?

— À l'arrière de ma moto, a-t-il répliqué, comme si c'était une évidence.

— Avec cette jupe et ces talons ? Ce n'est pas une bonne idée, Horse.

— Tu n'as pas tort, mais on n'a pas le choix.

— Pourquoi ?

— Il faut qu'on fasse bonne impression. Tu poses trop de questions. Écoute bien ce que je vais te dire. Quand on sera là-bas, tu restes avec moi. Tout le temps, je veux dire. À moins que je ne t'autorise à bouger. Tu ne portes aucune marque de propriété, tu n'es pas ma régulière. Tous les mecs vont te repérer en moins de deux minutes. Pour eux, ça veut dire que la chasse est ouverte, et, avec ces vêtements, tu vas attirer l'attention, et pas qu'un peu.

— Alors, ne m'oblige pas à les porter !

— Fais ce que je te dis. Tu bois que si je t'y autorise. Tu danses avec personne. Si t'as envie de pisser, tu me préviens et je t'accompagne. Et, si une fille s'en prend à toi pendant que tu te refais une beauté, tu hurles assez fort pour que je t'entende. Pigé ? (J'ai acquiescé, redoutant ce qui se profilait.) Remonte et va finir de te préparer. Te prends pas la tête avec tes cheveux, ils ne ressembleront plus à rien après le trajet à moto. Mais ne lésine pas sur le maquillage. Et pas la peine de prendre de sac, ta carte d'identité suffira. Je la garderai sur moi.

J'ai grimacé. Je n'avais pas vraiment le choix ! C'est pas comme si y avait des poches dans les fringues débiles que j'allais avoir sur le dos.

Quelle galère !

Chapitre 13

Je ne savais pas vraiment ce que j'allais trouver au clubhouse des Silver Bastards. Je m'attendais à un bouge sombre plein de bikers et de putes en train de niquer sur les tables, ou à des drogues qui s'échangent dans la rue pendant que des vigiles sur le qui-vive patrouillent armés de mitraillettes.

Rien d'autre.

Nous sommes arrivés vers 22 heures devant un bâtiment bas et ramassé qui ressemblait à n'importe quel autre bar de n'importe quel bled. Il se trouvait à la sortie de la merveilleuse cité de Callup dans l'Idaho, juste à côté du trou du cul du monde. Au-dessus de la porte, j'ai aperçu une pancarte défraîchie portant le nom des « Silver Bastards », et il y avait au moins trente motos garées devant. Deux types squattaient dehors pour surveiller les bécanes, et, lorsque Horse s'est garé, ils ont échangé un grognement amical.

— Des aspirants, a-t-il murmuré.

Il a passé un bras possessif autour de mon cou et m'a serrée contre lui avant qu'on entre dans le bar. La chaleur de son corps me faisait du bien. Même avec mon blouson, que j'avais dû laisser avec la moto pour ne pas dissimuler mon bustier super classe, j'avais eu froid pendant le trajet.

— Tu vois, ils n'ont pas les trois écussons dans le dos de leur cuir, seulement celui du bas, qui indique la région. C'est comme ça qu'on les reconnaît. Ils surveillent les bécanes, font les courses, des trucs de ce genre. Et, même si ce ne sont pas des Reapers, ils vont surveiller ma moto parce que leur club soutient le nôtre.

Je n'étais pas sûre de tout comprendre, mais, connaissant sa réticence à parler des affaires du club, je me suis retenue de poser des questions. À l'intérieur, l'ambiance rade de campagne était de mise, avec parquet usé, immense comptoir le long d'un mur et, plus loin, un couloir qui devait conduire aux toilettes. Au centre de la pièce, des tables hautes en quantité avec des tabourets, et, contre les murs, des canapés disposés de façon à pouvoir discuter. La musique était forte mais pas trop. Au fond, dans un espace dégagé, des femmes dont l'accoutrement ressemblait étrangement au mien étaient en train de se trémousser. Derrière le bar se tenait un type, avec l'écusson « aspirant » au dos de son blouson.

Les hommes se sont levés à notre entrée. Tous arboraient le gilet en cuir et le look patibulaire de circonstance. Une fille en haut de Bikini et minishort nous a demandé si on voulait boire quelque chose. Les types ne parlaient à Horse que s'il leur adressait d'abord la parole, ce qui était assez bizarre parce qu'ils semblaient vraiment impatients de lui parler. Un peu comme si un membre de la famille royale venait les saluer. Cette marque de respect marquait la déférence du club affilié. Incroyable qu'un monde parallèle, avec ses propres bars, ses lois et ses dirigeants, puisse ainsi exister sans que le citoyen lambda en ait la moindre idée. Pourtant, j'étais là, plongée en plein milieu de cet univers parallèle.

Je suis restée collée à Horse pendant qu'il échangeait claques dans le dos et accolades avec d'autres types. Puis il m'a prise par la main et m'a entraînée vers un canapé du fond de la salle, qui s'est libéré comme par magie à notre approche. J'avais du mal à tenir debout sur mes talons ridiculement hauts. Il s'est assis confortablement dans un coin du canapé et m'a fait grimper sur ses genoux. Mon dos était calé contre l'accoudoir, et mes jambes étaient sur les siennes. Pendant qu'il m'enlaçait du bras gauche, sa main droite s'est glissée le long de ma cuisse et a soulevé suffisamment ma jupe pour que le grand baraqué assis en face puisse mater mon string rouge vif. Pas cool du tout.

Je me suis penchée et j'ai murmuré à l'oreille de Horse :

— Tu ferais mieux de me pisser dessus tout de suite si tu veux que les choses soient claires !

— Ne cherche pas la merde, Marie, a-t-il répondu à voix basse. Si tu tiens à m'attaquer, fais-le en privé, ça me fait bander comme un dingue quand tu bavasses. J'imagine ta bouche autour de ma bite. Mais ça reste entre toi et moi. Ce soir, on a un public, et tu fais ce que je te dis, sinon ça risque de mal tourner. Si tu t'amuses à insulter un Reaper devant tout le monde, tu risques gros, très très gros.

Pour donner du poids à ses mots, il pressait ma cuisse, tout en caressant du doigt le devant de ma culotte. Je l'ai senti durcir sous mes fesses et j'ai frissonné. Il suffisait que ce mec ouvre la gueule pour que ça m'excite comme une dingue. Si mon cerveau s'en défendait, mon corps était devenu accro et ne demandait qu'à se faire pénétrer encore et encore. Le seul truc qui me consolait, c'est que je n'étais pas la seule à souffrir. Pour me venger un peu, je me suis trémoussée un peu plus, histoire d'apprécier sa respiration saccadée au contact de mes fesses sur son sexe.

— Kelly, ramène tes fesses par ici ! Y a un mâle qui a soif, a beuglé le type près de nous.

D'après ses cheveux qui commençaient à grisonner, il devait avoir dix ans de plus que Horse, mais ne portait pas de barbe, contrairement à la plupart des autres bikers. En plus, il n'hésitait pas à me mater tant qu'il pouvait, d'un regard non pas appréciateur mais évaluateur, comme s'il me jaugeait selon des critères que je ne maîtrisais absolument pas.

La nana en Bikini s'est pointée avec un plateau plein de bières et de shots, qu'elle a posés sur une petite table devant nous. Le type à côté de nous a tendu une bière à Horse, qui l'a saisie en étirant le bras qui m'enlaçait, avant de m'en proposer une à mon tour. Comme je ne savais pas si je devais accepter, j'ai jeté un coup d'œil à Horse.

— Fais-toi plaisir, a-t-il dit.

— Eh ben, ça a pas traîné, dis donc. L'animal de compagnie a capté ce qu'on attendait de lui, pas vrai ?

Tout mon corps s'est raidi, et j'ai senti la main de Horse serrer ma cuisse en signe de mise en garde.

— C'est une bonne élève, a-t-il répondu. Ça promet. Je vois que les nouvelles vont vite.

— Ouais, tu peux le dire. Alors, c'est elle, j'imagine, a-t-il constaté en me jetant un regard.

J'ai avalé la moitié de mon verre, histoire de ne pas flancher.

— La clause de garantie idéale, a ajouté Horse.

Son pote s'est marré, et ils m'ont ignorée lorsqu'ils se sont mis à parler de personnes que je ne connaissais pas. Du coup, j'en ai profité pour observer ce qui m'entourait, en commençant par le type assis près de nous. Il avait des cheveux brun foncé tout ébouriffés et des yeux verdâtres. Son gilet en cuir portait l'écusson « Président », le signe « 1 % », et d'autres que je n'ai pas su identifier. Picnic, lui aussi, avait l'écusson « Président », alors que Horse, à ma connaissance, ne portait aucun titre. Ce qui prouve que les Reapers devaient être assez puissants pour que le président d'un autre club fasse preuve d'autant de respect envers Horse. J'ai avalé une autre rasade de bière, surprise de voir que mon verre était déjà vide. *Ça m'étonne de moi*, ai-je pensé en ravalant un rot.

Normalement, je suis une petite nature, c'est bien connu.

J'ai regardé avec convoitise les bières restées sur la table en me disant qu'un autre verre me ferait le plus grand bien. La nana en Bikini a reparu et réussi à se faufiler entre les canapés. Elle s'est penchée pour ramasser les verres vides, nibards offerts au regard de Horse et cul pointant vers l'autre mec. Ça m'a un peu énervée, mais, lorsque j'ai essayé de la fusiller du regard, j'ai eu droit à un clin d'œil amical et à une deuxième bière.

Elle n'était pas aussi affreuse que je le pensais, finalement.

J'ai jeté un coup d'œil à Horse avant de me remettre à boire. Il a hoché la tête d'un air absent, et ses doigts se sont mis à aller et venir sur ma cuisse tout en continuant sa conversation d'homme comme si je n'étais pas là. Ils parlaient de bécanes et d'affaires avec des mots probablement codés, parce que je pigeais que dalle. À plusieurs reprises, d'autres types sont venus s'asseoir un instant avant d'aller voir ailleurs. Certains des propos échangés m'ont semblé importants, mais j'étais incapable de les interpréter. Ils ont parlé de respect. À propos d'une course de bienfaisance pour récolter des jouets, je crois. Ce qui m'a paru carrément décalé dans cette atmosphère de bikers criminels. Et aussi d'un rendez-vous avec des Mexicains, de gardes-frontières ou de « cette putain de sécurité nationale ».

J'ai assez vite déconnecté, vu qu'il y avait des choses plus intéressantes à faire. Boire une troisième bière, par exemple. Ou observer la foule. Il y avait bien cinquante ou soixante personnes autour de moi. La plupart des mecs portaient les gilets en cuir aux couleurs des Silver Bastards, avec des écussons dans le dos, où figurait l'image d'un homme armé d'une pioche avec des flammes surgissant derrière lui. Il y avait aussi pas mal de nanas. La plupart étaient, comme moi, en mode chaudasses de base et circulaient au milieu de la foule, pour faire le service, débarrasser les tables, ou parfois rouler une pelle à un Silver Bastard. Ça se pelotait dans tous les coins, et pas seulement entre couples. Apparemment, les mecs avaient le chic pour être doublement accompagnés. Et j'ai même vu des filles se faire embarquer par des mecs et disparaître en gloussant par le couloir du fond.

À un moment, la porte s'est ouverte, et une grande blonde maquillée avec goût est entrée avec autorité dans le bar. Elle a regardé autour d'elle un instant, nous a repérés et a fendu la foule dans notre direction. Elle n'avait rien à voir avec les autres femmes présentes, c'était évident. D'une, elle portait un jean serré juste ce qu'il faut pour dessiner la silhouette sans l'exposer. De deux, le débardeur noir aux couleurs des Silver Bastards qu'elle arborait soulignait à la perfection son décolleté généreux. Sans oublier les mèches blondes ultrachics et le blouson en cuir noir.

Aucun mec ne s'est avisé de la peloter, contrairement aux autres filles. Ils s'écartaient tous de son chemin, et, si certains lui ont souhaité la bienvenue, personne ne s'en est pris à ses seins ou à son cul.

Le mec à côté de nous, le président, s'est levé à son approche, avec un air de profonde satisfaction, pour ne pas dire plus. Elle n'avait d'yeux que pour lui. Il l'a enlacée, a exploré sa chevelure d'une main et caressé ses fesses de l'autre, avant de l'embrasser passionnément. J'osais à peine les regarder. Il descendait les deux mains à présent, puis il lui a passé les jambes autour de sa taille et l'a soulevée, avant d'enfouir le nez entre ses seins. Elle a ri et lui a donné une petite gifle. Lorsqu'il l'a reposée au sol, j'ai pu voir les écussons au dos de son gilet : « Propriété de Boonie. Silver Bastards MC ».

J'ai senti de nouveau la pression de la main de Horse sur ma cuisse sans oser croiser son regard. Pour la première fois, je comprenais ce qu'il avait tenté de m'expliquer. Cette femme, la propriété de Boonie, entrait dans une catégorie totalement différente des autres filles, moi y compris. Et ça se voyait. Son mec la trouvait d'enfer, c'était évident, et il ne se gênait pas pour le faire savoir, même si elle était manifestement intouchable.

C'était donc ça que Horse m'avait proposé…

Sa main a quitté ma cuisse et m'a poussée à me lever. Une fois debout à son tour, il a patiemment attendu que le président et sa blonde finissent de se rouler des pelles et se tournent vers nous.

— Darcy, je te présente Marie, a dit Horse.

Elle m'a inspectée de la tête aux pieds, regard interrogateur.

— Salut, Marie. On dirait que tu n'es pas d'ici, non ?

J'ai jeté un coup d'œil à Horse pour savoir si j'avais le droit de parler avec elle.

— Tu peux aller avec elle, a-t-il déclaré. Elle sera aux petits soins pour toi. Boonie et moi, on doit parler en privé.

J'ai dû avoir l'air paniquée, parce qu'il a penché la tête pour me murmurer un truc rassurant à l'oreille :

— C'est la régulière de Boonie. Tu ne risques rien. Tu ne la lâches pas d'une semelle. Tu peux lui raconter pourquoi tu es là, ce qu'a fait ton frère, l'argent et tout le reste. T'as pigé ?

J'ai accepté. Darcy m'a gratifiée d'un sourire plein de douceur, a réclamé un dernier baiser à Boonie et m'a fait signe de la suivre. Lorsque je me suis éloignée, Horse m'a donné une petite claque sur les fesses, ce qui m'a fait sursauter. D'un seul coup, je me suis sentie complètement nue, sous les regards inquisiteurs de tous les mecs, alors que Darcy m'entraînait dans le couloir du fond de la salle. En apercevant les toilettes, je me suis rappelé que j'avais la vessie pleine à craquer.

— On peut faire un arrêt au stand ? ai-je demandé.

— Bien sûr, a-t-elle répondu en m'ouvrant la porte.

Je m'attendais à trouver une rangée de cabinets avec un ou deux lavabos, mais pas du tout. J'étais dans une petite pièce un peu miteuse avec un seul cabinet et un seul lavabo. Darcy m'a suivie à l'intérieur. Elle a dû remarquer ma surprise parce qu'elle a eu un petit rire. Aller dans les toilettes des bars avec mes copines, je veux bien, mais cette nana, je venais à peine de la rencontrer.

— Tu sais, ma chérie, ici, il faut oublier les secrets et l'intimité. Qu'est-ce qu'une fille comme toi fout avec Horse ?

J'étais sans réaction, incapable de savoir si j'allais d'abord répondre ou faire pipi. Optant pour les deux en même temps, j'ai baissé ma culotte.

— Je suis avec lui parce que mon frangin doit une somme d'argent colossale au club, ai-je avoué, aussi vite que possible.

J'ai remonté ma culotte et je l'ai vue qui me dévisageait.

— T'es avec lui parce que ton frère doit de l'argent, a-t-elle répété avec le plus grand sérieux, avant de croiser les bras. Vas-y, accouche !

— Heu… je crois que mon frère bossait sur un truc avec les Reapers, mais je ne sais pas quoi, ai-je expliqué, de plus en plus mal à l'aise. Ils ont découvert qu'il détournait de l'argent, alors ils ont décidé de le tuer. Mais, comme Horse voulait me sauter, ils lui ont laissé une dernière chance de se refaire. Je suis la garantie. Une façon de payer de son sang.

Elle m'a regardée sans rien dire, sourcils haussés, et je m'agitais nerveusement, en me demandant si je n'en avais pas dit un peu trop. Puis son visage s'est adouci.

— Oh, ma pauvre petite chérie! a-t-elle chuchoté avant de m'enlacer.

À mots décousus, je lui ai tout raconté de mon histoire avec Horse. Je ne connaissais cette femme ni d'Ève ni d'Adam, mais ça m'a fait un bien fou de me confier. À un moment, j'ai même pleuré, et elle m'a consolée à grand renfort de caresses dans le dos et de murmures réconfortants, jusqu'à ce que hoquets et reniflements laissent place au calme. Quand, de l'autre côté de la porte, une voix de femme nous a sommées de nous bouger le cul, Darcy a immédiatement répondu sur le même ton:

— T'as qu'à aller pisser dehors, espèce de roulure!

Rien de tel pour briser net n'importe quelle séance d'auto-apitoiement. Je me suis éloignée d'un pas en m'essuyant les yeux. J'avais les doigts couverts de mascara. Comme Horse me l'avait demandé, je n'avais pas lésiné sur le maquillage. Ça n'allait pas être facile de réparer les dégâts.

— Heu… qu'est-ce qui te dit que c'était une roulure ? ai-je balbutié.

Darcy m'a adressé un sourire réconfortant.

— Ma chérie, sache que c'est toutes des roulures, a-t-elle rétorqué, sourire aux lèvres. À part toi et moi dans ce bouge, il n'y a que des vagins sur pattes. Les régulières, ça ne perd pas son temps dans ces soirées de merde, et, malgré tout ce que les mecs disent haut et fort, un mec qui s'amuse à cocufier sa légitime sait qu'il risque de le payer en rentrant. On ne leur dit pas ce qu'ils ont à faire. Juste ce qu'on leur fera subir, en leur laissant imaginer les détails. Et ça marche.

J'ai laissé échapper un petit rire. Pour la première fois depuis que j'étais là, je me détendais un peu.

— Ce que je ne comprends pas, c'est pourquoi il t'a amenée ici, a-t-elle souligné en me tamponnant les yeux avec des serviettes en papier. (J'ai voulu me regarder dans le miroir, mais elle m'en a empêchée.) Fais-moi confiance, ma chérie. Il vaut mieux que tu ne te voies pas dans cet état.

— Merci. Je ne sais pas non plus pourquoi je suis là. Et je ne sais pas du tout ce qu'il y a vraiment entre Horse et moi. Au début, c'était assez génial. Enfin, y avait des hauts et des bas.

— Et là, pourquoi ça ne va pas ? a-t-elle demandé, en se mordant la lèvre et en essuyant avec soin le contour de mes yeux.

— Ben, je crois que je l'ai froissé.

Elle s'est immobilisée et m'a regardée d'un air clairement dubitatif.

— Comment ça, tu l'as « froissé » ?

— J'ai refusé d'être sa régulière, même pour 1 million. Par texto.

— Merde ! T'y es pas allée de main morte, ma petite.

J'ai hoché la tête.

— Il me l'a bien fait comprendre, mais je l'ai envoyé balader quand il a tenté de s'expliquer. Du coup, il m'a fait la gueule. Et, un soir où j'avais picolé, je lui ai envoyé une série de textos débiles. C'est là que ça a commencé à dégénérer. Après quoi, je retrouve les Reapers en train de pointer un flingue sur la tête de mon frangin et Horse qui me dit qu'ils donnent une autre chance à Jeff à condition que je le suive. Je n'avais pas le choix.

En dépit du bon sens, Darcy n'a pas paru déstabilisée par mon histoire abracadabrante.

— OK, tu peux te regarder à présent, m'a-t-elle lancé.

J'étais impressionnée par ce qu'elle avait réussi à faire. Les bavures de mascara étaient toujours là mais me donnaient à présent un regard charbonneux et une apparence tout à fait présentable. Darcy a posé les mains sur mes épaules, et nos regards se sont croisés dans le miroir.

— Horse est quelqu'un de bien, a-t-elle dit le plus sincèrement du monde. Mais là il disjoncte complètement. C'est n'importe quoi cette histoire.

— Explique-moi. Il m'a bien fait comprendre que, si je refusais d'être sa régulière, j'allais en baver. Je me suis excusée pour les textos, pourtant ça n'a rien changé.

— J'ai bien peur que t'aies raison. On dirait que tu as blessé son ego de mâle, mais jamais il ne le reconnaîtra. Ça ne se fait pas dans ce milieu.

J'ai souri brièvement avant de repenser à Jeff.

— Et mon frère? ai-je ajouté. Tu peux m'en dire plus?

Elle a retrouvé son sérieux et a secoué la tête.

— Il est dans la merde jusqu'au cou. J'aimerais t'en dire davantage, mais les Reapers ne plaisantent pas quand leur réputation entre en jeu. S'ils ne la défendent pas, c'est la guerre des gangs. Y a des tas de clubs qui attendent juste l'occasion de prendre le contrôle de leur territoire.

— C'est ce que Horse m'a laissé entendre.

— Laisse-moi te donner un bon conseil, que tu le veuilles ou non. Ton frère est un homme mort, sauf s'il se rachète auprès du club. Horse ne peut rien changer à ça, et toi non plus d'ailleurs. À mon avis, tu lui fais juste gagner un peu de temps, mais ne va pas t'imaginer qu'ils vont laisser tomber s'il s'amuse à ne pas les rembourser. En tout cas, rappelle-toi bien que ce n'est pas ta faute s'il est dans la merde.

— Bien sûr que si! C'est grâce à moi qu'il est encore en vie. Horse m'a dit que j'étais libre de partir quand je le voulais. Mais, si je fais ça, Jeff n'a aucune chance!

—Alors, reste, a-t-elle répliqué. Mais ne mélange pas tout. Cette histoire n'a rien à voir avec toi. Il est temps de rejoindre la foule à présent, il va falloir que tu fasses bonne figure. Si Horse t'a amenée ici, c'est qu'il avait ses raisons… Sûrement pour filer les jetons à tous les mecs qui ont une sœur. Ta présence leur rappelle que Jeff n'est pas au bout de ses peines. Je connais suffisamment Horse pour te dire que ce n'est pas dans son habitude. Ça m'étonnerait que tu sois encore exhibée de cette façon, à moins que ton frère n'essaie de chercher la merde. Tu penses qu'il en est capable?

— Il est malin, mais pas assez pour s'en prendre aux Reapers, ai-je admis en haussant les épaules. Mais j'imagine que tout est possible. Il a vraiment perdu les pédales.

De nouveaux coups se sont fait entendre à la porte. Darcy est allée l'ouvrir et a fusillé du regard une nana complètement bourrée qui se trouvait là et gerbait partout sur le sol.

— Putain, je déteste ce genre de soirées! a marmonné Darcy.

Elle m'a prise par le bras et a enjambé précautionneusement la flaque de vomi. Ensuite, je l'ai suivie dans le couloir, et nous sommes arrivées dans une salle qui contenait une table immense. Horse et Boonie étaient assis, plongés dans des documents.

— On vous dérange ?

Horse s'est redressé sur sa chaise et m'a dévisagée pendant que Boonie affichait un petit sourire moqueur.

— Pas du tout, a-t-il répondu en se levant et en se dirigeant vers Darcy. Tu m'as manqué, poulette. Je n'aime pas te savoir loin d'ici. La prochaine fois, dis à ta mère de se débrouiller toute seule, OK ?

Darcy a murmuré quelques mots que je n'ai pas entendus, et ils se sont enlacés encore plus intensément que la première fois. Boonie l'a soulevée et l'a assise sur la table. Apparemment, c'était pour nous le signal du départ, parce que Horse s'est approché de moi, m'a pris la main et nous sommes sortis.

Chapitre 14

La discussion avec Darcy m'avait soulagée autant qu'inquiétée. Sa relation avec Boonie semblait plutôt pas mal. De toute évidence, ils réussissaient à se consacrer l'un à l'autre en dépit du chaos qui les entourait. Horse m'avait offert le même marché, et je l'avais refusé obstinément sans même chercher à en savoir plus. Ça ne lui donnait pourtant pas le droit de me kidnapper. Dans le couloir qui nous ramenait au bar, une femme titubante était cramponnée au mur et avait l'air de cracher ses tripes.

— Tu veux retourner dans le bar ou tu préfères aller prendre l'air ? m'a demandé Horse.

Il me tenait fermement par le cou, dominateur malgré lui. Il n'a même pas remarqué la nana en train de vomir.

— Je pense que ça me ferait du bien de respirer un peu.

Il m'a conduite au bout du couloir, où il a poussé une porte qui s'est ouverte sur un endroit dégagé, entouré d'une clôture grillagée de deux mètres de hauteur et éclairée par un énorme feu. Des gens fumaient, et, à l'odeur, ils ne se contentaient pas de tabac. J'ai repensé à Jeff non sans une certaine nostalgie. Il était si intelligent. Pourquoi s'était-il fourré dans cette situation ? Quand il le décidait, il réussissait tout ce qu'il voulait.

Horse m'a entraînée près d'une clôture, un peu en retrait de la fête et de la lumière du feu. Il s'est assis dans l'herbe, a appuyé son dos contre la clôture et m'a fait asseoir entre ses jambes. Il m'a enlacée et m'a serrée contre lui. Je me sentais bien. Ça me faisait toujours cet effet quand il me prenait dans ses bras, même lorsqu'il se comportait en vrai salaud.

— Vous avez bien discuté avec Darcy ?

— Ouais. C'était très instructif.

— Tu ne lui as épargné aucun détail sordide ?

— Mmh mmh !

— Très bien. Elle fera circuler l'info auprès des bonnes personnes, et ça n'échappera pas aux bonnes oreilles.

Nous sommes restés silencieux quelques instants. Deux mecs ont sorti de grosses enceintes, les ont installées, et du rock classique, genre Led Zeppelin, s'est mis à résonner. J'ai pensé un instant à ma mère. Je ne suis pas fan de cette musique, mais c'était nickel pour ce genre d'ambiance. Des filles à moitié bourrées se sont mises à danser autour du feu. Elles trébuchaient sur des mecs qui les soulevaient et les faisaient tourner avant de les emmener dans l'obscurité. La main de Horse s'est aventurée sous mon corset et en a fait sortir un sein. En d'autres

circonstances, je l'aurais vécu comme une humiliation, mais, à mon avis, personne ne pouvait
nous voir à cette distance du feu, et j'ai senti que
ça pourrait le faire. Il y avait bien d'autres couples
autour de nous, mais, comme je ne pouvais pas les
voir, je me suis dit qu'eux non plus ne pourraient
pas nous mater.

Je me suis donc bien gardée de protester lorsque
son autre main a soulevé ma jupe et écarté ma
culotte pour venir me taquiner le clitoris. Je me suis
abandonnée à son étreinte, yeux fermés, goûtant
chaque seconde de cette renaissance. Un bruit strident
m'a fait rouvrir les yeux. Un couple s'était éloigné du
feu et rapproché de nous, assez près pour être vu et
entendu, mais pas assez pour nous remarquer.

La femme s'est agenouillée aux pieds du mec, elle
a dégrafé son pantalon et libéré son sexe. Il s'est mis
à pousser des grognements lorsqu'elle a commencé
à le sucer comme une pro. Je voyais sa tête s'abaisser
et se relever au même rythme que ses mains sur le
membre du type.

Séance porno gratuite, juste devant moi.

Impossible de détourner les yeux. J'étais plongée
dans un monde étrange et terrifiant, sans foi ni loi,
mais ce spectacle, au lieu de m'horrifier, me faisait
mouiller de plus en plus sous les doigts de Horse.
Qui n'était pas insensible lui non plus, à le sentir
durcir comme une tige d'acier contre mon dos.
C'était bien moi qu'il voulait à ce point, et pas ces

filles autour du feu, qu'il aurait pu facilement se taper. Lorsque j'ai vu un deuxième mec rejoindre le couple devant nous, je me suis redressée, comme hypnotisée. Le premier mec s'est mis à genoux, et la fille s'est retrouvée à quatre pattes, bouche toujours à l'ouvrage. Cette nouvelle position a offert de facto son cul au deuxième homme, qui en a profité pour s'agenouiller derrière elle.

Tous trois formaient l'image parfaite de la débauche. Le mec de derrière a écarté la petite jupe à volants de la fille, a attrapé sa culotte et l'a déchirée. Je me suis contractée quand j'ai senti le doigt de Horse me pénétrer.

— Ça te plaît, bébé ? a-t-il susurré à mon oreille.

J'ai secoué la tête, sans pouvoir parler. En me taisant, je pouvais faire semblant que tout ça n'était qu'un rêve, dans lequel je n'étais pas responsable de mes actes. Lorsque la fille est passée en mode gorge profonde, le type qu'elle suçait a saisi sa tête à deux mains et a commencé à aller et venir dans sa bouche. Pendant ce temps, l'autre type avait sorti son sexe, pas aussi gros que celui de Horse bien sûr, mais d'un calibre assez impressionnant. Il a saisi la fille par les hanches, concentré sur son objectif, et l'a pénétrée d'un seul coup. J'ai vu son corps se raidir, mais elle n'a pas crié.

Sûrement parce qu'elle avait la bouche pleine.

Les mecs allaient et venaient en elle de chaque côté en alternant leurs mouvements suivant une chorégraphie au rythme des plus étranges. J'ai senti mon corps se raidir et frissonner de la tête aux pieds lorsque Horse a saisi mon deuxième sein et pincé mon téton pendant que ses doigts exploraient fiévreusement mon clitoris. Mon bassin s'est soulevé en signe d'encouragement. Visiblement, il a capté le message, car il est passé à la vitesse supérieure, en calquant son rythme sur celui du trio en pleine action. Les bikers baisaient la fille comme des forcenés à présent, et je me demandais comment elle faisait pour ne pas hurler de douleur. De toute évidence, elle s'en fichait, parce qu'elle ne s'est pas débattue une seule fois, même lorsque le type de derrière s'est retiré de son sexe et est parti à l'assaut de son arrière-train. Du bout du gland, il a lubrifié son anus avec les sécrétions de son vagin. Elle s'est libéré la bouche, a baissé la tête et a poussé des gémissements.

— Bordel ! ai-je bredouillé.

J'ai entendu Horse rire contre mon oreille et vu le mec s'enfoncer lentement dans le cul de la fille, que son pote tenait par les épaules afin de faciliter la progression de cet assaut délicat. Les mains de Horse ont saisi l'intérieur de mes cuisses et il m'a fait glisser contre lui, pour caler tendrement mes fesses sur son membre, que je sentais à travers son jean. La fille a poussé un grognement de surprise lorsque le mec s'est enfoncé en elle jusqu'à la garde. Elle s'est mise à remuer brusquement, empalée, bras et jambes tremblants sous la pression de cette intrusion, mais elle s'est soumise sans se rebeller. Sous le choc, je l'ai vue ouvrir la bouche et renfourner le sexe de l'autre homme.

Lorsqu'ils se sont mis à bouger, j'ai vu qu'elle se contractait un peu plus sous les coups de boutoir de celui qui labourait ses fesses, tout en lui caressant le dos d'une main presque tendre. Le mec à l'avant a eu un sursaut avant de jouir dans un dernier coup de reins. Il s'est dégagé, et elle s'est effondrée tête la première, le derrière toujours offert. J'étais tellement excitée que la question n'était plus de savoir si j'allais jouir, mais quand – tout de suite ou à la fin du spectacle qui se jouait devant mes yeux. Horse a dû ressentir la même chose parce qu'il a ralenti ses mouvements avant de s'arrêter lorsque le type a brusquement poussé la fille à plat ventre sur l'herbe et s'est allongé sur elle pour s'en donner à cœur joie. Ensuite, il l'a prise si sauvagement que je me suis inquiétée pour elle. Mais elle est restée silencieuse, aucune plainte, aucun signe de protestation. Pourtant, ce n'était pas un viol. À tout moment, elle aurait pu les arrêter.

— Toi qui voulais savoir ce qu'était un Joli-Cul ! a murmuré Horse à mon oreille en même temps que de sa langue chaude il traçait des sillons sur moi.

J'ai frissonné et me suis contractée autour de ses doigts enfoncés en moi.

— Te voilà servie. Elle est là pour se faire baiser et pour faire le ménage après les festivités. Tous les mecs qui veulent se la taper peuvent le faire. Tu crois vraiment que c'est comme ça que je te vois ? Que j'ai pu même l'envisager ?

J'ai secoué la tête, limite effrayée de poser la question qui me brûlait le corps.

— Qu'est-ce qu'il y a ? a-t-il demandé en reprenant la danse de ses doigts.

J'ai frissonné contre lui. Les muscles de mon vagin se contractaient de plus belle et enserraient ses doigts à l'approche de l'orgasme.

— Tu comptes me réserver le même sort ?

Il a ri tout bas.

— Il va falloir préciser ta question. Tu veux dire t'enculer ou te partager avec un autre ?

— Les deux, ai-je murmuré, en me frottant contre son sexe, avide de le sentir sur ma peau. Je ne veux pas être partagée, Horse.

Il n'a pas répondu et s'est contenté d'intensifier les caresses de sa main sur mon clito. Je me suis tortillée contre lui lorsqu'il a saisi mon téton et l'a fait rouler entre ses doigts. Devant moi, l'homme s'est soudain raidi pour un ultime assaut et a poussé des grognements de plaisir en éjaculant. Ensuite, il a roulé sur le côté, et la fille a saisi son bras dans l'espoir d'obtenir un baiser. Il l'a repoussée en se marrant, puis s'est levé.

— Je suis incapable de faire ça, Horse, ai-je balbutié, frémissante de désir et de peur. Je t'en prie, ne me fais pas subir ça ! Je ne pourrais pas le supporter.

— Pas question de te partager, Marie.

Et il a enfoncé encore ses doigts, tout en me frottant le clitoris de la paume de la main. Je brûlais d'un plaisir insoutenable et insatiable.

— Je te l'ai déjà dit : cette chatte m'appartient, a-t-il poursuivi d'une voix à la fois douce et menaçante. Je suis le seul à te baiser. Quant à savoir par quel trou, on peut toujours en discuter.

Ces mots ont suffi à me faire basculer, gémissante et traversée d'ondes fulgurantes de plaisir, les fesses frottant de plus belle sur son érection. Je me suis effondrée sur lui, haletante. Il m'a soulevée pour m'allonger sur l'herbe, et ma petite culotte a subi le même sort que celle de l'autre fille. Alors qu'il s'allongeait sur moi, il a sorti son membre et l'a enfoncé sans un mot dans mon sexe tout humide. J'ai gémi de douleur. Je ne savais pas si l'on pouvait m'entendre, mais je m'en foutais. J'ai enroulé bras et jambes autour de son corps, et il s'est mis à me prendre sauvagement. Son érection était énorme, mais ça me plaisait, sûrement parce que mon vagin s'était détendu. Je n'éprouvais plus aucune douleur. Il me donnait des coups de boutoir de son gros calibre tout en me stimulant le clitoris comme jamais. J'ai adoré. Il ne m'a pas fallu beaucoup de temps pour exploser une nouvelle fois, suivie de près par Horse. J'ai senti son sperme chaud gicler au plus profond de moi, et, peu à peu, encore gémissante, j'ai repris mes esprits.

Pour me rendre compte qu'il n'avait pas mis de préservatif.

Je l'ai repoussé, me suis assise en tirant sur ma jupe pour éviter d'offrir en gros plan le spectacle de mon entrejambe à la foule. Allongé sur un bras, Horse m'observait d'un air interrogateur.

— Y a un problème ? m'a-t-il questionnée.

J'ai froncé les sourcils en me demandant s'il avait fait exprès « d'oublier ». Je savais qu'il préférait monter à cru.

— Je vois bien qu'y a un truc qui te reste en travers du cul, alors vas-y, accouche.

— Tu n'as pas mis de préservatif ! Et je n'ai pas encore fait le test. En plus, je ne prends pas la pilule. Qu'est-ce que…

Il a passé un bras autour de mon cou et m'a attirée sur lui pour m'embrasser. Fin de la conversation. Après un très long baiser, il s'est détaché de moi et m'a souri.

— Calme-toi. Ce n'est pas la fin du monde. Demain, on ira voir un toubib pour faire un test de dépistage.

— Horse, je ne prends pas la pilule, ai-je insisté, mâchoire serrée. Et si je tombais enceinte ? Je ne me ferais pas avorter, tu ne peux pas me forcer, pas question !

Il m'a regardée droit dans les yeux.

— Les risques sont plus que minimes, bébé. Mais, si ça se produit, on trouvera une solution, OK ? J'aime bien les mômes. Y a pire dans la vie. Demain, on s'assure que tout va bien, et basta. Ça ne sert à rien d'angoisser, on peut pas revenir en arrière et recommencer avec une capote, pas vrai ?

J'ai étudié son visage, calme et rassurant, incroyablement beau dans la lueur du feu. Il a eu un sourire encourageant. Je lui ai souri à mon tour, en me forçant à respirer calmement.

— OK, ai-je répondu.

— OK, a-t-il répété. Je te jure, Marie, t'es complètement dingue parfois, mais, quand je te pénètre, ça m'est égal. Calme-toi et détends-toi, ma chérie.

Il a roulé sur le côté et s'est mis à genoux avant de se tourner et de remonter son pantalon. Puis il s'est assis dos à la clôture. J'ai tiré sur ma jupe autant que possible et je me suis assise entre ses jambes, gardant les miennes résolument serrées. On est restés là un long moment à écouter la musique et à regarder le feu. Des couples apparaissaient et disparaissaient, et leurs rires chuchotés ponctuaient les passages calmes des chansons.

Apparemment, on n'était pas complètement hors de vue parce que l'un des aspirants passait de temps en temps nous ravitailler en bières. Horse en a siroté une pendant que j'en avalais deux. Ce qui faisait un total de cinq depuis notre arrivée. À la sixième, je me fichais éperdument de la longueur de ma jupe. Et, lorsque la septième est arrivée, j'ai redressé le buste et me suis mise à chanter et à bouger au rythme de la musique. Horse s'est marré, mais il s'est levé et m'a tendu les bras pour que je me redresse à mon tour. De toute évidence, il appréciait ma petite performance virevoltante à la lueur du feu. La soirée se passait à merveille, et, alors que j'envisageais une pause-pipi, j'ai entendu une détonation, et le sol à côté de moi a explosé comme un coup de tonnerre.

C'était un coup de feu.

Horse m'a projetée à terre, et nous avons roulé à couvert, alors qu'une deuxième détonation retentissait, visant cette fois les enceintes. La musique s'est brusquement arrêtée. Puis un troisième coup de feu a éclaté. Les mecs criaient, les filles hurlaient, et j'ai dessoûlé en moins de deux. Horse m'a poussée derrière un gros banc en pierre, avant de se lever, de se mettre à courir et de se jeter sur un type debout près du feu. Le flingue a sauté de la main du tireur, et un autre homme l'a attrapé, a retiré le chargeur et repositionné la glissière d'un clic sonore.

Observant discrètement la scène derrière mon banc, j'ai vu Horse mettre le tireur à terre en l'attrapant par sa chemise, avant de lui décocher un coup de poing violent dans la figure. J'ai entendu quelqu'un haleter et découvert une fille accroupie près de moi, qui couinait de peur. C'était Mam'zelle Double-Pénétration en personne, visage maculé de poussière et figé par le choc.

J'imagine que je devais faire la même tête.

J'ai tendu le bras pour lui prendre la main et j'ai senti qu'elle serrait la mienne un peu fort lorsque Horse a fait subir au tireur un tabassage en règle, ponctué de hurlements.

— Personne ne tire sur ma meuf, bordel ! criait-il.

Il lui a assené un dernier coup de poing dans le ventre, et le tireur s'est effondré. Horse était au-dessus de lui, haletant, furieux, et, comme très souvent ces derniers temps, cela m'a fait l'effet d'une douche froide.

Horse était capable de violence. D'une violence effroyable. Je ne savais même pas si le type allait s'en sortir. Intellectuellement, j'en avais conscience, car j'avais vu qu'il avait un flingue, mais là c'était différent. Je venais d'en être le témoin direct. C'était réel, viscéral et plus effrayant que tout. Sous le choc, la fille à côté de moi s'était mise à pleurer, et j'ai aussi senti des larmes couler sur mon visage. Le type était KO, mais Horse s'acharnait sur lui, et le coup de pied qu'il lui a balancé dans les testicules après l'avoir retourné sur le dos aurait pu défoncer une porte blindée. Le cri horrible que le type a poussé m'a transpercé le cœur.

Horse s'est redressé, à bout de souffle, et a regardé autour de lui d'un air de mépris. L'assistance était tétanisée.

— Cet enfoiré a failli buter ma meuf, a-t-il lancé à la foule. Je lui ferais bien la peau, mais j'ai autre chose à foutre. La prochaine fois, je ne me gênerai pas. C'est clair pour tout le monde?

Les hommes hochaient la tête et murmuraient leur assentiment. J'ai entendu quelqu'un vomir sur ma droite dans l'obscurité. J'ai serré la fille dans mes bras, et nous nous sommes réconfortées, oubliant toutes nos différences. Horse s'est éloigné du feu et est allé prendre le flingue déchargé auprès du type qui l'avait récupéré. Ensuite, il a remis le chargeur en position et l'a armé ostensiblement. Il s'est retourné en le pointant sur la tête du type au sol.

— On fait moins le malin à présent, pas vrai? a-t-il lancé hargneusement.

Le type bafouillait et gémissait, tout tremblant.

D'un geste vif, Horse a dévié le canon de la tête du mec et appuyé sur la détente. Un nuage de poussière a explosé autour de lui.

— Marie, ramène ton cul!

Je n'avais pas envie de bouger, mais j'avais encore moins envie de l'énerver davantage. J'ai donné rapidement un dernier câlin à la fille et je me suis levée, jambes tremblantes. Je me suis débarrassée de mes talons aiguilles encombrants et me suis précipitée vers Horse. Il a glissé le flingue dans la poche arrière de son jean, m'a pris la main et m'a ramenée à l'intérieur. Boonie nous a rattrapés, mais Horse a répondu à sa tentative de dialogue par un grognement. Darcy était derrière lui et nous lançait des regards furtifs.

Horse a ressorti le flingue lorsque nous sommes arrivés près de sa moto, a retiré le chargeur et repositionné la glissière, avant de mettre le tout dans une des sacoches. Nous avons enfourché la Harley et disparu dans la nuit.

Je n'ai pas senti le froid pendant tout le trajet de retour. Faut pas chercher à comprendre.

Nous sommes rentrés bien trop vite. Je n'étais pas préparée à affronter Horse et la scène à laquelle je venais d'assister. Ce type devait être dans un sale état. Je ne pouvais qu'espérer que quelqu'un l'ait conduit à l'hôpital, même si cela pouvait avoir des conséquences négatives pour nous. Les flics s'en mêleraient et s'en prendraient à Horse. Qu'est-ce que j'allais devenir dans ce cas ?

Tu serais libre, a murmuré une petite voix intérieure.

Nous nous sommes garés devant la maison, et il a coupé le moteur de la moto. Le silence s'est installé entre nous, et je n'avais aucune idée de ce que je pouvais dire ou faire. En même temps, ce n'était pas la première fois que je ressentais ça. Notre relation semblait reproduire le même scénario. Sexe exceptionnel. Flambée de violence. Guerre froide.

Pour une fois au moins, je n'étais pas responsable de son pétage de plombs.

Horse n'a pas desserré les mâchoires jusqu'à ce que nous arrivions à la porte. Lorsqu'elle s'est refermée derrière nous et qu'il a tiré le verrou, il s'est retourné vers moi, le regard brûlant d'une lueur sombre et terrifiante. J'étais tétanisée, un peu sans doute comme le chevreuil face au chasseur appuyant sur la détente. Il a secoué la tête et m'a enlacée.

— Je n'arrive pas à croire qu'il ait failli te tuer, bordel, a-t-il marmonné, me serrant tellement fort que c'en était douloureux.

Il m'a soulevée et entraînée jusqu'au canapé, où il m'a allongée sur lui. Je me suis effondrée contre son corps, submergée par un flot de larmes. De soulagement, peut-être, je ne savais plus. Horse m'a caressé le dos et m'a réconfortée d'une voix apaisante jusqu'à ce que je me calme. Je me suis alors rendu compte que ma jupe, remontée, révélait mes fesses dénudées. J'ai essayé de me libérer de son étreinte, mais il ne m'a pas laissée faire. Il a pris mon visage entre ses mains, m'obligeant à croiser son regard.

— Je suis désolé, bébé. Quel enfoiré, je n'y crois pas ! Boonie devrait avoir honte de laisser ce genre de trucs se produire chez lui. En plus, il n'était même pas membre du club. T'as failli te faire descendre par un putain de *hangaround*.

— Mais je suis toujours là, ai-je murmuré. Je vais bien, Horse. Vraiment. J'ai eu peur, mais ça va.

Il a secoué la tête.

— Et je t'ai fait peur, moi aussi. Je suis désolé, bébé. Mais je n'avais pas le choix. Je ne pouvais pas le laisser s'en tirer, tout comme ton frère. C'est le monde dans lequel je vis, et, parfois, c'est pas beau à voir. Je devrais m'en vouloir de te faire subir ça, mais je n'ai pas de remords. Je ne vais pas te laisser partir, Marie. Je te garde avec moi, que ça me conduise ou non en enfer. La seule chose qui compte, c'est que j'aie envie de toi.

Sur ce, il a attiré ma bouche contre la sienne et m'a embrassée sauvagement de sa langue impérieuse. Il s'est assis lentement, ramenant ses jambes devant lui pour me contraindre à le chevaucher. Mains sur mes hanches, il a projeté son bassin contre le mien et frotté son sexe contre mon clitoris à nu. Dans l'excitation, j'avais oublié que je ne portais pas de petite culotte. Ses doigts se sont glissés dans ma fente humide et l'ont explorée. Soudain, il m'a soulevée en même temps qu'il se levait à moitié pour faire glisser son jean. J'étais cramponnée à ses épaules. Il a libéré son érection et, d'une main, a humecté son gland contre ma vulve avant de l'ajuster.

— J'étais sérieux, a-t-il insisté, visage froid et fermé. Tu m'appartiens. Cette chatte est à moi, rien qu'à moi. C'est pigé ?

J'ai hoché la tête rapidement,

— Je veux que tu me le dises.

— Je suis à toi, ai-je murmuré, alors qu'il s'emparait fermement de mes hanches.

— Jusqu'au bout !

— Cette chatte est à toi, rien qu'à toi, Horse.

Regard rivé au mien, il m'a pénétrée d'un coup, et j'ai hurlé. Il m'avait déjà baisée plus tôt dans la soirée, mais, cette fois, il s'est enfoncé au plus profond de moi. J'ai hurlé encore plus lorsque son membre est venu cogner contre la paroi de mon vagin, qui s'est contracté violemment autour de lui. Et, quand il s'est mis à me faire coulisser sur son sexe et que j'ai explosé dans un cri, je ne sais pas si c'était de plaisir ou de douleur.

— Pose tes mains sur mes épaules et chevauche-moi, a-t-il grogné alors que je reprenais mes esprits.

Je me suis exécutée, reprenant le rythme alors qu'il m'empoignait les fesses à pleines mains. Sous ses coups de boutoir, mon clitoris percutait son bassin, et, presque immédiatement, une nouvelle vague de plaisir a déferlé sur moi. Sa main a écarté mes fesses, et j'ai senti son doigt me pénétrer l'anus en profondeur, de manière qu'il puisse ainsi contrôler mes va-et-vient, de plus en plus effrénés. Brusquement, il s'est mis à grogner et m'a stoppée net. Puis il m'a attrapée par les hanches, s'est levé pour se retourner et faire face au canapé. Il a retiré son sexe et m'a relâchée.

— Mets-toi à genoux dos à moi, a-t-il ordonné d'un ton glacial.

J'ai frissonné. Sur son visage, j'ai pu voir une intensité que je ne lui avais jamais connue jusqu'ici.

Lentement, je me suis soumise et me suis age-nouillée sur le canapé, bras tendus pour m'accrocher au dossier. De nouveau, il m'a pénétrée, allant et venant en moi lentement à plusieurs reprises, avant de se retirer et de venir presser son membre contre mon anus.

Je me suis tétanisée lorsque je l'ai senti tenter une percée, puis j'ai frémi sous les caresses distraites de sa main sous ma jupe, comme s'il voulait m'apaiser tout en tentant d'insérer lentement son gland entre mes fesses. J'avais mal. Très mal. Je tremblais. Je repensais à Jeff et je me disais qu'il fallait que je me laisse faire si je voulais le sauver. Jusqu'ici, j'avais toujours été consentante face aux assauts de Horse, sexuellement parlant en tout cas.

Mais là j'avais l'impression de me faire violer.

— Je t'en prie, non ! ai-je murmuré en désespoir de cause. Je ne pourrai pas le supporter. Je t'en prie !

Horse s'est immobilisé, et j'ai retenu mon souffle. J'ai senti son sexe tenter une nouvelle incursion, puis il a poussé un grognement, avant de se rendre et de le plonger dans mon vagin. Heureusement qu'il me tenait par les hanches, parce que, lorsqu'il a commencé à aller et venir en moi, j'ai cru que j'allais m'évanouir de bonheur. Ses doigts experts ont ensuite trouvé mon clitoris, brisant tous mes scrupules. Brûlante de désir retrouvé, souffle coupé, j'ai appuyé ma tête contre le dossier du canapé et me suis laissé emporter par cette déferlante de plaisir.

J'ai joui en poussant un cri éperdu, bientôt rejointe par Horse, dont la semence inondait déjà le plus profond de mon être. Nous sommes restés ainsi, emmêlés et pantelants. Ensuite, il s'est retiré et est venu s'asseoir à mes côtés sur le canapé. Il m'a pris le bras et m'a attirée sur ses genoux, face à lui, avant de me saisir le menton et de me gratifier d'un dernier baiser. Quand ses lèvres ont quitté les miennes, j'ai ouvert la bouche pour parler, mais je me suis rendu compte que je ne savais pas quoi dire. *Merci de ne pas m'avoir violée pour faire payer mon frère…* Heu… Ce n'était pas une bonne idée.

— On ferait mieux de dormir, a-t-il dit.

Il s'est allongé, m'a attirée sur lui, avant de tendre le bras et d'attraper une couverture sur le dossier du canapé. Puis sa main est venue glisser entre mes fesses et me caresser distraitement l'anus.

— Un jour…, a-t-il chuchoté doucement à mon oreille. Je ne veux pas te faire de mal, Marie. J'attendrai que tu sois prête… Mais un jour ou l'autre tu m'appartiendras entièrement, Marie. Tu es toute à moi, bébé. Je le sais depuis la première fois que je t'ai vue. Je ne pourrais plus me passer de toi, même si j'essayais.

J'ai fait semblant de ne pas l'entendre. Ce soir-là, il m'a fallu du temps pour trouver le sommeil. Beaucoup de temps.

Chapitre 15

Des coups sonores m'ont réveillée brusquement. Je ne savais plus où j'étais ni ce qui se passait. Horse a poussé un grognement, et je l'ai imité. J'avais un mal de tête infernal. Trop de bières…

Oh, merde! La soirée, le cul. Horse qui tabassait à mort ce type. Ça ne présageait rien de bon.

— Horse, l'ai-je hélé à voix basse.

De nouveaux coups. Quelqu'un frappait à la porte. Il a levé les paupières, et des yeux encore lourds de sommeil se sont posés sur moi. Il a souri, sa main a pressé mes fesses, et j'ai senti contre mon ventre la preuve de son désir.

— La ferme, bordel! a-t-il hurlé en direction de la porte.

J'ai sursauté. Il m'a fait rouler sur le côté pour se lever et s'est dirigé vers la porte, camouflant tant bien que mal son érection matinale à l'intérieur de son caleçon. Visiblement, il était résolu à mettre un terme à ce tapage.

— Horse! me suis-je écriée.

Il s'est retourné vers moi, visage interrogateur.

— C'est sûrement les flics. Ils sont venus t'arrêter. T'es sûr que tu veux ouvrir la porte ? Tu ferais peut-être mieux de sortir par-derrière pendant que je les retiens.

Mon inquiétude l'a fait sourire, et il a secoué la tête, perplexe.

— Marie, bébé, on n'est pas dans un film, s'est-il moqué. Ce qui s'est passé hier soir, c'est les affaires du club. Aucun flic n'en entendra jamais parler.

— Mais tu l'as presque tué, ce type ! ai-je répliqué, yeux écarquillés. En général, ça ne passe pas inaperçu, que ça regarde le club ou non.

— C'est pas un problème, a-t-il affirmé, en secouant la tête encore une fois. On gère ce genre de trucs nous-mêmes. Si je l'avais tabassé sans raison, ça provoquerait un sacré grabuge, t'imagines même pas. Mais un putain de *hangaround* qui tire sur la meuf d'un Reaper ? Complètement bourré et incontrôlable ? Il a de la chance que je me sois occupé de lui avant que Boonie s'en charge. Il a insulté les Silver Bastards autant que moi, putain. Et, d'après ce que j'en sais, Boonie a fini le boulot après mon départ. Maintenant, monte t'habiller. J'adore la façon que tu as de me regarder, mais ta chatte se voit, et je croyais t'avoir dit que je n'étais pas d'humeur à partager.

J'ai rougi, avant de sauter hors du lit. J'avais complètement zappé que je ne portais pas de petite culotte, ni même une jupe digne de ce nom. En montant l'escalier précipitamment, j'ai entendu Horse rire à pleine voix lorsqu'il a ouvert la porte, puis un bruit de bottes. J'ai enfilé un jean et un de mes nouveaux débardeurs Harley Davidson, qui était d'ailleurs assez mimi et beaucoup moins vulgaire que je ne l'avais cru. Ensuite, je me suis brossé les dents et débarbouillé le visage vite fait. J'aurais eu besoin d'une bonne douche, mais je ne voulais rien rater de ce qui se passait en bas. Du coup, je me suis attaché les cheveux à la va-vite et je suis redescendue.

Comme le salon était vide, j'ai suivi les voix que j'entendais et qui venaient de la cuisine. Horse était en train de servir un café qu'il venait de préparer à Max et à Picnic. Tous trois m'ont regardée lorsque je suis entrée. Alors que Picnic me gratifiait d'un large sourire, Max me dévisageait avec intensité comme si j'étais une énigme qu'il ne parvenait pas à résoudre. Je les ai salués d'un signe de tête, mal à l'aise mais déterminée à en apprendre plus sur la situation.

— Paraît que c'était la fête hier soir ? a lancé Picnic, en s'appuyant contre le comptoir.

Dans son tee-shirt gris, ses bottes en cuir noir et son gilet en cuir, il affichait sa nonchalance habituelle, mais son apparence m'a frappée. Le large sourire qu'il arborait n'arrangeait rien. J'avais du mal à réconcilier l'homme qui sirotait tranquillement un café devant moi avec celui qui pointait un flingue sur la nuque de mon frère deux jours plus tôt.

— Horse nous racontait que tu t'inquiétais qu'il ait des ennuis, a fait remarquer Picnic, petit sourire en coin. T'as cru que c'étaient les flics qui débarquaient. (J'ai hoché la tête, ne sachant pas quoi dire.) T'inquiète, ma chérie. Horse a fait ce qu'il fallait. Boonie nous a déjà appelés pour tout nous raconter, a expliqué le président avant de faire une petite grimace. Bon sang, Horse, c'est de la pisse d'âne ce café ! Donc, Marie, si ça peut te rassurer, Boonie s'en veut à mort de ce qui s'est passé, d'autant qu'il sait que Darcy va lui en mettre plein la gueule pendant un bout de temps. Apparemment, elle t'a à la bonne, et tu peux l'appeler quand tu veux. C'te garce m'a appelé à 7 heures ce matin pour me faire passer le message.

Il a secoué la tête, l'air contrarié. Manifestement, il ne fallait pas le déranger pendant son sommeil.

— Ne laisse pas Boonie apprendre que tu traites sa meuf de garce, a ironisé Horse. Fais gaffe, il est à ses pieds, ça pourrait le contrarier. Tu te rappelles la dernière fois ?

Les mecs se sont marrés, et je me sentais complètement larguée.

— Je n'ai pas son numéro, ai-je dit, résolue à me concentrer sur les détails, pour oublier que nous étions en train de papoter tranquillement d'un type que Horse avait pratiquement tué à mains nues pas plus tard qu'hier soir.

— Il est dans ton nouveau téléphone, a répliqué Picnic.

Il a attrapé une grande enveloppe à bulles sur le comptoir et me l'a lancée. Je l'ai récupérée tant bien que mal et j'ai découvert à l'intérieur mes clés de voiture, un téléphone portable et un journal ouvert à une page où certains passages étaient surlignés. C'est ce que j'ai pris en premier. En quatre petites phrases, l'article racontait l'incendie qui avait ravagé notre mobil-home. Jeff Jensen, le locataire, avait été retrouvé indemne à l'extérieur en état d'ébriété avancé. Aucune cause officielle n'était avancée, mais l'incendie aurait été causé par une pipe laissée allumée sur la moquette.

J'avais les mains tremblantes lorsque j'ai remis l'article dans l'enveloppe.

— Désolé, poupée, s'est excusé Picnic, apparemment sincère. Mais il fallait qu'on se débarrasse des preuves. C'est aussi un message envoyé aux autres clubs. C'était soit ton frère, soit le mobil-home.

Je n'ai pas contesté : j'avais moi-même suggéré d'y mettre le feu. Ce qui comptait, c'était la vie de Jeff. Le mobil-home, c'était juste une maison, et ce n'était pas un palace.

— Je voudrais rendre visite à ma mère, ai-je déclaré à Horse. J'ai le droit ? Elle va s'inquiéter à mort, elle n'a aucun moyen de me joindre.

— Tu peux lui écrire. Pour lui donner ton nouveau numéro. Si tu veux, elle pourra nous appeler en PCV.

J'ai sorti le téléphone. Rien de sophistiqué mais pas trop nul non plus. Je l'ai allumé et j'ai cliqué sur l'icone des contacts. Il y avait déjà plusieurs numéros enregistrés. Horse, Picnic, Darcy et un truc inconnu : « Arsenal ».

— Et mon ancien téléphone ? ai-je demandé. Pourquoi il m'en faut un nouveau ?

— Tu devais avoir un nouveau numéro pour te protéger, a expliqué Picnic. On n'est pas les seuls à en vouloir à ton frère. Les langues se sont pas mal déliées récemment. C'est plus sûr, vaut mieux que tu te fasses oublier pendant un temps. Horse t'en dira plus une fois qu'on l'aura briefé.

— Je peux appeler qui je veux ?

— Ça dépend si tu veux que celui que tu appelles se fasse descendre ou pas, a répliqué le chef du club en haussant les épaules. Je te conseille d'appeler d'abord ton frère. Ça sera très formateur pour vous deux.

J'ai éteint le portable et je l'ai glissé rapidement dans ma poche.

— Ta voiture est dehors, a ajouté Picnic, comme si de rien n'était. Painter l'a ramenée l'autre jour. Une vraie merde ! Elle est tombée en panne deux fois. J'ai demandé à des types du magasin de venir la réparer.

J'ai sorti les clés, immédiatement soulagée. À présent, je pouvais partir quand je le voulais. Cette idée me plaisait beaucoup.

— Merci.

— Pas de problème, a-t-il répondu en haussant les épaules une nouvelle fois. Ne fais pas de connerie, Marie. Tu vois ce que je veux dire ?

— OK.

— J'ai le matos que tu voulais dans la grange, a annoncé Horse à Picnic, en me regardant d'un air songeur. On en parle après. J'en ai pour une minute.

Ils sont sortis tous les trois sans ajouter un mot. J'ai serré les clés dans ma main et passé la main sur la bosse que faisait le téléphone dans la poche de mon pantalon. J'avais retrouvé ma voiture, je possédais un téléphone et un peu d'argent à la banque. Je pouvais même appeler Jeff, ou juste lui envoyer un texto pour m'assurer qu'il allait bien.

Je pouvais aussi disparaître à jamais.

Au lieu de ça, j'ai préparé le petit déjeuner, et, alors que je finissais juste, Horse est rentré, suivi par Ari, qui bavait déjà devant la nourriture sur le comptoir.

— Super timing, ai-je lancé. C'est prêt. Tu as faim ?

— Et comment ! s'est-il exclamé, sans pourtant s'asseoir à table.

Il s'est approché de moi et m'a prise par le cou, avant de me gratifier d'un long baiser langoureux qui sentait le café et le sexe. Il lui suffisait de poser les mains sur moi pour que je me liquéfie sur place. C'était injuste. Je l'ai enlacé, et il m'a soulevée pour me poser sur le comptoir. J'ai écarté les jambes, et il s'est lové contre moi.

Malheureusement, il a mis fin à notre baiser, s'est écarté de moi pour prendre mon visage entre ses mains et m'observer attentivement.

— Ça va aller ? a-t-il demandé.

J'ai hoché la tête. Il a fermé les yeux, secoué la tête, puis rouvert les yeux.

— Ça craint, ce qui s'est passé hier soir. Je t'ai fait flipper à mort. Et, en plus, j'ai une mauvaise nouvelle, a-t-il déclaré.

J'ai retenu mon souffle. Question mauvaises nouvelles, je crois que j'avais ma dose.

— Ton frère est encore plus débile qu'on le croyait. Il s'est foutu dans la merde avec d'autres mecs, on l'a appris ce matin. Je te déconseille vraiment de l'appeler, ça pourrait envenimer les choses. S'il a un peu de jugeote, il se sera déjà débarrassé de son téléphone et fait oublier, mais, en ce moment, je suis pas sûr que ses neurones fonctionnent très bien.

J'ai ouvert la bouche pour protester, dire quelque chose. Horse a pressé son doigt sur mes lèvres, m'intimant le silence.

— C'est pas gagné, bébé. Je suis sérieux quand je te dis que c'est pas une bonne idée d'essayer d'entrer en contact avec lui. Les mecs qui le cherchent ne vont pas être aussi sympas que nous quand ils vont lui tomber dessus. Et, avec nous, il a déjà grillé sa dernière chance. C'est tout le cartel qui est à ses trousses. Si tu veux qu'il reste en vie, n'essaie pas de l'appeler.

— Il est vraiment dans la merde ? Avec un cartel de la drogue ?

Il a hoché la tête, très sérieux.

— La merde totale. Avec un des pires cartels de la drogue. Qui va lui faire la peau vite fait bien fait. À côté, on est des anges. Il cherche vraiment la merde, ce débile, je ne comprends plus. (Il a secoué la tête lentement.) Ces mecs, ils ne font pas partie des gentils. Tu n'es pas en sécurité si tu t'approches de lui et tu ne l'es pas non plus s'ils pensent pouvoir se servir de toi pour l'atteindre. Si tu utilises ce téléphone pour l'appeler, ils dépisteront ton appel… Pour faire court, avec eux, il n'a aucune chance de s'en tirer.

— Si je ne peux pas appeler Jeff, pourquoi tu me l'as filé ?

— Que tu le croies au non, te retenir en otage et te couper du monde, à long terme ça ne tient pas, a-t-il répliqué, en caressant une mèche derrière mon oreille. Ça peut fonctionner un temps, mais, tôt ou tard, ça m'explosera à la gueule. Je sais que c'est difficile à croire parce que je suis un vrai salaud, mais je ne veux pas que tu sois malheureuse. En évitant qu'il se fasse repérer, tu le protèges. En te révélant à quel point il est dans la merde, je te protège. Et, je te préviens, s'il t'attire le moindre ennui, il est mort. On l'enterrera dans la montagne, et je peux t'assurer qu'on n'est pas près de retrouver son corps, tu peux me faire confiance. C'est compris ?

— Est-ce que j'ai mon mot à dire dans cette histoire ?

— Non.

— Tout ce que tu attends de moi, c'est que j'obéisse ?

— T'as tout compris.

J'aurais bien aimé plaider ma cause, mais je n'ai pu trouver aucun argument. Ça ne me plaisait pas que ce soit lui qui commande, mais c'était justement la nature de notre arrangement. Je ne savais pas si je devais le croire à propos de Jeff. Il mentait peut-être pour m'empêcher de parler à mon frère. Et ça craignait. Cela dit, s'il disait la vérité, je risquais la mort de mon frère en tentant de l'appeler.

— Je ne contacterai pas Jeff, ai-je promis. Mais, à un moment donné, il faudra bien que je voie ma mère. C'est important.

— Écris-lui une lettre, je me débrouillerai pour qu'elle la reçoive. Mais pas un mot sur ton frère surtout. Tu me suis ?

— Ouais.

Il a posé les yeux sur ma bouche comme s'il allait m'embrasser, mais j'ai détourné la tête.

— Le petit déjeuner est prêt, ai-je dit, en le repoussant.

Il a reculé d'un pas, et j'ai sauté du comptoir pour attraper des assiettes. Nous avons mangé ensemble sans un mot. J'étais trop occupée à essayer de comprendre la situation. Au moins, quand Picnic avait pointé son flingue sur Jeff, les choses étaient plus simples.

Je n'avais eu qu'à suivre Horse pour sauver mon frère.

Maintenant, Jeff était dans une merde encore pire, si Horse me disait bien la vérité, évidemment. J'étais sa garantie, sauf que par moments il me traitait en otage et qu'à d'autres il me procurait des orgasmes incroyables. Bien que nous ayons chacun notre chambre, on dormait tous les deux dans celle du bas. Oh, et il avait failli buter un type qui avait lui-même manqué de me tuer en me tirant dessus, après qu'on avait baisé en public, il faut bien le dire, au cours d'une soirée ! Et j'avais pris mon pied.

À part ça, tout était normal.

— Tu n'as rien contre le fait que j'aille me balader seule en ville cet après-midi ? ai-je demandé.

Je suivais du doigt les contours des motifs du bois sur la surface du comptoir. Autant tester tout de suite les limites de l'arrangement qu'il me proposait, histoire de voir si je pouvais prendre les quelques libertés qu'il prétendait vouloir m'accorder. Et si je pouvais réellement me barrer.

— Ça dépend pourquoi, j'imagine, a-t-il répondu lentement. Je dois passer à l'arsenal ce matin, je peux te déposer si tu veux.

— Je préférerais y aller seule, ai-je répliqué en lui jetant un bref regard.

Il s'est adossé contre son siège, l'air détendu et pensif. Un long silence s'est installé entre nous. C'était insupportable, tout ce calme, cette attitude étrange.

— Je veux commencer à chercher du boulot sans tarder, ai-je expliqué.

— Pourquoi tu veux un boulot ?

— Pour gagner de l'argent, qu'est-ce que tu crois ! (Il avait les yeux rivés sur moi.) Tu sais, ces trucs verts qu'on échange contre des biens et des services.

— Avec toute cette merde qui te tombe dessus, tout ce qui compte pour toi, c'est de trouver un boulot ? s'est-il exclamé, sourcils haussés.

— Tu préfères que je traîne toute la journée à penser à toute cette merde qui me tombe dessus ?

Pour l'heure, tout ce dont j'avais besoin, c'était de normalité, de contrôle. J'avais besoin de me retrouver seule pour réfléchir, hors de la présence de Horse, de son odeur enivrante et de son univers en général.

— Si t'as besoin de thunes, dis-le-moi, et je t'en filerai. Il faut juste que tu trouves un truc à faire pour t'occuper, le ménage, la cuisine. T'as pas besoin de boulot.

— C'est par rapport à mon frère que tu dis ça ou c'est juste parce que tu ne veux pas que je bosse? ai-je lancé à toute vitesse. (Je ne lui ai pas laissé le temps de m'interrompre pour enfoncer le clou.) C'est pas toi qui me disais que j'avais le choix? Faudrait que tu penses à redéfinir les règles de ce petit arrangement. J'ai droit à un portable et à ma voiture, mais pas à un boulot? Et ça va durer combien de temps cette histoire? Comment je vais vivre, moi, quand tout ça sera terminé? Non seulement j'avance dans le brouillard, mais, en plus, je peux même pas appeler Jeff, et ma mère ne sait même pas où je…

Horse s'est levé, s'est approché du comptoir en bois et m'a attirée contre lui. Il m'a embrassée avec violence pour me faire taire. Une assiette est tombée et s'est fracassée sur le sol sans qu'il interrompe son assaut. Il en a profité pour se rasseoir et me prendre sur ses genoux en prenant soin de glisser mes jambes de chaque côté de ses hanches. Il m'embrassait et me caressait le dos de haut en bas dans l'espoir de m'apaiser. Il a fini par s'arrêter, et je l'ai regardé droit dans les yeux, complètement vidée.

— Tu te fais du mal, a-t-il déclaré.

— Comment ça?

— Péter un câble pour quelque chose que tu ne peux pas contrôler, ça ne sert à rien.

— Tu veux dire que je suis censée glander en attendant que mon frère se fasse buter par ces gros méchants ? Sauf si, bien sûr, vous vous occupez de lui avant. C'est bien ça ?

— Non, a-t-il répliqué d'un ton grave. Tu es censée faire attention à toi et ne pas prendre de risques si tu veux être en vie pour faire la fête avec ton frangin s'il réussit à s'en tirer. En attendant, tu peux t'occuper en prenant soin de moi. Tu me fais à manger, tu t'occupes de la maison, et tout le reste. Je te protégerai et peut-être qu'on parviendra à s'en tirer sans que toute cette merde nous explose à la gueule. OK ?

— La cuisine et le ménage. T'es vraiment sérieux ?

Il a soupiré et secoué la tête en même temps.

— J'en ai rien à foutre, moi, de ce que fabriquent les nanas toute la sainte journée, a-t-il dit, en haussant les épaules. Débrouille-toi. Si ça te plaît pas, t'as qu'à choisir autre chose. Par exemple, tu pourrais commencer par une petite visite à la clinique, histoire de te faire prescrire la pilule et tous les tests. Les règles sont simples. Tu n'appelles pas ton frère, tu ne me fais pas faux bond et tu portes un débardeur comme celui-ci, parce que j'adore comment il moule tes seins.

Il s'est penché et m'a embrassée dans le creux du cou, avant de faire glisser son nez le long du débardeur et de l'enfouir dans mon décolleté. À son contact, je devenais une vraie guimauve. Je détestais sa manière de détourner mon attention, mais mon corps était insatiable. Et ça lui disait bien d'enfourcher une moto. Il avait raison, il fallait que je me dégotte un contraceptif au plus vite, sans parler du test de dépistage des IST. *Merci bien, Gary.* Si j'avais chopé un truc, c'était pas de bol pour Horse, parce que, question échanges de fluides corporels, on n'avait pas arrêté ces deux derniers jours.

— Tu sais, Horse, la plupart des femmes travaillent toute la journée, ai-je murmuré.

Sa main empoignait déjà mon derrière pour rapprocher mon bassin de l'érection toujours aussi massive qu'il semblait entretenir sous son jean. Cet homme dépassait les limites de l'humain.

— Elles bossent ou elles s'occupent de leurs enfants, ce qui est un boulot à part entière, ai-je poursuivi. Je vais devenir dingue si je reste ici toute seule. En plus, à un moment ou à un autre, tu vas bien retourner bosser, non ?

— Aujourd'hui, a-t-il murmuré, en libérant habilement ma poitrine.

Son souffle chaud sur mon téton m'a fait tressaillir. Il fallait que j'essaie de rester lucide.

— Quoi ?

— Je dois retourner bosser aujourd'hui, a-t-il dit juste avant de recouvrir mon téton de sa bouche.

Nom de Dieu, c'était trop bon ! La succion de sa langue m'enflammait, tous mes muscles intimes se contractaient. Mes hanches se sont mises à onduler contre les siennes, et j'aurais voulu voir disparaître l'étoffe qui nous séparait. Je voulais oublier tout ce qui se passait, m'abandonner au plaisir. Le monde a basculé lorsque Horse m'a soulevée de terre et amenée dans le salon, où je me suis retrouvée sur le canapé, en train d'essayer d'enlever mon pantalon. Une seconde plus tard, il libérait son membre, saisissait mes hanches, le plaçait devant mon sexe et l'y enfonçait direct sans un mot.

Oh, je n'attendais que ça! Même si j'avais encore mal après ses dernières incursions.

Il était allongé sur moi, en appui sur ses bras, de chaque côté de mon corps. Il allait et venait en moi lentement et longuement, ferme et déterminé. Mes jambes se sont enroulées autour de sa taille, et je me suis dit que j'étais complètement tarée. Avec tout ce qui se passait, il suffisait qu'il m'effleure pour que je me noie en lui à perdre haleine. C'était très différent des autres fois. Sans hâte, ni violence ou urgence, mais implacable. Chaque fois qu'il butait au plus profond de moi, chaque fois qu'il étirait les parois de mon intimité, en faisant glisser son membre le long de mon clitoris, je devais me mordre les lèvres pour m'empêcher de hurler. Je voulais qu'il aille plus vite, qu'il me prenne sauvagement pour donner à mon corps l'apaisement qu'il réclamait. Qu'il détruise toutes mes frustrations.

J'ai posé ma main sur son sexe, le suppliant d'accélérer. Il m'a ignorée, tout en continuant à son rythme, et m'a gratifiée d'un rictus moqueur lorsque je l'ai fusillé du regard.

— Tu m'en veux encore à cause de hier soir, bébé ? C'est le moment d'en discuter, je suis d'assez bonne humeur, je n'aurai pas envie de te contredire.

— T'es un grand malade, ai-je marmonné, en me cambrant vers lui.

Oh, j'allais exploser ! Et lui aussi d'ailleurs. Il était tellement dur qu'un peu plus et mes veines éclateraient. L'enfoiré, il me torturait. Il a pris un malin plaisir à ralentir encore le rythme.

— C'est bien possible, a-t-il répondu, en me décochant un sourire jusqu'aux oreilles. Mais je suis l'enfoiré qui est en train de te baiser, et ton seul espoir sans doute de jouir, alors arrête de me fusiller du regard.

— Connard !

— Accro au sexe !

— Je t'interdis de m'appeler comme ça !

— Je parlais de moi, a-t-il répliqué en donnant un coup de reins et en s'immobilisant brutalement.

Il m'a saisi les mains l'une après l'autre et les a bloquées de chaque côté de ma tête. Je me tortillais dans tous les sens.

— Vas-y, bon Dieu ! l'ai-je supplié.

Sa bouche s'est posée sur la mienne et m'a donné un long et langoureux baiser. J'essayais en vain d'enfoncer ma langue dans sa bouche, en gigotant contre lui. Je n'en pouvais plus. Il s'est arrêté, sourire délibérément moqueur sur les lèvres.

— Où tu veux que j'aille ?

— Ben, tu sais, quoi, ai-je répondu d'un ton grinçant.

— Je suis perdu. Il va falloir que tu m'expliques si tu ne veux pas que je laisse tomber et que je me tire.

J'ai répondu en contractant tous mes muscles autour de son membre, au comble de l'exultation lorsque je l'ai senti se raidir et pousser un grognement. J'ai relâché la pression un instant, avant de reprendre mon étreinte à un rythme lent et régulier. Moi aussi, je pouvais jouer à ce petit jeu.

— Bordel, Marie! a-t-il gémi.

Puis il a pris appui sur ses mains pour se soulever et m'accorder la cadence que je réclamais. J'avais du mal à bouger, mais ça n'avait plus d'importance, les jeux étaient faits. Il m'assenait maintenant de grands coups de boutoir, de plus en plus puissants. J'ai senti mes muscles se tendre en même temps que je me suis cambrée. *Bon sang!* J'étais tout près, vraiment tout près. Cette fois, il m'a immobilisé les mains derrière la tête tout en continuant à aller et venir. J'étais au bord d'un abîme de plaisir, dans lequel je me suis jetée en hurlant.

Je ne sais pas si Horse a joui longtemps après moi, parce que je planais à des kilomètres du sol. Il s'est effondré sur moi, en ayant la délicatesse de ne pas m'écraser. Nous avons pris le temps de reprendre notre souffle. Puis il s'est tourné sur le côté, en appui sur un coude, et m'a attirée face à lui.

Jamais je n'aurais pu prévoir ce qu'il m'a dit ensuite, même si j'avais eu un siècle pour le faire.

— Pourquoi tu n'irais pas récupérer un dossier d'inscription à la fac ?

Je suis redescendue net de mon nuage post-coïtal.

— Et pourquoi je ferais ça ?

— Puisque t'es là et que t'en as encore pour un bout de temps, il va bien falloir que tu t'occupes. Tu m'as dit que tu voulais reprendre des cours, c'est l'occasion, non ?

— Ce n'est pas aussi simple, ai-je dit en secouant la tête.

Le monde de Horse et le mien étaient à l'opposé. Je perdais mon temps à discuter de ça, surtout à cet instant.

— C'est impossible, je ne peux pas, ai-je poursuivi.

— Pourquoi ?

— D'abord, je n'ai pas les moyens, ai-je rétorqué. Je ne suis même pas sûre d'avoir 1 000 dollars sur mon compte. Puis il faut passer des tests, s'inscrire et être accepté. Et ce n'est qu'un début… Je ne sais pas, mais, à mon avis, c'est le parcours du combattant. Je n'ai pas le temps de m'occuper de tout ça, je te rappelle que mon frère est en danger…

À court d'arguments, je lui ai lancé un regard noir. Il n'arrêtait pas de changer d'avis sur moi, et je n'arrivais plus à le suivre.

— Tu ne peux rien faire pour Jeff, a-t-il affirmé. Mais le reste ? Tu te démerdes pour faire ce qu'il faut

293

et tu t'inscris. Tu vas les voir, tu te renseignes. Tu récupères un dossier et tu le remplis. C'est sûr que se tourner les pouces en détaillant toutes les raisons qui vous empêchent d'avancer, c'est beaucoup plus efficace !

— Il va falloir que je te le répète combien de fois ? Je n'ai pas de thunes.

— Il va falloir que je te le répète combien de fois ? Je peux te prêter de la thune.

— Horse, c'est complètement dingue.

Il a soupiré et secoué la tête.

— Tu es là, Marie, et je sais que tu tiens à ton indépendance. Mais, et ne le prends pas mal, tu n'as pas les diplômes pour gagner assez. Ce qui veut dire que tu vas te retrouver à bosser pour trois fois rien. Je ne remets pas en cause ton intelligence et ton courage, je sais bien que tu pourrais faire tout ce que tu veux à condition qu'on te donne une occasion. Et cette occasion, y a qu'un diplôme qui puisse te l'apporter, alors autant que tu t'y mettes tout de suite.

Tout en parlant, il me caressait de haut en bas, traçant les contours de mes courbes et m'attirant tout contre lui. J'ai secoué la tête, ce n'était pas raisonnable. Jeff risquait de se faire tuer, je venais de prendre mon pied sur le canapé avec son assassin potentiel et, maintenant, j'étais censée m'inscrire à la fac !

Comme si de rien n'était.

— T'es sérieux ? Tu veux que je retourne à l'école ?

— Ben ouais ! Pourquoi pas ? a-t-il répondu avec un ton de défi dans la voix. Tant que tu veilles à mon confort, ça me va. Tu pourrais aussi en profiter pour faire avancer cette histoire de divorce pendant que tu y es. On a un avocat, je t'arrangerai un rendez-vous. Je peux te garantir que ton ex ne va pas chercher d'histoires.

Il a souri d'un air tout sauf gentil.

— OK, je vais m'en occuper, ai-je dit lentement. Mais t'avoueras que c'est étrange, tu ne trouves pas ? Tu me kidnappes, tu me retiens en otage et, maintenant, tu veux que je suive des cours. Normalement, ça ne se passe pas comme ça, ce genre d'histoire.

Horse m'a gratifiée d'un grand sourire, regard ensommeillé et satisfait.

— Faudra faire avec. En tout cas, le truc que tu me fais quand tu me serres, faut que tu continues à pratiquer. Tu sais si la fac propose ça en option ?

— Tu es un vrai porc. T'es au courant, rassure-moi ?

— Jusqu'ici, ça m'a plutôt réussi d'être un porc, bébé. Il est temps que j'y aille. Renseigne-toi pour les cours, passe à la clinique et récupère des pilules, et surtout n'appelle pas ton frère. Aussi, t'as intérêt à me préparer un festin ce soir. Pas besoin de porter de petite culotte. Tu vois, je ne suis pas si exigeant, finalement.

Sur ce, il s'est levé du canapé. Je l'ai observé, complètement déroutée, pendant qu'il remontait son pantalon. Il est sorti, et j'ai entendu sa moto rugir. J'étais seule.

Ce dîner sans culotte, ça ne me disait rien qui vaille.

Ma virée à Cœur d'Alene s'est super bien passée. Je ne connaissais pas très bien la ville, mais je n'ai pas eu de mal à trouver le centre, juste à côté de l'immense lac qui lui avait donné son nom. Ce n'était pas compliqué, du genre : « Si ta voiture est dans le lac, c'est que tu es allé trop loin. »

Je me suis arrêtée pour avaler un café et un bagel dans un petit bar au bas de Sherman Avenue, la rue principale. La serveuse m'a aidée à trouver le campus, situé, comme par miracle, à quelques rues de là, au bord du lac également. Je me suis retrouvée sur une large promenade aménagée, qui longeait une plage d'un côté et un très joli parc de l'autre. Partout où je regardais, je voyais des enfants courir et s'amuser, et des groupes d'ados qui se la jouaient cool et se baladaient en maillot de bain plus que mini. Non loin de la berge, un hydravion a décollé. Plus loin, quelqu'un faisait du parachute ascensionnel.

Le chemin débouchait sur un quartier résidentiel, et j'ai aperçu les bâtiments de l'école. Je n'ai eu aucun mal à trouver le bureau des inscriptions, où j'ai discuté avec une dame pendant près d'une heure avant de ressortir avec une pile de brochures.

Sur le trajet du retour, j'ai aperçu une banque et j'ai pu consulter mon compte à un distributeur. En tout et pour tout : 1 146,24 dollars. Ça m'a fait du bien. Du coup, j'ai retiré 200 dollars au cas où. Horse avait dit qu'il me prêterait de l'argent, mais je n'avais pas abandonné l'idée de subvenir à mes propres besoins. Je n'avais rien contre le fait de jouer au couple marié pendant un temps, mais je n'étais pas assez conne pour lui faire confiance. Je ne savais même pas comment définir notre relation et je ne pouvais pas me permettre de me faire la moindre illusion sur ma situation. J'étais toujours une femme mariée, retenue comme garantie par un club de bikers pour rembourser les dettes de son frère.

À un moment ou un autre, je serais peut-être obligée de quitter cette ville en urgence.

J'ai terminé ma virée par une petite visite médicale à la clinique gynécologique, où on m'a filé une ordonnance, en me rappelant que j'étais en début de cycle et que je ne risquais donc pas d'être enceinte. C'était pas mal pour une seule journée. J'ai décidé de rentrer à la maison pour m'occuper du dîner. Horse ne m'avait pas dit à quelle heure il comptait rentrer, mais je n'avais pas envie de l'appeler pour vérifier. On aurait trop ressemblé à un gentil petit couple. Et ce petit jeu devenait flippant.

Quand je suis arrivée, j'ai remarqué deux voitures inhabituelles dans l'allée, une décapotable rouge et une vieille Mustang, magnifiquement restaurée. J'ai garé ma petite voiture à côté, en me demandant ce qui allait encore me tomber dessus. Aucun signe de la moto de Horse, et il ne m'avait pas prévenue que nous aurions de la visite. Lorsque j'ai poussé la porte, j'ai découvert quatre femmes inconnues assises dans le salon, en train de rire et de boire de la bière. Toutes avaient cette assurance particulière qu'ont les copines de bikers, qui assument de montrer leur corps sans se la jouer chaudasses. Elles ont souri et se sont approchées de moi. Heureusement, Darcy a surgi du fond de la pièce avec un plateau sur lequel se trouvait un plat de chips accompagnés de différentes sauces.

— Marie, je suis contente de te voir revenir, on commençait à trouver le temps long! a-t-elle lancé, en posant le plateau sur la table et en me prenant dans ses bras.

J'étais un peu dépassée, mais ça me faisait du bien. Quand elle a relâché son étreinte, elle s'est tournée vers les autres, qui s'étaient rassemblées autour de nous.

— Les filles, je vous présente Marie, a-t-elle dit, en passant un bras autour de mes épaules. Elle est la propriété de Horse désormais, comme je vous l'ai déjà dit. Marie, je te présente Cookie, Maggs, Dancer et Em.

J'ai répondu par un sourire un peu hésitant lorsqu'elles se sont précipitées sur moi pour me serrer dans leurs bras et m'embrasser sur la joue chacune à leur tour. Em, la plus jeune, devait avoir à peine vingt ans, alors que Darcy et Maggs, les plus âgées, avaient au moins quarante ans.

— Viens par là, m'a invitée Cookie.

Elle m'a prise par le bras et m'a amenée vers le canapé, pendant que Dancer suspendait mon sac à un portemanteau près de la porte. Maggs m'a tendu une bière, et elles se sont posées comme une nuée d'oiseaux, regard fixé sur moi. Je ne me sentais pas très à l'aise… Je ne me souvenais même pas de leurs noms et ne savais pas trop quoi dire.

— Je suis Dancer, a annoncé la grande femme aux cheveux noirs et à la peau brune.

Les traits de son visage étaient anguleux, et elle portait ses longs cheveux détachés. On aurait dit une Amérindienne, et je me suis demandé si elle appartenait à la tribu Cœur d'Alene. J'avais aperçu pas mal de plaques racontant l'histoire de la ville, pour la plupart sponsorisées par le casino appartenant à cette même tribu autochtone.

— Je suis la régulière de Bam Bam.

Ça m'a surprise. Horse avait le teint trop pâle pour être le frère de cette femme, mais il m'avait dit que sa sœur était mariée avec Bam Bam.

— Tu es la sœur de Horse ? me suis-je exclamée, avant de rougir devant ce qui pouvait être pris pour un manque de politesse.

— Demi-sœur, a-t-elle précisé. Je suis une Cœur d'Alene, et pas lui, mais ce n'est pas un problème. Bam Bam et moi, on est mariés depuis une éternité et on a trois magnifiques bébés pour le prouver. Je suis vraiment très heureuse de faire ta connaissance, ma chérie.

J'ai esquissé un sourire.

— Je ne sais pas ce qu'on t'a dit sur moi, ai-je commencé à dire.

Il fallait sans doute que je clarifie les choses assez vite pour donner bonne impression.

— On est toutes au courant, m'a rassurée Maggs.

C'était une jeune femme toute menue aux cheveux blonds en bataille, aux yeux pétillants et au grand sourire. Elle me faisait penser à Goldie Hawn.

— J'espère que ça ne te dérange pas, mais Darcy nous a tout raconté. Enfin, dans les limites permises par les affaires du club. On n'a pas tous les détails, mais elle nous a raconté ce que tu lui avais dit.

J'ai froncé les sourcils. Je n'avais pas demandé à Darcy de garder le secret, mais je ne m'attendais pas à ce qu'elle ait rendu publique toute mon histoire. Maggs a pris ma main entre les siennes et l'a caressée d'un air visiblement préoccupé.

— Oh, ne t'en fais pas, ma chérie ! s'est-elle empressée d'ajouter. On est une famille, ici. Si tu es avec Horse, tu es avec nous, tu peux me faire confiance. Les mecs s'attirent pas mal d'ennuis, ils ont besoin de nous pour les maintenir dans le droit chemin. C'est un effort collectif.

Les autres ont murmuré leur assentiment.

— Les régulières doivent être soudées, a poursuivi Darcy. Quand les choses tournent mal, c'est ce qui nous fait tenir. Tu fais partie de cette famille désormais, et nous sommes là pour te souhaiter la bienvenue.

— Je ne suis pas la régulière de Horse, ai-je démenti. Je ne sais pas ce que je suis, d'ailleurs. Ça fait seulement quelques jours qu'on est ensemble.

— Bam m'a dit que Horse était fou de toi, a lâché Dancer. (Sa remarque m'a interpellée.) Je ne l'ai jamais vu dans cet état. Je ne sais pas si tu as remarqué, Marie, mais il n'a pas besoin de faire des kilomètres pour tirer un coup, les nanas sont folles de lui. Et cette histoire de garantie, c'est de la connerie. Le club ne fonctionne pas comme ça, c'est une situation particulière. Avant toi, il n'avait jamais ramené quelqu'un chez lui, jamais.

— Vraiment ? ai-je demandé, toujours pas convaincue.

— Jamais. Il en fait un point d'honneur. «Pas de poufiasse chez moi.» Ça me rend dingue, il est tellement sexiste, ce crétin. Et c'est comme ça depuis le lycée.

— Waouh !

— C'est le mot juste, est intervenue Em, une fille svelte au sourire timide. Jamais je n'aurais cru que Horse se mettrait un jour en couple. On est super contentes que tu sois là. Au fait, je suis la fille de Picnic.

— J'ai vu des photos de toi ! me suis-je exclamée en la reconnaissant. (Les traits de son visage rappelaient ceux de Picnic, mais en plus doux, plus féminins.) Il me les a montrées un jour où il était à la maison. Il est super fier de toi.

— Merci, a-t-elle répondu, rougissante. C'est cool que tu sois là. Dancer a raison. Le club, c'est une famille, mais, parfois, on aimerait avoir plus de sœurs. On a hâte de faire ta connaissance.

— Je ne te le fais pas dire ! a lancé Cookie, une petite poupée pleine d'entrain, aux boucles rousses et au visage recouvert de taches. Je suis la régulière de Bagger. Tu ne l'as pas encore rencontré, parce qu'il est en Afghanistan en ce moment. C'est clair qu'on doit se soutenir entre filles. Je deviendrais tarée sans Maggs, Dancer et toutes les autres.

— J'imagine que c'est à mon tour, a dit Maggs. Moi, je suis avec Bolt, mais tu ne l'as pas encore vu non plus parce qu'il fait un petit séjour en taule, à Kuna.

Ça m'a touchée. Je me demandais pourquoi son mec était en prison, en repensant aux visites que je faisais à ma mère. Je n'avais qu'un aperçu de la vie en prison, mais je savais que c'était très dur et que ça pouvait durer des années. Comme je savais aussi que n'importe qui pouvait s'y retrouver. Les gens bien commettent parfois des actes vraiment stupides.

— Ma mère aussi est en prison en ce moment, ai-je avoué en lui prenant la main. Mais elle devrait sortir dans quelques mois. Ça fait longtemps que tu vis sans lui ?

— Près de deux ans maintenant, a-t-elle répondu, l'air abattu, un instant. On est en train de constituer un dossier d'appel. Je sais que tout le monde dit ça, mais Bolt est innocent de ce dont on l'accuse, et on peut le prouver. L'affaire a fait pas mal de bruit à l'époque. Chaque fois qu'il y a une audition, les journalistes débarquent pour remuer la merde. Il y aurait eu une erreur de procédure et un détournement de tests ADN, un vrai scandale. Mais, au moins, je ne suis pas toute seule à faire face.

— Exactement, a confirmé Darcy. Nous ne sommes jamais seules. Et il y a d'autres filles que nous dans la bande, mais elles n'ont pas pu se libérer. C'était difficile de prévenir tout le monde à temps. En comptant les Reapers et les Silver Bastards, on est à peu près quinze régulières, soudées et unies quoi qu'il arrive.

— Et ces filles qui étaient à la soirée d'hier ?

Em a failli s'étouffer.

— Elles ne font pas partie de la famille, c'est clair ! s'est-elle exclamée, en levant les yeux au ciel. Un ramassis de ratées et de putes !

— Certaines sont plutôt gentilles, a protesté Cookie. J'ai rencontré Bagger à l'une de ces fêtes.

— Oui, mais c'était une vraie soirée, a précisé Em. Pas une de ces soirées baise-et-biture dont mon père pense me protéger. Je sais très bien ce qui s'y passe, et il fait semblant de l'ignorer.

— Peu importe, mais, en tout cas, ce ne sont pas des régulières, a affirmé Dancer. Elles ne sont pas comme nous, et tu n'es pas comme elles, a-t-elle ajouté en cherchant mon regard.

— Et c'est pourquoi nous sommes ici, a renchéri Cookie. On s'est dit que tu avais besoin de respirer. Alors, ce soir, c'est soirée filles. On va te sortir et te montrer que tes nouvelles sœurs savent s'éclater.

Je me suis redressée sur ma chaise, j'ai fait « non » de la tête et j'ai reposé mon verre de bière toujours intact. Peut-être qu'elles ne connaissaient pas ma situation, mais moi, je ne la connaissais que trop. Aller à une fête ne faisait pas partie de mon programme. Horse m'avait donné des ordres, et j'avais l'intention de les suivre.

— Je ne suis pas sûre que Horse apprécie. Il m'a demandé de préparer le repas, je crois qu'il a prévu un truc…

Je me suis interrompue lorsque j'ai vu Dancer prendre mon sac, en sortir mon portable, faire défiler les numéros et en appeler un sans oublier d'appuyer sur la touche haut-parleur. Après une sonnerie, j'ai entendu la voix de Horse.

— Salut, bébé, qu'est-ce qui se passe ?

— C'est ta sœur, a annoncé Dancer, sourire diabolique aux lèvres. Ce soir, on kidnappe Marie et on la sort. Si t'es en manque, tu n'auras qu'à te branler. Elle ne sera pas dispo.

Silence à l'autre bout de la ligne.

— Passe-moi Marie, a-t-il fini par lâcher. Il faut que je lui parle.

Au moment où j'allais me jeter sur le téléphone, Dancer l'a balancé à Cookie, qui s'est mise à sauter sur le canapé pour m'empêcher de l'attraper.

— Tant pis pour toi ! J'ai un frigo rempli de jello shots et une flasque, ça va être l'éclate ! Tu ferais mieux de rester à l'arsenal ce soir, bel étalon.

Les filles étaient mortes de rire, mais moi, j'avais l'estomac noué. Je ne pouvais pas risquer de contrarier Horse. Elles pensaient peut-être que je faisais partie de la famille, mais elles ne connaissaient pas toute l'histoire.

— Passe-moi Marie, bordel ! a insisté Horse, d'un ton totalement dénué d'humour.

— C'est toujours Dancer, a dit sa sœur, en prenant le téléphone à Cookie et en désactivant la touche haut-parleur. Sois beau joueur, Horse : tu as perdu. On va sortir ta petite Marie ce soir, elle a besoin d'une pause, et tu serais vraiment un enfoiré de lui refuser ça. Je suis au courant de ce que tu as fait hier soir. La pauvre va sûrement avoir besoin d'une bonne thérapie. Je te promets de faire très attention à elle et de ne pas picoler avant de prendre le volant. Trouve-toi autre chose à faire que de tirer sur quelqu'un. OK ?

Sur ce, elle a raccroché.

Je la dévisageais, estomaquée.

— Comment tu fais ? ai-je demandé.

— Comment je fais quoi ?

— Raccrocher au nez de Horse.

Dancer a éclaté de rire.

— Oh, ça va l'énerver, et il va sûrement prendre la tête à Bam Bam toute la soirée, mais on sort juste pour s'amuser un peu. S'il en fait toute une histoire, il risque de passer pour une chochotte aux ordres de sa meuf. Ça ne veut pas dire que nos mecs ne sont pas des chochottes aux ordres de leurs meufs, mais faut surtout pas que ça se voie trop. T'inquiète, ça va bien se passer.

Je n'en étais pas aussi sûre.

— Il est temps de passer aux choses sérieuses, a lancé Cookie.

Elle a sauté du canapé et s'est dirigée vers la cuisine. Les autres m'ont obligée à me lever et à la suivre, oubliant mon téléphone. Alors quelqu'un a mis la musique, et tout est devenu un peu fou.

Chapitre 16

— Sérieux, tu ne t'imagines même pas à quel point elle est grosse, ai-je bredouillé, penchée vers l'avant, mains écartées pour mesurer.

— Ça me dégoûte ! a hurlé Dancer.

Elle m'a donné une petite gifle, et j'ai pris un fou rire qui m'a presque fait tomber de ma chaise.

— C'est de mon frangin que tu parles, a-t-elle insisté. Arrête, je crois que je vais gerber !

J'ai écarté encore les mains et je lui ai tiré la langue en mode serpent. Une nouvelle vague de fou rire nous a submergées, et j'ai failli pisser dans ma culotte. Pause-pipi.

— Je vais aux toilettes. Ça dit à quelqu'un ?

Em s'est levée, et nous avons tangué jusqu'aux W.-C. Pour tout dire, j'adorais chacune de ces filles, et je me demandais bien pourquoi Horse m'inquiétait. Horse déchirait. Et, lorsque je le retrouverais ce soir, j'avais bien l'intention de lui arracher ses vêtements et de lui faire une gâterie comme il n'en avait jamais eu de sa vie. Quant à Jeff, tout irait bien aussi. Il avait beau en avoir l'air, il n'était quand même pas complètement débile. Je le savais bien, comme je savais aussi qu'il me fallait un autre verre pour faire de cette soirée une réussite totale.

Les régulières étaient cool.

On a rencontré deux mecs en allant aux toilettes. L'un d'eux m'a rattrapée lorsque j'ai failli lui rentrer dedans.

— On peut vous offrir un truc à boire, les filles ? a-t-il demandé, en me souriant.

Je lui ai souri à mon tour. Il était assez mimi avec son air de jeune étudiant, mais je me suis dit que Horse n'en ferait qu'une bouchée.

— Dans tes rêves ! a dit une voix grave derrière nous.

C'était Painter, l'un des aspirants, qui nous suivait en arborant un air méchant. Avec ses muscles affûtés, son petit rictus et ses cheveux blonds en pétard, il était plutôt sexy. *Miam !* Mince, j'étais bourrée… Fallait que j'arrête de mater Painter, c'était trop bizarre.

— Je te conseille de leur lâcher la grappe, a-t-il ordonné. Et tout de suite.

Même sans son gilet en cuir de biker, Painter pouvait se montrer assez impressionnant. Il avait débarqué à la maison vingt minutes après que Dancer avait raccroché au nez de Horse et, depuis, il nous suivait. Les types ont reculé en moins de deux, en bafouillant des excuses. Em s'est retournée et a embrassé Painter sur le torse. Il a poussé un

grognement et fait les gros yeux, mais il n'a rien dit.
Je n'en croyais pas mes yeux. Em m'a prise par le bras
et m'a entraînée jusqu'aux toilettes. Elle a ouvert la
porte en la faisant claquer contre le mur et m'a tirée
à l'intérieur.

— J'y crois pas, a-t-elle marmonné en se dirigeant
vers un cabinet ouvert, séparé du reste de la pièce par
une simple cloison de bois. Comment je suis censée
rencontrer quelqu'un avec ce type qui nous colle ?
Je ne trouverai jamais l'homme de ma vie. Jamais.

Les murs tanguaient, j'avais du mal à suivre.

— Je ne comprends pas.

— Mets-toi à ma place. Je suis la fille aînée du
président des Reapers. Devine combien de mecs
m'ont invitée à sortir avec eux quand j'étais au lycée.
Il a même fallu que j'aille au bal de fin d'études avec
un aspirant, tu vois le délire ? Et il n'avait même pas
le droit de danser avec moi.

C'était plus que clair.

— C'est nul, ai-je compati, d'un ton avisé. Mais
c'est sûrement mieux que de tomber sur un profiteur.

Je savais de quoi je parlais. Lors de mon bal de fin
de lycée, Gary avait passé la soirée en mode pieuvre
sous Viagra, et j'avais été assez idiote pour trouver
ça flatteur.

— Mais je veux qu'un mec profite de moi ! a
rétorqué Em, en remontant son jean. T'as pas idée du
nombre de types qui m'ont jetée quand ils ont appris
qui était mon père. J'ai essayé de me barrer. Je suis

même allée faire mes études à Seattle. Picnic a chargé ses potes sur place de me surveiller. J'ai eu la paix pendant trois mois, mais, après, la rumeur a circulé que tous ceux qui me toucheraient se feraient buter. J'avais l'impression d'être un monstre. Résultat : je suis toujours vierge et, à ce rythme, je serai morte avant de trouver un pénis à me glisser dans le vagin.

J'ai pris sa place et j'ai baissé mon pantalon pour pisser. Elle n'avait pas tort. Il fallait que je le lui dise.

— Tu n'as pas tort, ai-je dit, en me redressant.

La pièce s'est remise à tanguer, et elle s'est marrée en me rattrapant.

— Waouh, je crois que tu as dépassé la dose !

Elle m'a soutenue jusqu'au lavabo. Je me suis lavé les mains, et nous avons pris le temps de nous refaire une beauté. Je nous trouvais assez craquantes. Pas étonnant que ces types aient voulu nous offrir un verre. Si j'étais un mec, j'aurais fait la même chose.

— Du coup, quel genre de mec ton père t'auto-riserait à voir ?

— Je n'en sais rien, a-t-elle répondu en secouant la tête. Personne n'est à la hauteur. Tout ce que je sais, c'est qu'il voudrait que je me mette avec un membre du club. Juste pour que je ne m'éloigne jamais de lui.

— Waouh ! Remarque, d'un côté, c'est assez gentil. Enfin, je veux dire, au moins ton père s'intéresse à toi. Moi, je ne me souviens même pas du mien.

Elle a haussé les épaules.

— Ouais, peut-être que t'as raison. J'imagine que je ne l'échangerais pour rien au monde. Ma mère était géniale, elle aussi. Elle me manque.

— Qu'est-ce qui lui est arrivé ? ai-je demandé, regrettant aussitôt ma question.

Apparemment, l'alcool avait détruit le filtre entre mon cerveau et mon corps.

— Cancer du sein, a-t-elle répondu d'un ton qui coupait court aux questions. C'est de l'histoire ancienne. Allons boire un verre.

— Ça me va, ai-je répliqué en la suivant vers la sortie.

Painter montait la garde devant la porte, appuyé contre le mur, bras croisés et l'air de s'ennuyer comme un rat mort. J'ai attiré Em vers moi pour un petit aparté :

— Il va falloir qu'on le supporte toute la soirée ? Ils ont peur que je m'enfuie, c'est ça ?

— Oh, ça n'a rien à voir avec toi ! Y a toujours quelqu'un qui nous escorte quand on sort, a-t-elle expliqué en haussant les épaules. Généralement, c'est un aspirant, mais parfois c'est Ruger qu'on a sur le dos. Il est drôle. C'est pour éviter qu'on se fasse emmerder. Ça nous permet de faire la fête et ça rassure nos hommes. C'est pas très grave. Enfin, pour toi, parce que t'es déjà maquée, mais pour moi c'est l'enfer.

— T'es en train de me dire que les régulières sont sous haute surveillance ? Tu ne trouves pas ça flippant ?

Elle s'est marrée et a haussé les épaules.

— Seulement quand on sort faire la fête. C'est pour notre sécurité. Il y a des tas de clubs, tu sais, et ils ne sont pas tous potes avec les Reapers. Comme ça, le club évite qu'on soit harcelées. Et il sait que quelqu'un nous ramènera à bon port. C'est sympa… sauf quand on espère perdre sa virginité.

J'ai pouffé, et elle m'a fusillée du regard, ce qui m'a fait encore plus exploser de rire en allant retrouver les autres. Mais un grand type qui portait les couleurs des Reapers m'a arrêtée net. J'ai levé les yeux, essayant de fixer mon attention. Max.

— Hé, Max, a lancé Em. Qu'est-ce que tu fous là ?

— J'avais envie d'un petit verre, a-t-il répondu en nous jaugeant d'un air approbateur.

On était présentables, et Max l'avait remarqué. *Très bien.*

— C'est Painter qui m'a dit que vous étiez là. Je me suis dit que j'allais vous offrir une tournée. Vous êtes magnifiques, ce soir.

— T'es trop gentil, a-t-elle répliqué, en le gratifiant d'un sourire langoureux.

Il lui a rendu son sourire, et je me suis demandé s'il n'y avait pas un truc entre eux. Painter nous a rejoints, torse bombé et regard croisant celui de Max.

Puis il a secoué la tête et reculé. Il n'avait vraiment pas l'air content.

Voilà qui était intéressant.

Max nous a suivies à notre table, où Maggs s'est empressée de le remettre à sa place en lui demandant d'aller nous chercher des bières et de nous laisser tranquilles, parce que c'était « soirée fiiiilles ». On a hurlé de joie lorsqu'il a pris nos commandes en souriant et nous a rapporté une tournée de shots. Mais, même si je croyais avoir envie de picoler encore, un seul regard au petit verre de vodka a suffi à me donner la nausée. J'ai sorti mon téléphone et j'ai vu qu'il était presque 2 heures. Horse m'avait envoyé un texto il y avait au moins quatre heures :

Je vais au Line avec les mecs. Ne m'attends pas.

Le *Line*. Ça me disait quelque chose, mais mon cerveau était trop embrumé.

— C'est quoi, le *Line* ? ai-je demandé à Cookie, assise à côté de moi.

Elle avait mis son gilet en cuir avant d'entrer dans le bar, et elle portait l'écusson « Propriété de Bagger, Reapers MC ». Tout ce truc de propriété me mettait encore très mal à l'aise, mais, apparemment, ça ne la dérangeait pas. Pourtant, elle n'était pas du genre à se laisser opprimer. C'est ce que j'avais compris en papotant avec elle entre les deux jello shots qu'elle m'avait littéralement fait avaler. Elle était bien trop occupée à gérer son café et à s'occuper d'elle, et des trois fillettes de trois ans qu'elle avait eues avec Bagger, pour se permettre d'être opprimée.

— Oh, c'est le bar à nichons du club! Ça leur rapporte un max de thunes, même si ces strip-teaseuses sont parfois de belles salopes. Cela dit, y en a qui sont cool. Je raconte toujours à Bagger que je vais y bosser pendant qu'il se bat en Afghanistan, et ça le rend dingue. J'adore le rendre dingue, a-t-elle dit en se marrant.

— Vous parlez de quoi? a hurlé Darcy à l'autre bout de la table.

— Du *Line*! a vociféré Cookie en retour.

Le visage de Darcy s'est fendu d'un immense sourire.

— On devrait y aller!

— Quoi? me suis-je exclamée, stupéfaite.

Cookie applaudissait déjà.

— C'est une idée géniale! s'est-elle écriée. On pourra s'amuser avec les barres. Je ferai des photos pour Bagger!

— Vous êtes sérieuses? On n'a rien à foutre là-bas, non? me suis-je exclamée, interloquée.

— Justement. D'une, ça sera marrant de débarquer sans prévenir au *Line* si les mecs y sont déjà, a expliqué Darcy en m'adressant un clin d'œil. Ils vont flipper comme des dingues. Et puis c'est assez intéressant d'observer les danseuses. Certaines sont vraiment douées, j'ai appris des trucs excellents grâce à elles. Boonie peut te le confirmer.

Elle s'est penchée et a frappé dans la main de Maggs, histoire d'enfoncer le clou.

— Sans parler du fait que, si ton mec passe la nuit entouré de greluches à poil et pas avec toi, il vaut mieux s'assurer qu'il rapporte son érection à la maison, si tu vois ce que je veux dire, a ajouté Maggs.

Elle avait raison. Imaginer Horse avec une autre nana, ça ne me plaisait pas du tout. J'ai rejeté un œil aux mots blessants du texto d'un air renfrogné.

— On pourra en profiter pour renouveler notre garde-robe au magasin, a-t-elle poursuivi. Il faut que je me trouve un nouveau débardeur pour aller voir Bolt cette semaine, histoire qu'il ait encore plus hâte de rentrer.

— Je hais cet endroit, s'est plainte Em. En plus, si mon père y est, je vais être obligée de le voir se faire peloter dans tous les sens par une de ces stripteaseuses, c'est répugnant. On ne devrait pas laisser les pères se taper autant de femmes devant leurs filles, surtout quand elles n'ont même pas le droit de sortir avec un mec! Je préfère encore rentrer chez moi.

— Demande à Painter de te ramener, a proposé Max.

Il est venu se poster derrière moi en s'appuyant sur le dossier de ma chaise. Il envahissait mon espace vital, mais, apparemment, j'étais la seule que ça dérangeait. Je me suis penchée, sourcils froncés.

— Le bar va bientôt fermer, de toute façon, a-t-il ajouté. Je me charge d'emmener tout le monde au *Line*. Painter pourra prendre une pause.

— C'est gentil, Max, a approuvé Dancer avec un sourire. Allons-y.

Dix minutes plus tard, je m'entassais à l'arrière de la voiture avec les autres. Max nous suivait sur sa moto. Je m'attendais à ce qu'Em se plaigne de se faire ramener par Painter, mais ça n'a pas eu l'air de lui déplaire. Ce qui m'a surprise, parce que, tout à l'heure, j'avais eu l'impression de remarquer un truc entre elle et Max. Apparemment, je m'étais fait un film.

Il était presque 2 h 30 quand nous sommes arrivés devant le club de striptease. On a traversé le parking presque désert en se marrant et en trébuchant. Puis, nous avons vu l'enseigne lumineuse s'éteindre.

— C'est fermé, ai-je dit, en m'arrêtant net. On ne pourra pas entrer.

— Mais non, c'est justement maintenant que les choses intéressantes commencent, a expliqué Darcy, petit sourire en coin. C'est fermé au public, mais nous, on fait partie de la famille, chérie. On peut faire la fête autant qu'on veut.

— Et les danseuses ? ai-je demandé bêtement.

J'ai entendu Max ricaner derrière moi, puis il a posé sa main dans le bas de mon dos et m'a poussée vers l'entrée.

— T'inquiète pas pour elles. Ce ne sont pas des régulières. Elles ne te dérangeront pas.

— La dernière fois qu'on est venues, Dancer est montée sur scène et nous a fait un show, a fait remarquer Cookie, en gloussant. C'était génial. Enfin, pour tout le monde, sauf pour Horse. J'ai bien cru qu'il allait faire un malaise.

— Ce soir, je suis sobre, a répliqué l'intéressée. C'est à toi de t'y coller.

— Tu sais quoi ? Eh ben, je crois que je vais me lâcher ! a annoncé Cookie avec un grand sourire. Je pourrais faire un petit numéro dans l'un des salons privés. Vous me filmez, et après j'envoie les images à Bagger par Internet. Il me demande toujours de lui envoyer des photos. Ça va lui retourner le cerveau !

— Et pas que le cerveau, a gloussé Maggs.

Un grand Black surveillait l'entrée du bar. Il nous a laissés passer sans un mot. J'étais venue la veille avec Horse, mais, ce soir, c'était différent. Les lumières tamisées créaient une atmosphère toute particulière, à la fois glauque et suggestive. Des serveuses circulaient entre les tables, et deux barmans s'occupaient du ravitaillement et du ménage. Un type avec un gilet aux couleurs des Reapers était assis dans un box et comptait l'argent. Il y avait encore de la musique, et, sur la scène principale, une danseuse se trémoussait contre sa barre. En dessous d'elle, des hommes sirotaient leur bière, assis. J'ai reconnu Picnic, Ruger, Bam Bam, Boonie et deux autres types. Horse n'était pas avec eux.

— Hé, chéri! a hurlé Darcy en se dirigeant vers eux d'un pas nonchalant.

Comme hier soir, le visage de Boonie s'est éclairé à son approche, et il s'est levé, tournant le dos à la greluche déshabillée qui ondulait autour de la barre. Il a enlacé Darcy, et on a eu droit à un autre de leurs baisers fougueux, comme s'ils étaient seuls au monde. Dancer et Bam Bam se sont embrassés beaucoup plus discrètement. Ce qui ne les a pas empêchés de disparaître dans un box sombre, sans un regard pour nous.

— Putain, ça me manque! a marmonné Cookie, larmes aux yeux.

— Reprends-toi, espèce d'obsédée, a conseillé Maggs, en lui donnant un petit coup sur l'épaule. Si tu veux faire une séquence porno pour ton mec, faut que t'arrêtes de chouiner. C'est pas son genre, les larmes... à moins que tu ne nous aies dissimulé des trucs!

Cookie s'est marrée, repoussant ce léger passage à vide avec une grande force d'âme. *Ces filles sont des guerrières*, me suis-je dit. De vraies guerrières. Il fallait que je prenne exemple.

— Je me la joue porno soft exclusivement. Pas de trucs trop trash, surtout, a répliqué Cookie, en remuant les sourcils de manière suggestive. Je m'occupe des boissons. Pendant ce temps, Maggs, tu montres à la nouvelle les salons VIP, ça marche ? Et assure-toi qu'ils soient propres avant que je fasse mon petit numéro. Mon mec n'aime pas les filles qui se négligent, et il déteste passer après les autres !

Elle nous a gratifiées d'un petit déhanchement coquin, et nous avons hurlé de joie et applaudi. Ensuite Maggs m'a montré un couloir sombre et profond.

— Les salons sont par là-bas, mon chou, a-t-elle expliqué. J'ai oublié mon portable dans la voiture. Il faut absolument que je garde une trace de cette scène d'anthologie, on ne sait jamais, je pourrais avoir envie de la faire chanter. À toute.

Elle m'a poussée en direction des salons. J'ai traversé l'étage pour rejoindre le couloir, très mal à l'aise. De chaque côté du couloir s'alignaient des portes, toutes fermées. Je me demandais ce qu'il y avait derrière et je n'avais aucune envie d'entrer là toute seule. Mieux valait attendre Maggs. Puis Max a surgi, avec le même sourire amical qu'il affichait un peu plus tôt au bar.

— T'es perdue ? a-t-il demandé.

J'ai secoué la tête.

— Je ne dirais pas ça, ai-je avoué, plutôt dépassée. Je crois que Cookie veut qu'on filme sa petite chorégraphie pour Bagger. Elle nous a demandé de trouver une chambre, mais je n'ose pas ouvrir de porte.

— *No problemo*, a-t-il dit, avec un haussement d'épaules désinvolte et une lueur de satisfaction dans les yeux. Suis-moi.

Je ne le sentais pas, ce type. Tout en moi me disait de ne pas y aller, mais je n'ai trouvé aucune raison de ne pas le faire. Et puis j'étais passablement bourrée. Dans cet état, j'ai du mal à lutter. D'ailleurs, Gary m'avait demandé de l'épouser après que je m'étais enfilé un pack de six. Lorsque Max a pointé l'index vers la dernière porte du côté droit du couloir, au-dessus de laquelle luisait une petite lumière verte, je me suis approchée malgré moi et je l'ai ouverte. Il m'a fallu une seconde ou deux pour adapter ma vue à l'obscurité, seulement atténuée par une lumière rouge tamisée, avant de découvrir Horse assis sur un canapé en cuir contre le mur, les bras étalés sur le haut du dossier. Il était torse nu, et une blonde décolorée en très petite tenue le chevauchait, hanches remuant contre les siennes. Lorsqu'elle s'est retournée pour voir qui venait d'entrer, j'ai remarqué une énorme paire de seins, visiblement siliconés, et un string à paillettes pour tout vêtement.

Les yeux de Horse ont croisé les miens, écarquillés et figés, et il m'a fusillée sur place.

— Qu'est-ce que tu fous ici, bordel ? T'es pas à ta « soirée filles » ?

— Rien, rien, ai-je bafouillé, en reculant.

J'ai refermé la porte le plus discrètement possible. Je me sentais faible et fragile, comme si j'allais exploser en mille morceaux. Je ne comprenais pas. Ce n'est pas comme si on avait eu une vraie relation, il ne m'appartenait pas. Mais le voir avec une autre femme…, ça m'a fait mal. Je suis rentrée dans Max, qui m'a prise par les bras pour m'aider à rétablir mon équilibre. Je l'ai regardé, dévastée; il arborait une expression indéfinissable.

— Tu savais qu'il était là? ai-je demandé.

— Ouais.

Cette réponse directe, dénuée de remords, m'a déstabilisée.

— Tu m'as tendu un piège? ai-je murmuré. Mais pourquoi?

— Pour que tu redescendes de ton putain de nuage et que tu te rendes compte que les filles t'ont raconté des salades! Je suis peut-être un connard, mais pas autant que lui. Il fallait que tu le saches. (J'essayais de comprendre, mais tout s'est mis à tourner autour de moi.) Je ne voulais pas te faire de mal, Marie, a dit Max.

Il m'a attirée vers lui et m'a donné un bon gros câlin. Contre lui, je me suis relâchée, avide de réconfort. Il me caressait les cheveux et les peignait de ses doigts.

— T'es une môme sympa qui se retrouve dans une situation complètement barge, a-t-il dit, sans malice. Il faut que tu gardes la tête sur les épaules.

Horse n'est pas ton régulier, et vous n'allez pas vivre heureux jusqu'à la fin de vos jours, pas plus que ton frère ne va venir te sauver. Plus vite tu le comprendras, et mieux tu te porteras. Tu peux me croire.

Je me suis écartée de lui et j'ai jeté un œil à la porte, souhaitant de toutes mes forces que Horse apparaisse et vienne me dire que tout ça n'était qu'un énorme malentendu. En vain. La petite lumière verte me narguait.

— Tu veux que je te reconduise chez toi ? a proposé Max.

— Ouais.

— OK.

Il m'a prise par le bras et m'a entraînée jusqu'à la porte de secours, avant de composer prestement un code sur un clavier fixé à côté. Nous avons traversé le parking et rejoint sa moto. Mon portable s'est mis à vibrer, et j'ai vu le nom de Horse apparaître sur l'écran.

J'ai éteint mon portable.

Le trajet interminable m'a au moins permis de dégriser. Quand nous sommes arrivés, Ariel a accouru vers nous et nous a fait la fête avec son large sourire de jeune chien, mais, devant mon absence de réaction, il s'est mis à couiner et est allé se réfugier sous le porche. J'ai été surprise de voir Max descendre de sa moto et me suivre à l'intérieur. Je pensais qu'il allait juste me déposer. C'était un peu étrange et embarrassant de me retrouver ici avec lui. J'avais besoin d'être seule.

— Tu veux boire quelque chose, ai-je proposé, en espérant qu'il dise non.

— Ouais, je veux bien une bière, a-t-il répondu en sortant son téléphone.

Je l'ai laissé tapoter sur son appareil pendant que j'allais chercher une bière et un verre d'eau pour moi. Il m'a rejointe à mi-chemin dans le couloir, a pris les verres et est allé dans la salle à manger. Il les a posés sur la table de billard et, tête penchée sur le côté, il m'a observée.

— Pourquoi tu fais ça ? ai-je demandé.

— Qu'est-ce que tu veux dire ?

— Me regarder comme ça ?

— J'essaie de me mettre à la place de Horse. Tu n'es pas obligée de rester avec lui, Marie. C'est complètement barge. Laisse-moi t'aider.

— Et comment ?

Au lieu de répondre, il s'est penché et m'a balancée sur son épaule. Je me suis mise à hurler, battant des mains et des pieds. Cela ne l'a pas empêché de me ramener dans le salon et de me jeter sur le canapé. J'ai atterri lourdement, et le choc m'a coupé le souffle. Avant que je puisse me reprendre, il s'allongeait sur moi, m'écartait les cuisses du genou et recouvrait ma bouche de la sienne. Je me débattais contre lui, mais ça ne servait à rien. Il était bien trop fort. Ses jambes m'immobilisaient, et son bassin est venu labourer le mien pendant que ses bras tentaient de bloquer les miens. Son baiser n'avait rien de sensuel, c'était juste un assaut brutal. Aucun jeu de langue, aucune séduction. Il se contentait de m'écraser les lèvres. Je n'arrivais plus à respirer, tout devenait noir autour de moi.

— Dans tes rêves, putain ! T'es un homme mort.

En entendant la voix furieuse de Horse, j'ai repris espoir. Ensuite, Max s'est arraché de moi si violemment que j'ai failli tomber du canapé. Horse l'a balancé contre le mur, ratant la télé de justesse. J'ai hurlé lorsque Horse a bondi sur lui et s'est mis à le rouer de coups de poing. Max se débattait. Soudain, il a éclaté de rire, un rire sombre et terrifiant, entre-coupé du bruit des coups sur son corps, puis stoppé net par un bruit sec et sonore. J'ai levé les yeux et j'ai découvert Picnic qui pointait un flingue sur les deux hommes.

Horse n'a pas bronché.

— Horse ! s'est écrié le président. Lâche-le ou je te descends.

Après un dernier coup brutal dans le ventre, Horse a reculé, haletant. Max s'est relevé à grand-peine tout en gratifiant Horse d'un sourire de malade mental. Je comprenais enfin la référence à *Mad Max*…

— T'as un problème, mon frère ? a-t-il lancé en essuyant d'un revers de la main le sang qui coulait sur son visage. Ta pouffe n'avait pas l'air de se plaindre. Elle s'est littéralement jetée dans mes bras au *Line*.

J'avoue qu'elle est bandante, mais tu crois que ça vaut la peine de se battre pour elle ?

— Ferme ta gueule ! a ordonné Picnic, en avançant d'un pas. On ne se parle pas comme ça entre frères. On s'amuse pas non plus à se taper la gonzesse d'un Reaper. On réglera ça demain à l'arsenal. T'as saisi ?

Max s'est marré encore une fois, avant de se tourner vers moi et de dessiner un « V » devant sa bouche, langue tirée entre les doigts.

— Espèce de salaud ! ai-je hurlé, submergée par une rage soudaine. T'es vraiment une grosse merde ! Fous le camp ! Dégage de là tout de suite, putain ! Essaie de revenir, et je me ferai un plaisir de te descendre, connard !

Tous les trois se sont figés, étonnés par cet accès de fureur.

Je les ai regardés avec mépris, complètement écœurée.

— C'est quoi, le problème ? Vous pensiez que l'os pour lequel vous vous battez ne savait pas parler ? Eh ben, allez tous vous faire foutre !

Sur ce, je les ai plantés là et je suis montée à grand bruit dans ma chambre, claquant la porte derrière moi. Quelques instants plus tard, j'ai entendu rugir des moteurs de moto. Je faisais les cent pas, folle de rage et de frustration, puis j'ai rouvert la porte et suis redescendue.

Je n'avais pas fini de vider mon sac.

J'ai trouvé Horse debout au milieu du salon, en train de se passer une main dans les cheveux, immobile devant les taches de sang sur le sol. Il s'est tourné vers moi, et nous nous sommes affrontés du regard, sans qu'aucun veuille céder. J'étais encore un peu ivre, mais, surtout, j'avais ma dose. Il était temps que je lui mette les points sur les i, à ce type. J'ai ouvert la bouche, mais il m'a devancée :

— Tu te prends pour qui, putain, pour oser débarquer sans prévenir au *Line* ? Et tu peux m'expliquer ce que foutait la langue de Max dans ton cou ?

Alors là j'allais exploser.

— C'est toi qui parles de langue dans le cou, espèce d'enfoiré ! ai-je vitupéré. Pour ta gouverne, sache que, si je me trouvais au *Line*, c'est parce que ta propre sœur m'y a amenée. J'imagine qu'elle n'a pas pensé que tu serais en train de te taper une pute en coulisses !

— Je ne me tapais personne. C'était une séance de lap-dance. Y a pas mort d'homme, a-t-il protesté, en me fusillant du regard.

— Désolée de t'avoir interrompu avant l'heureux dénouement ! ai-je fulminé.

Jamais je n'avais ressenti une telle colère. Je voyais littéralement rouge. J'avais envie de lui jeter des trucs à la gueule et je regardais autour de moi, essayant de mettre la main sur quelque chose d'assez lourd. Horse s'est approché de moi et, me surplombant de toute sa hauteur, m'a collée au mur et s'est mis à me hurler dessus :

— Pour qui tu te prends pour m'en priver ? T'es pas ma régulière, je fais ce que je veux ! Faut que t'arrêtes de te faire des films ! a-t-il proclamé, bras tendus devant lui comme s'il s'adressait à une foule. Et, si je n'ai pas de régulière, c'est parce que je ne suis pas assez bien pour que tu portes mon écusson, pas vrai ? Qu'est-ce que je peux faire de plus pour toi, Marie ? J'ai sauvé la vie de ton frère et je ne l'ai pas fait pour rien, bébé. Si tu savais combien il me coûte, ton cul ! C'est comme pour ce soir : t'es pas venue au *Line* pour moi, non ? On devait passer la soirée ensemble, et tu m'as laissé tomber. Il faut que tu te décides, Marie. Soit on est ensemble, soit on ne l'est pas. Et, si on ne l'est pas, t'attends pas à ce que je reste assis les doigts dans le cul pendant que tu fais la fête. Et ces conneries avec Max ? Dans ma propre maison ? Je devrais te virer par la peau des fesses et aller flinguer ton frère. Va te faire foutre, Marie. Sérieux. J'en ai marre de toi.

Je pestais. Il n'avait pas le droit de retourner la situation !

— Max a essayé de me violer, ai-je lancé d'un ton glacial et ferme. Et, si j'ai accepté qu'il me ramène, c'est parce que t'étais trop occupé à te faire chauffer par une salope immonde. Je passe une seule soirée sans toi, et tu ne peux pas t'empêcher de sortir ta bite ?

— Et pourquoi je m'en empêcherais ?

Il s'est penché en avant et s'est emparé de mes mains, avant de les tordre dans mon dos et de me serrer contre lui. J'ai senti une onde de désir traverser mon corps et venir se mêler à ma colère et à la décharge d'adrénaline infernale qui faisait battre mon cœur à cent à l'heure. J'ai aussi senti son érection dure et frémissante, et ce mélange d'odeurs, de transpiration et d'huile de moteur, qui le caractérisait. Mon sexe était en effervescence, et ma culotte trempée. J'avais envie de le mordre et, en même temps, de le lécher et de lui envoyer mon pied dans les couilles.

— Cookie n'a pas vu son homme depuis des mois, mais elle, quand elle sort, elle porte ses couleurs, a sermonné Horse. Elle est fière, elle, d'être sa régulière. Si tu veux que je me retienne, t'as qu'à porter mon écusson.

Histoire d'enfoncer le clou, il a plaqué les hanches contre les miennes. Je me suis mise à rire, avant de me pencher brusquement et de mordre ses lèvres violemment. Il a relâché son étreinte en poussant un cri, et j'en ai profité pour rejoindre l'escalier. Il m'a rattrapée par le bout de ma chemise lorsque j'arrivais en haut et m'a fait descendre de trois marches, avant de m'immobiliser à plat ventre sous son corps. Une main me retenait par les cheveux pendant que l'autre défaisait brutalement ma fermeture Éclair et faisait descendre mon jean à hauteur des genoux pour m'empêcher de bouger les jambes. J'ai gémi lorsque j'ai senti qu'il fourrageait dans son pantalon pour libérer son sexe et lorsqu'il a attiré mes fesses contre lui. J'avais tellement envie de lui que je ruisselais de plaisir.

Puis il m'a pénétrée sauvagement, et j'ai hurlé.

La scène suivante n'avait rien de tendre, de doux ou de romantique. Horse me déchirait les entrailles et me prenait avec une telle rage que je suis surprise qu'aucun de nous deux n'ait été blessé. Sa main m'arrachait le cuir chevelu, mais son membre me comblait. J'ai perdu la notion du temps. Je ne me souviens même plus de combien de fois j'ai joui. Je sais juste que chaque orgasme était pour moi une victoire, et, lorsque son sperme s'est répandu au plus profond de moi, il s'est mis à hurler et à me tirer les cheveux. Jamais je n'avais ressenti une telle excitation.

Merde!

Je me suis effondrée sur les marches, lovant mon visage entre mes bras, alors qu'à l'intérieur de moi l'érection de Horse ramollissait. J'entendais son souffle dur et haletant résonner contre mon oreille. Ensuite, il s'est retiré et s'est assis sur une marche en dessous de moi. Je me suis mise sur le dos et j'ai fixé le plafond.

— C'est complètement ouf, a-t-il dit, l'air sidéré.

Je voyais exactement ce qu'il voulait dire.

— Je t'ai fait mal?

— Non, l'ai-je rassuré, en me passant une main dans les cheveux.

Il aurait fallu que je remonte mon pantalon, mais j'étais épuisée, liquéfiée.

— Ça va. Je sais que c'est complètement barge, mais, en même temps, c'était hallucinant. Je n'ai jamais ressenti un truc pareil.

— Tu m'étonnes !

Nous sommes restés assis là pendant de longues minutes. Mon cœur avait repris un rythme normal, et j'ai pris conscience de ce qui m'entourait : la texture rugueuse de la moquette sous mes fesses et la bordure de l'escalier qui me blessait le dos. Sans parler de mon nouveau statut de femme fontaine… *Beurk !*

— Je crois que je suis en train d'inonder la moquette, ai-je murmuré.

Horse a éclaté de rire un court instant. En l'observant, je me suis rendu compte de l'absurdité absolue de notre situation. Malgré moi, un petit rire hystérique est monté dans ma poitrine. Je tordais la bouche, essayant de l'enrayer, mais en vain. Je riais de plus en plus fort, corps tremblant, pendant que Horse me regardait comme si j'avais perdu la raison. Peut-être que c'était le cas.

— Je suis tellement désolée, ai-je dit, larmes aux yeux. Mais c'est du délire. C'est quoi, notre problème ? Et maintenant on fait quoi ?

Horse a secoué la tête et haussé les épaules.

— Si je le savais, bordel! a-t-il admis, tombant le masque. Et pourtant j'en ai vu d'autres, c'est pour te dire. Mais je n'ai pas envie de résoudre ça ce soir. Je veux juste aller me coucher et je veux que tu m'accompagnes. C'est bon pour toi? Juste pour cette nuit? J'ai envie de te tenir dans mes bras.

J'ai acquiescé silencieusement.

— Ouais, on finira notre dispute demain. Je suis vidée.

Après avoir fini de monter l'escalier, il m'a prise par la main et m'a conduite dans sa chambre pour la première fois. J'étais trop crevée pour remarquer quoi que ce soit. Je me suis juste déshabillée et me suis effondrée sur le lit. Horse a enlevé ses vêtements à son tour et m'a rejointe, me prenant au creux de son bras. Je me sentais en sécurité, comme chaque fois.

C'était n'importe quoi!

Lorsque j'ai rouvert les paupières, Horse me regardait et faisait courir ses doigts sur mon visage. Il avait l'air pensif et fatigué.

— Finalement, c'était peut-être pas une bonne idée, cette «soirée filles», ai-je chuchoté.

— Je suis un connard, a-t-il répondu, yeux fermés et visage triste. Je suis un enfoiré de connard et je n'aurais pas dû aller dans ce salon au *Line*. C'est juste que j'étais en colère contre toi et que je voulais te faire du mal, ce qui est complètement débile. Je suis désolé.

J'ai détourné les yeux. Je ne supportais pas de penser à lui à moitié nu en compagnie de cette fille, qui frottait ses gros nibards contre son corps. En même temps, il fallait que je sois honnête avec moi-même. J'avais refusé la relation exclusive qu'il m'avait proposée et je l'avais même insulté. Il s'était vengé en me kidnappant, c'est vrai…, pour ensuite m'offrir de me payer des études.

Est-ce que ça voulait dire qu'on était quittes ou qu'on était complètement tarés ?

Faudrait vraiment que je lise *Les Bikers pour les Nuls*, on sait jamais, ça pourrait toujours servir. J'ai laissé échapper un petit rire, et Horse s'est retourné.

— Je suis dingue, a-t-il dit.

— Il faut qu'on parle de tout ça, ai-je proposé, en roulant sur lui. (À mon tour de prendre le contrôle et de le dominer.) Notre relation n'est pas exclusive. En tout cas, on n'a pas réussi à tomber d'accord là-dessus. Je ne sais même pas si on peut appeler ça une « relation ». Je ne sais pas si j'ai le droit de t'en vouloir, mais je peux te dire que je n'ai pas supporté de te voir avec cette pouffe. Tu n'imagines même pas à quel point. J'en suis la première surprise. Et ça me fait bien chier. Comme cette histoire avec Max.

— Tu veux peut-être que je te donne l'autorisation de m'en vouloir, vu que tu t'en sors déjà si bien ? a-t-il ironisé.

L'humour n'est pas arrivé à illuminer ses yeux. Il a pris une longue inspiration, comme s'il voulait rassembler ses forces.

— Et si on recommençait tout depuis le début ? Tu crois que tu pourrais me donner une deuxième chance ?

— Tu crois vraiment qu'on en est capables ? ai-je répondu. (Il y avait tellement de trucs entre nous, tellement d'émotions complexes que je ne savais même pas comment les démêler.) Je me dis que c'est peut-être trop tard. On a déjà un lourd passif. Et puis, même si on se laisse une chance, il reste Jeff.

— Je ne veux pas être ton ennemi, a-t-il admis d'un ton ferme. Je veux être ton mec. Tu me fais un effet hallucinant, Marie, et je ne veux pas te perdre. Je n'ai pas non plus envie que Jeff ait des ennuis, mais j'ai fait tout ce qui était en mon pouvoir pour l'aider. Je ne peux rien faire de plus, la balle est dans son camp. J'espère que tu me crois.

Il a glissé la main le long de mon corps pour attraper ma jambe et la poser au-dessus de sa hanche. Son sexe a frémi contre mon intimité, et, comme d'habitude, j'ai frissonné. Son regard, intense et passionné, a croisé le mien.

— Je veux que tu sois ma régulière, bébé. C'est tout ce que je peux t'offrir. Je suis un Reaper, et c'est le monde dans lequel je vis. Tu portes mon écusson, tu deviens ma femme, et moi ton homme. On profite de la vie ensemble et on traverse les épreuves à deux. Pas d'embrouilles. C'est tout ce que j'ai, mais, si tu l'acceptes, tu prends tout.

J'ai soupiré, un peu perdue. J'en avais envie. J'avais envie de lui. J'avais toujours du mal avec le concept de propriété, mais, depuis, j'avais vu Darcy, Dancer et Cookie à l'œuvre, et elles n'avaient rien de victimes sans défense. Elles avaient toutes une relation unique avec leur mec, et leurs couples fonctionnaient. Bien mieux que celui que j'avais formé avec Gary. Quant au « passif » dont je parlais… Horse devrait assumer le fait que j'étais mariée à un autre homme, que je n'avais aucun atout ni aucun talent.

C'était un vrai acte de foi.

— J'ai envie d'essayer, ai-je dit lentement, yeux rivés aux siens. Si on se décide, il faut qu'on reprenne tout à la base, mais en regardant devant nous, sans nous retourner. On laisse tomber la colère, sinon on va passer un an à se prendre la tête sur des trucs qu'on ne peut pas changer.

— Ça me va, a-t-il répondu, visage toujours grave. Mais il faut que je sache. Tu es prête à porter mon écusson ? C'est comme ça que ça marche dans le club, bébé, tu ne peux pas y échapper. Si ce n'est pas possible pour toi, je te trouverai un endroit où aller en attendant que cette merde avec ton frère soit terminée. Ça me tuera, mais je suis prêt à le faire. Je suis prêt à te laisser partir si c'est ce que tu veux. Aucune attache.

— Je veux être avec toi, ai-je dit, en faisant glisser ma main sur son sexe, qui se gonflait à vitesse grand V. (J'ai approché mes lèvres à quelques centimètres des siennes.) J'accepte d'être ta régulière et j'accepte de porter ton écusson. Mais, si je te reprends en train de sucer les nichons d'une autre, t'es mort.

J'ai illustré mes mots en serrant son sexe, juste assez pour que ça le dérange.

— C'est noté, a dit Horse, souriant contre ma bouche. T'as un flingue ? (J'ai fait « non » de la tête en riant, puis mes lèvres ont effleuré les siennes.) OK, on va s'occuper de ça aujourd'hui, a-t-il précisé, en donnant de petits coups de nez sur ma bouche. Mais, d'abord, je vais te baiser. Je peux te jurer que la liste des trucs que j'ai envie de te faire est hallucinante.

Horse ne plaisantait pas quand il parlait de liste. On a commencé, mais, après deux heures, j'ai eu la dalle. On a déjeuné ensemble puis débarrassé, savourant chaque seconde la présence de l'autre.

Ensuite, il m'a emmenée faire un tour dans la grange, et j'ai compris qu'il ne plaisantait pas non plus à propos du flingue.

— OK, tiens-le bien droit comme je te l'ai montré. Main gauche en dessous pour stabiliser la main droite. Tu ne mets pas ton doigt sur la détente avant d'avoir aligné le viseur. C'est bien. Maintenant, tu mets ton doigt sur la détente et tu appuies légèrement jusqu'à ce que ça s'arrête. Concentre-toi sur ta cible et tire.

J'ai tiré au 22 semi-automatique à trois reprises sur une cible fixée contre une balle de foin, puis j'ai retiré mon doigt de la détente comme il me l'avait appris, avant de pointer mon arme au sol.

— Ça te plaît ? a demandé Horse, visiblement content de lui.

Il m'avait présenté le pistolet comme si c'était une bague de diamants. Mais il valait mieux que j'évite de penser à ça.

— C'est le pied, ai-je répondu. (Je le pensais. En tirant, j'avais eu une impression de puissance et de force.) Mais t'es sûr qu'il est assez gros ? Ces balles sont minuscules, Horse. Si je dois devenir la meuf d'un biker dur à cuire, il m'en faudrait peut-être un plus gros, non ?

— Ça a suffi pour tuer Bobby Kennedy, a-t-il rétorqué.

Mon sourire s'est évaporé, et j'ai écarquillé les yeux.

— Ben, merde !

— Eh ouais ! Sérieusement, ce qui compte, c'est la précision, pas la taille.

— Mais dis-moi, Marcus « Horse » McDonnell, je rêve ou tu viens de me dire que la taille, ça ne comptait pas ?

— Ouais, a-t-il admis, ignorant ma petite pique. C'est vrai, et, même si l'impact n'est pas aussi fort qu'avec un plus gros calibre, il vaut mieux se méfier d'une femme qui maîtrise son 22 que d'un homme qui se paie un 45 parce qu'il a une petite bite. On n'est pas dans un film, Marie. Un revolver ne descendra jamais personne à moins de toucher un point sensible, même avec un gros calibre. Il faut un fusil pour ça. C'est une loi physique.

— Ça veut dire que ce petit truc pourrait tuer quelqu'un ?

Je regardais mon arme avec beaucoup plus de respect à présent. Je la lui ai remise avec le plus grand soin.

— On dirait un accessoire de tournage. Enfin, tu vois ce que je veux dire ?

— Je ne plaisante pas, a-t-il répliqué. Je veux que tu t'entraînes, que tu le connaisses par cœur. On va pratiquer tous les jours. En tout cas, souviens-toi d'une chose : si tu dois viser quelqu'un avec ce flingue, tu vises directement le cœur. Et, si tu tires, dis-toi que c'est pour tuer. Sinon, ce n'est pas la peine. Viser les pieds, ou un truc du genre, c'est de la connerie. Si t'es vraiment obligée de tirer, c'est parce que tu n'as pas le choix, tu dois tuer. Faut pas gâcher ses munitions.

— Et la fête de l'autre soir, alors ? ai-je demandé, d'une voix douce.

— Eh ben, quoi ?

Il a sorti un plus gros revolver de son sac et a enclenché le chargeur.

— Tu as pointé un flingue sur ce type, mais tu ne l'as pas tué. Tu as tiré à côté alors que tu aurais pu le tuer.

— C'est clair, j'aurais pu. J'ai eu une sacrée chance qu'il te rate l'autre soir. Je lui ai fait subir la même chose, c'est tout. La différence, c'est que lui, il a volontairement tiré sur un groupe de nanas innocentes pendant une fête. Et il a aussi choisi de tirer trois fois de suite. C'est impardonnable. Je peux te dire qu'il s'en sort bien.

— Tu me fais flipper quand t'es comme ça. Tu comprends ce que je veux dire, hein ?

Il m'a répondu par un large sourire, suivi d'un baiser sur le nez.

— Et maintenant essaie donc le 38, Mademoiselle Je-Ne-Sais-Pas-S'Il-Est-Assez-Gros-Pour-Moi. C'est mon préféré. Il est assez grand pour faire pas mal de dégâts, mais assez petit pour rester discret.

J'ai pris l'arme. Elle était plus lourde, et ma main a tremblé un peu lorsque j'ai visé. J'ai aligné le viseur, pris appui sur mon pied arrière et pressé la détente. Le canon s'est cabré sous l'effet du recul, et, si j'ai réussi à garder le contrôle, je n'ai pas du tout aimé cette sensation, un peu comme si je devais dompter un animal sauvage. Avec un flingue encore plus gros, je serais sûrement tombée à la renverse.

— Je crois que j'ai compris, ai-je dit. Il est bien plus difficile à tenir.

— C'est clair. Plus ton flingue est gros, plus il y a de recul. Vaut mieux utiliser une arme qu'on contrôle bien, sinon on hésite à s'en servir. Une arme, c'est personnel. Si je n'ai pas celle qu'il te faut, on en trouvera une autre.

— J'ai envie de réessayer le 38, ai-je lancé.

Il a hoché la tête, et je me suis mise en position. Et cette fois, lorsque j'ai tiré, j'ai pris la douille en pleine figure. Après avoir rebondi dans mon cou, elle a fini sa course dans mon décolleté.

— Putain de merde! ai-je hurlé.

J'ai lâché le revolver et sauté dans tous les sens pour faire glisser le projectile en métal qui me brûlait la peau à chacun de mes mouvements, jusqu'à ce que je réussisse à écarter suffisamment mon soutien-gorge et à le faire tomber.

— Nom de Dieu, Marie! a pesté Horse, en ramassant le flingue. Ne laisse jamais tomber un flingue comme ça, le coup pourrait partir. Tu aurais pu te tuer!

Je me suis redressée, haletante.

— Je me suis brûlée, ai-je dit d'une voix faible.

— C'est bien dommage, poupée, mais t'aurais eu bien plus mal si tu t'étais tiré dessus. Ou si tu m'avais tiré dessus. Je veux bien que tu me descendes, mais seulement si je le mérite.

— Le 22 m'ira très bien finalement, ai-je reconnu en me mordant la lèvre.

Il a reposé le flingue, en secouant la tête et en me souriant.

— On ne s'ennuie jamais avec toi, t'es au courant?

— C'est ce que t'aimes chez moi, non ? ai-je lancé, avec une note d'espoir dans la voix.

— Ouais, ça me plaît, a-t-il avoué en inclinant la tête pour m'embrasser. Il est temps que tu t'entraînes à charger ton arme pour t'habituer. S'il faut que tu t'en serves un jour, autant qu'elle te paraisse aussi légère qu'une plume.

— Tu penses sérieusement que j'aurai besoin de m'en servir ? La vie de femme de biker est si dangereuse que ça ?

— Je ne pense pas, a-t-il reconnu. Pas plus que celle de n'importe quelle autre femme. Ça dépend. Le monde qui nous entoure n'est pas beau à voir, tu sais. Mais je me dis que, si tu apprends à t'en servir et que tu le fais sérieusement, ça devrait bien se passer. Si tu ne le fais pas, le jour où tu en auras besoin, t'imagines ? Je ne pourrai jamais me le pardonner, Marie. Merde, ça t'aurait bien servi hier soir !

Je suis redescendue sur terre.

— Et Max ? Qu'est-ce qui va se passer pour lui ?

— Ça regarde le club. Ne me pose pas de questions. Fais-moi confiance pour régler cette histoire. Il aura la punition qu'il mérite, je vais lui faire passer l'envie de recommencer. Il n'a pas le choix, sinon je lui fais la peau.

— T'es sérieux, j'imagine ? ai-je murmuré. Tu irais jusqu'à le tuer ?

— Si quelqu'un s'en prend à toi, je le tue. C'est comme ça que ça marche. Assez de questions, montre-moi plutôt comment tu charges un flingue, bébé. On va s'entraîner tous les jours jusqu'à ce que tu sois à l'aise les yeux fermés. Ce flingue fait partie de toi maintenant. C'est compris ?

— Oui, on est sur la même longueur d'onde.

— Oh, bébé, tu ne t'imagines même pas à quel point ! a-t-il répondu, en repoussant une mèche de cheveux derrière mon oreille. Pas une seconde. Bon, vas-y, je te regarde. Les filles avec un flingue, c'est sexy.

Chapitre 17

10 décembre – Trois mois plus tard

J'aimerais pouvoir dire qu'ensuite ça a été le paradis sur terre. Que chaque jour était une nouvelle aventure incomparable et que la vie avec Horse ressemblait à un conte de fées avec des motos en guise de carrosses.

Mais ce serait un énorme mensonge.

Horse vivait seul depuis si longtemps qu'il avait besoin d'être cadré. La vie avec un salaud, j'avais déjà donné, donc j'attendais autre chose. Il prétendait que je pouvais me transformer en furie, et je dois avouer qu'il n'avait pas tort.

En tout cas, on ne s'ennuyait jamais.

Chaque moment pénible était compensé par dix instants agréables, très très agréables. On explorait la liste de ses fantasmes, et je dois dire que l'utilisation de mon vibromasseur rose était bien plus sympa à deux qu'en solo. Et, alors que Gary était du genre à tirer son coup vite fait bien fait, Horse faisait preuve d'une grande créativité. Et, s'il adorait me prendre, il aimait encore plus me faire jouir.

Je n'allais pas m'en plaindre.

Je n'ai pas su ce qui était arrivé à Max. Tout ce que je sais, c'est que je ne l'ai pas vu pendant tout le mois d'octobre et une bonne partie du mois de novembre, puisqu'il s'est repointé à la soirée de Thanksgiving. Il a rasé les murs de l'arsenal comme un chat venant d'échapper à la noyade, grincheux et sur la défensive. Comme les membres du club semblaient l'ignorer, je les ai imités. J'aurais préféré le castrer à la petite cuillère émoussée, mais dans la vie il faut savoir faire des compromis. Non ?

Surtout quand on évolue au sein du Reapers MC.

Encore une chose à laquelle il allait falloir que je me fasse. En vivant avec Horse, je vivais aussi avec le club, qui, bien qu'étrange, était une vraie famille, comme il me l'avait expliqué. Son centre névralgique était l'arsenal, dont je n'arrivais pas très bien à saisir le rôle jusqu'à ce que j'y mette finalement les pieds. Maggs m'avait appelée un matin pour me prévenir qu'un barbecue improvisé était organisé. J'étais censée préparer une « cargaison de mon hallucinante salade de tomates », selon les mots de Picnic. Elle passerait me prendre à 16 heures.

L'arsenal, comme je l'ai découvert en arrivant sur place, était en fait l'ancien arsenal de la Garde nationale, dont les Reapers avaient fait l'acquisition il y a quinze ans. Situé à la sortie de la ville, c'était un bâtiment de trois étages qui possédait, comme il se doit, tous les attributs d'une forteresse. À l'arrière, se trouvait une immense cour murée, assez grande pour accueillir les nombreux pick-up, voitures et autres motos qui s'y garaient. Il y avait aussi plusieurs hangars ainsi que des dépendances. Le sol était partout goudronné, en dehors d'un espace recouvert d'herbe, où l'on avait installé des tables de pique-nique, un brasero et des balançoires autour desquelles des enfants couraient en criant et en riant.

Je ne m'attendais pas du tout à ça. Ni à la fête qui avait suivi, complètement sauvage et déjantée, mais sans la violence de celle qu'avaient organisée les Silver Bastards. C'était une réunion de famille, et, pour la première fois, je me suis rendu compte à quel point les liens entre les membres du club étaient forts. On s'est marrés, on a dansé, pris des photos débiles et mangé comme des goinfres. Cette nuit-là, Horse m'a amenée sur le toit et démontré, après avoir étendu une couverture sur le sol, combien boire et baiser avec un Reaper pouvaient être agréables lorsque ça ne finissait pas par une fusillade. Les enfants étaient couchés depuis belle lurette, et, dans l'obscurité, j'avais entendu s'ébattre d'autres couples. J'aurais dû me sentir mal à l'aise, mais en fait j'avais adoré. Faut pas chercher à comprendre.

Aujourd'hui, trois mois plus tard, ma relation avec Horse était au beau fixe. J'allais reprendre les cours en janvier, mon divorce était dans les tuyaux, et Gary, comme prévu, n'avait pas posé le moindre problème. J'avais pu aller rendre visite à ma mère à plusieurs reprises, et elle avait semblé être heureuse pour moi, même si elle avait bien l'intention de rencontrer Horse et les Reapers pour vérifier mon bonheur de ses propres yeux.

La seule chose qui me manquait, c'était Jeff. Apparemment, il était en contact avec les Reapers et leur avait même remboursé une partie de l'argent qu'il leur devait, même si ce n'était encore qu'une somme dérisoire. Je n'avais toujours pas parlé avec lui, mais j'avais reçu un ou deux e-mails d'une adresse anonyme, dans lesquels il me disait de faire profil bas, de tenir bon et qu'il était sur le point de tout régler. Après avoir fondu en larmes, je lui avais répondu que j'allais bien et qu'il fallait qu'il s'inquiète pour lui plutôt que pour moi. J'en ai aussi profité pour créer une nouvelle adresse, secrète et anonyme. Non pas parce que je ne faisais pas confiance à Horse, mais c'était la vie de mon frère qui était en jeu. Entre les Reapers et lui, il s'agissait bien plus que d'un simple conflit d'intérêts, c'est le moins qu'on puisse dire. Il fallait que je puisse communiquer avec Jeff seul à seul. J'ai reçu ensuite quelques e-mails de lui, mais rien de très important.

Côté positif : Horse et moi, on se préparait à passer notre premier Noël ensemble, et je trouvais ça assez excitant. Ce jour-là, j'avais rendez-vous avec les filles au centre commercial de Spoken Valley. Cookie et Maggs étaient les meneuses de notre petite bande, sûrement parce qu'elles avaient besoin du soutien de leurs sœurs plus qu'aucune autre. Les Reapers veillaient sur elles, bien sûr, mais être séparé de son mari depuis si longtemps, c'était dur, surtout pour Cookie. Silvie, sa petite dernière, réclamait Bagger presque tous les soirs.

Heureusement, la fin du calvaire était proche. D'après la rumeur, Bagger serait libéré juste après le Nouvel An. Ça tombait bien : Cookie était restée presque sans nouvelles de lui ces derniers temps et elle était sur le point de craquer. On avait donc décidé de faire une petite virée shopping à *Victoria's Secret*, afin de trouver la tenue idéale pour leurs retrouvailles.

— Je veux un truc sexy mais pas vulgaire, a prévenu Cookie, en fouillant les déshabillés. Vous voyez ce que je veux dire ?

Maggs n'a pu s'empêcher de se marrer.

— Je crois qu'il en aura rien à foutre de ce que tu portes, mon chou. Tu te souviens pas de ce qu'il t'a dit après avoir reçu ta vidéo ?

Cookie a piqué un fard, et j'ai éclaté de rire. Bagger avait plus qu'apprécié son numéro de stripteaseuse, après s'être assuré qu'il était bien le seul à l'avoir vu. Je l'avais rencontré par Skype une ou deux fois, et, d'après ce que j'avais compris, non seulement il vénérait Cookie et sa fille, mais, en plus, il n'était pas du genre à partager.

— Je n'arrive pas à croire que j'ai accepté de me laisser entraîner, a finalement avoué Cookie après avoir essuyé quelques larmes de rire. J'imagine très bien Silvie tomber sur cette vidéo sur mon ordinateur quand elle sera ado. Comment voulez-vous que je réussisse à la convaincre de garder sa virginité si elle me voit à l'œuvre ?

— Silvie et Em, vierges éternelles ! ai-je dit, en secouant la tête. La vie d'une fille de Reaper dans toute son horreur. Les pauvres chéries sont baisées, c'est clair. Et je dis ça sans vouloir faire de mauvais jeu de mots, bien sûr.

Nouveaux éclats de rire.

— C'est ce que je veux, moi, qu'on me baise, a lancé Cookie, en soupirant. Qu'on me baise, qu'on me nique, qu'on me comble ou qu'on me tringle, peu importe. J'en suis déjà à mon troisième vibro avec cette histoire. Tout ce que je veux, c'est retrouver mon mec.

Au bout d'une heure, on a réussi à dégotter la tenue idéale. Et même plusieurs en fait. Maggs a aussi acheté un ou deux trucs, mais moi, je suis restée sage. Je n'avais pas envie de dépenser l'argent de Horse. Il n'arrêtait pas de me dire que je pouvais en profiter, mais ça me paraissait étrange de m'offrir des trucs. J'abordais parfois avec lui l'éventualité de retrouver un boulot. En même temps, j'avais mille choses à faire. De temps en temps, j'allais filer un coup de main à Cookie au magasin, et, de fil en aiguille, j'avais fini par faire la nounou pour Silvie trois jours par semaine. D'après Cookie, il était plus facile d'apprendre à autrui comment faire du café que de trouver une nounou digne de confiance. C'était l'idéal pour moi. Non seulement je la tirais d'un mauvais pas, mais en plus je gagnais un peu d'argent. Je l'aurais bien fait gratuitement, mais c'est elle qui a insisté pour me payer. Je m'occupais aussi de faire les courses pour les mecs et, quand la femme de ménage de leur boutique de prêt sur gages s'est barrée, je l'ai remplacée. Les Reapers avaient un tas d'affaires à gérer, et Horse avait apprécié que j'aie envie de me rendre utile. Il n'était pas le seul d'ailleurs. Tout le monde désormais semblait content de ma présence.

Mon téléphone a sonné. C'était un message de Horse.

Tu passes à l'arsenal? Il faut qu'on parle.

Ça avait l'air grave.

Moi: Tout va bien?
Horse: Compliqué. Je t'expliquerai de vive voix. Ne traînez pas, OK?

Comme Maggs et Cookie voulaient continuer à faire les magasins, je les ai saluées et je suis partie. Et, comme j'avais ma voiture, j'ai pu aller directement à l'arsenal. J'ai laissé la voiture sur le parking devant l'entrée, et Painter est venu à ma rencontre. Il m'a prise par le bras et m'a fait traverser le portail et la cour pour me conduire jusqu'à l'entrée de derrière, qui était un peu louche, en me disant que Horse n'allait pas tarder. Nous sommes restés tous les deux à l'attendre dehors.

J'aurais préféré éviter, vu le froid de canard qu'il faisait ici, bien plus que chez moi d'ailleurs, où les hivers sont plus doux, alors que c'est seulement à trois cents kilomètres de Cœur d'Alene. Je grelottais et je me frottais les bras. J'ai remarqué qu'il y avait bien plus de motos qu'à l'accoutumée dans la cour, garées à côté de gros pick-up et de 4´4 que je n'avais jamais vus. Finalement, Horse est apparu et a tenu la porte ouverte pour Painter, qui s'est faufilé à l'intérieur. Le simple fait de voir Horse m'émoustillait. Il portait une veste noire par-dessus son gilet en cuir et une casquette en laine de la même couleur sur la tête. Avec sa barbe, qu'il laissait pousser en hiver, je dois dire qu'il était toujours aussi torride. Contrairement à l'expression qu'arborait son visage, si glaciale que j'ai cru avoir oublié un truc essentiel.

— On a un problème, bébé, a-t-il annoncé sans prendre le temps de me saluer.

— Quel problème ?

— Ton frère a passé un marché avec un autre club. Il s'arrange je ne sais pas comment pour récupérer des informations sur nous et il les balance à ces types. En échange, ils sont censés venir te chercher et te ramener à lui. Il est totalement inconscient.

Ces types sont de vrais durs, et ça risque de lui exploser à la gueule. C'est bien dommage pour lui, mais je n'ai pas envie que ça rejaillisse sur toi. C'est pour ça qu'on va t'enfermer. C'est le seul moyen de te protéger tant que cette histoire n'est pas réglée. (Je le dévisageais, bouche bée.) Il essaie de te sauver, a continué Horse, en secouant la tête. Je te jure : soit c'est le type le plus débile que je connaisse, soit c'est le moins veinard. Il est allé trouver les Devil's Jacks, qui, en plus d'être nos ennemis, sont à mon avis les enfoirés les moins fiables à des kilomètres à la ronde. Ça fait longtemps qu'ils cherchent à nous baiser, c'est l'occasion rêvée pour eux. Ça pourrait déboucher sur une guerre des gangs, mais là ce n'est pas nous qui contrôlons. L'urgence, c'est de t'enfermer jusqu'à ce qu'on mette la main sur Jeff.

— Je ne comprends pas, ai-je avoué. Qu'est-ce qu'il peut bien leur refiler ? Il était censé se faire oublier, et voilà qu'il prépare une guerre des gangs pour me récupérer ! Toi qui disais qu'il était coincé... Où est-ce qu'il trouve la force de faire ça ?

— Comment veux-tu que je le sache, nom de Dieu ! a pesté Horse, visage sombre. Je te jure, s'il avait mis autant d'énergie à faire son boulot, on serait millionnaires, putain ! Au lieu de ça, il nous manipule comme si on était de simples pions. Ça pourrait nous impressionner. Sauf que, là, les pions en question, ils sont armés jusqu'aux dents. Les gars sont remontés à fond, ils ont vraiment la haine, et t'as du bol qu'ils t'apprécient parce que ça ne sent pas bon du tout. Tu vas t'installer à l'arsenal pendant un temps, dans l'un des appartements à l'étage.

— Et ça va durer longtemps?

— Le temps qu'il faudra, bébé. Si les Jacks réussissent à t'enlever, le club est en guerre. Si Jeff a réussi à les mettre sur tes traces, ça veut dire que, jusqu'ici, les infos qu'il leur refile valent suffisamment le coup. Tu te fais toute petite et tu ne sors pas de l'arsenal. Et, ce soir, tu es consignée dans l'appartement. Y a des mecs d'autres chapitres qui viennent nous prêter main-forte. Ils sont presque tous déjà arrivés, ça va chauffer. Donc, tu restes dans ta chambre, tu ne parles à personne et tu ne fais ni ne dis rien qui pourrait attirer l'attention.

— OK, ai-je accepté, me sentant très mal à l'aise. Et c'est tout?

Il a eu un rire bref et soudain, qui n'avait rien de drôle.

— Non, a-t-il dit en se frottant le menton. On change de stratégie. Il est temps que tu rentres en contact avec ton frère. Envoie-lui un e-mail, téléphone-lui, appelle tous ceux qui le connaissent. Dis-lui qu'on veut qu'il arrête son petit jeu, pour ta sécurité et pour le club. Ensuite, il disparaît. Et on n'entend plus jamais parler de lui. Soit il accepte, soit c'est nous qui l'obligeons à le faire. Si je te dis tout ça, c'est parce que je t'aime, bébé. Si tu veux que ton frère reste en vie, il faut que tu le convainques de coopérer avec nous. C'est son seul espoir.

J'étais tétanisée.

— Et s'il ne le fait pas vous avez l'intention de le tuer ? Il n'a aucune chance de s'en sortir maintenant ! ai-je lancé sans réfléchir. Vous avez déjà menacé de le tuer, et ça n'a rien changé. Pas question de l'attirer dans un piège pour qu'il se fasse descendre.

— Je ne vais pas te mentir, bébé, a repris Horse, en me regardant droit dans les yeux. On lui offre une porte de sortie. S'il déclenche une guerre, il n'a aucune chance. Il a embauché nos ennemis pour prendre une de nos femmes. Il dépasse les bornes. Il pouvait régler cette histoire sans être obligé de te mêler à tout ça. Tu comprends ce que je veux dire ?

J'ai hoché la tête, au bord de la nausée. Pourquoi Jeff s'entêtait-il comme un forcené ? Je regrettais d'avoir écouté Horse. J'aurais dû appeler Jeff dès le début pour qu'on trouve une solution ensemble ou au moins rester suffisamment en contact avec lui pour lui faire admettre que je ne courais aucun danger. Si j'avais obéi à Horse, c'est parce que je pensais que c'était ce qu'il y avait de mieux pour Jeff. En tout cas, c'est l'excuse que je m'étais trouvée pour ignorer mon frère, alors que je me construisais une nouvelle vie.

Est-ce que je m'étais menti à moi-même ?

— On ferait mieux d'aller directement à l'appartement, a dit Horse. Surtout, ne te fais pas remarquer. Si tu as besoin de quelque chose, appelle sur mon portable. Ne cherche pas à me voir ni à voir personne d'autre. J'ai déjà prévenu Em, elle est allée récupérer des vêtements et les trucs dont tu pourrais avoir besoin.

Il m'a prise par le bras, a ouvert la porte et m'a conduite dans le couloir qui menait à l'escalier. J'ai aperçu de nouvelles têtes, hommes ou femmes, et senti une tension insoutenable. Ça m'a rendue malade. Personne n'a osé me saluer ou même croiser mon regard. Nous sommes montés au troisième étage, où les bureaux d'origine avaient été aménagés en studios. J'ai eu droit au plus petit, tout au bout du couloir. Il y avait des barreaux aux fenêtres, et Horse m'a demandé de laisser les volets fermés.

Je me suis assise sur le lit *king size*, seule.

J'ai sorti mon téléphone et envoyé un e-mail d'urgence à l'adresse anonyme de Jeff. Ensuite, j'ai appelé tous les contacts que j'ai pu trouver. Il fallait que je le joigne, même si je ne savais pas ce que j'allais lui dire. Est-ce que je pouvais vraiment faire confiance aux Reapers si je lui demandais de venir ?

Je n'en étais pas si sûre.

Horse

La grand-messe s'est déroulée à guichets fermés. Picnic présidait la séance, encadré par le président de

Portland et celui de La Grande. Horse était appuyé contre le mur, les yeux posés sur Max, de l'autre côté de la salle. Il n'avait pas oublié ce que celui-ci avait fait, mais il avait payé sa dette et était de retour parmi eux. Peut-être qu'il n'aimait pas ce type, mais c'était son frère, et, en cas de guerre, tout le monde pouvait se révéler utile.

— Jusqu'ici, on a perdu trois cargaisons, a annoncé Deke, le président de Portland.

Ayant passé pas mal de temps là-bas, Horse savait que Deke ne plaisantait pas avec la sécurité. Si quelqu'un détournait leur marchandise, ça voulait dire que l'heure était grave.

— On ne sait toujours pas comment ils obtiennent leurs informations. Les Devil's Jacks ne sont pas réputés pour être très malins, mais là c'est comme s'ils lisaient dans nos pensées. Cette fois, on en a pris un. Il n'a pas été très loquace, mais on a trouvé des contacts dans son téléphone. C'est comme ça qu'on a su pour votre type.

— Qu'est-ce que vous avez fait du prisonnier ? a interrogé Picnic.

— On l'a mis en lieu sûr, a répondu Deke, avec un sourire féroce. Pour l'instant, on le garde. On s'est dit qu'il pourrait être utile. Ces gros enfoirés savent encore ce que veut dire la loyauté. Je n'en dirais pas autant de ce Jensen. On n'arrive plus à contrôler, Pic. Pourquoi vous ne l'avez pas éliminé ?

— C'est ma faute, a lancé Horse. Sa sœur est ma régulière. Ce mec est vraiment doué, j'ai réellement pensé qu'on pourrait retourner la situation et continuer à se servir de lui. De toute évidence, j'ai fait une grave erreur de jugement.

— C'était la décision de tout le club, est intervenu Duck. Une « erreur » ? Peut-être. Mais, si on descend tous les mecs doués, on n'avance plus. Dans ce cas, j'avoue qu'on s'est plantés, mais ça aurait tout aussi bien pu marcher. Et puis on sait tous ici que ça fait des années que les Jacks cherchent à nous tomber dessus. Ça serait arrivé tôt ou tard.

Autour de la table, des grognements d'assentiment ont salué ces mots.

— Ça n'explique pas comment il obtient ses infos, a fait remarquer Deke. C'est la seule chose qui compte pour l'instant. Vous le connaissez. Y a un truc qui nous échappe, et j'aimerais bien savoir ce que c'est.

— Aucune idée, a admis Horse en secouant la tête. Peut-être qu'il nous pirate ? C'est la seule explication à laquelle j'ai pensé, même si je n'en suis pas vraiment convaincu. On n'est pas assez débiles pour laisser traîner ce genre d'infos sur un ordi. Je me dis que c'est forcément un mouchard.

Le silence est tombé sur l'assemblée. Puis Deke a repris la parole.

— On gère nos affaires en permanence sur le Net : les dépôts, les virements et tout le reste. Faut bien que l'argent circule, on peut pas tout faire passer en liquide. C'est une réalité. Si ça se trouve, quelqu'un balance des indices sans s'en rendre compte.

— Peut-être par texto ou par e-mail ? est intervenu Ruger. On a tous des téléphones jetables pour le boulot, mais on a aussi nos téléphones personnels. Et les e-mails. Tous ces trucs. On ne peut pas s'en passer, et je me dis que quelqu'un a peut-être fait preuve de négligence. Ça pourrait même être un môme ou une nana, c'est difficile de les surveiller. Il faut qu'on bloque l'information et, à partir de là, voir ce qui se passe.

— Marie est là-haut en train d'essayer de joindre son frère, a indiqué Horse. J'ai été direct avec elle. Elle sait que la situation est grave. Si elle le trouve, elle me préviendra.

— Est-ce qu'on peut lui faire confiance, à elle ? a demandé Picnic, en se grattant le menton, visage las. Tu sais que je l'aime bien, mais cette situation, ça peut vous retourner le cerveau. En plus, ça ne fait pas longtemps qu'elle est là. Elle pourrait bien cafter.

— Même si elle lui balance des trucs, c'est toujours mieux que rien, a fait remarquer Max, à la surprise de Horse. Qu'elle lui dise qu'il la met en danger, ça le fera peut-être reculer. S'il fait ça, c'est parce qu'il a peur et qu'il essaie de l'aider. Peut-être qu'il n'a pas réussi à réunir la somme demandée et qu'il tente une autre approche. Je suis sûr qu'il n'a aucune idée du bordel qu'il a provoqué.

— Je la garde avec moi tant que cette histoire n'est pas réglée, a annoncé Horse. Elle est dans l'appartement du fond. Ça pose un problème à quelqu'un ?

Picnic a levé les yeux au ciel, et Ruger a secoué la tête. Deke s'est marré, a sorti un couteau et a commencé à se curer les ongles.

— Aucun problème, mon frère, a-t-il dit. Elle est la propriété du club. Et on ne partage pas, peu importe à quel point ils la veulent. Ça nous concerne tous, maintenant.

Horse a senti la tension se relâcher dans sa poitrine. Jeff ne ferait aucun mal à Marie. Mais les Jacks ? Il savait ce qu'ils étaient capables de faire subir aux femmes.

— Je n'ai pas oublié ce qu'ils avaient fait à Gracie, a ajouté Deke, visage grave. On a réagi, je le sais bien, mais, à mon avis, on a été trop sympas. Il faut montrer à ces trous du cul qui dirige vraiment ce territoire et les expulser le plus loin possible. Finissons-en une bonne fois pour toutes. J'en ai rien à foutre de ce mec. Tout ce que je veux, c'est les faire tomber.

— Putain, ouais, t'as raison ! a marmonné un des types de Portland.

Horse a hoché la tête, compréhensif. Les clubs de l'Oregon avaient pas mal souffert ces derniers temps, et voir une des leurs se faire menacer pouvait les affaiblir plus que tout. Il ne voulait pas la guerre, mais, si elle se déclenchait, il ferait front. Les Jacks les cherchaient depuis trop longtemps.

— Voilà comment je vois les choses, a exposé Picnic. On prévient tous les clubs affiliés directement et on leur dit de se préparer, et d'empêcher toutes les fuites d'infos. Ils changent de téléphones, de codes, et prennent des mesures de sécurité pour les femmes et les enfants. Marie a beau être la seule visée, toutes les femmes sont vulnérables. Il faudra peut-être envisager de les faire venir ici le temps que ça dure, surtout pour vous, dans le Sud. Tu penses que Marie va réussir à le joindre ?

— Ouais, a répondu Horse. Elle a une adresse e-mail où lui écrire. Il est malin, l'enfoiré, il va attendre qu'elle le contacte. On pourrait peut-être se servir de lui pour faire passer des infos aux Jacks, lui offrir une porte de sortie. Est-ce qu'on n'a pas une cargaison qu'on pourrait se permettre de perdre dans une embuscade ?

— Il y en a une qui arrive dans deux semaines, a révélé Grenade, le vice-président du club de La Grande. On fait fuiter l'info et on tend notre piège. Et en même temps on les attaque sur leur territoire. Il suffit d'envoyer des types en Californie pendant que nous, on leur tend une embuscade ici.

— C'est pas une mauvaise idée, a commenté Picnic. Les types de Roseburg pourraient s'y coller. Vous en pensez quoi ?

— Ça me plaît, l'idée de le retourner contre eux, a répondu Deke. On verra ce qui se passe. Je n'envoie aucun homme là-bas sans être sûr de prendre les Jacks par surprise. Sinon, ça risque de tourner au bain de sang.

— La question est réglée, alors, a conclu Picnic. On passe au vote ? Qui vote contre ?

Silence général.

— Tout le monde est pour.

Divers cris d'assentiment ont parcouru l'assemblée.

— La séance est levée, a annoncé Picnic. Vous restez là ce soir ? Les filles nous ont préparé des tas de trucs.

— OK pour moi, a signalé Deke, en arborant un large sourire. Profitez de la soirée, les gars, demain, on a du pain sur la planche. Faut pas nous faire chier !

— C'est clair, putain ! a hurlé quelqu'un.

La grand-messe était finie. Il était temps de faire la fête.

Horse n'avait pas prévu de picoler, mais ça lui faisait du bien de décompresser avec ses frères. Après la réunion, il avait apporté à Marie les affaires que Em était allée chercher. Il avait pris une pizza et une ou deux bières, et avait passé une demi-heure auprès d'elle. Pourtant, elle avait évité son regard et ses baisers. Il s'était dit qu'elle avait besoin d'être seule. Avec tout ce qui lui tombait dessus, c'était bien normal.

En bas, c'était la folie, comme toujours quand les clubs affiliés se retrouvaient, surtout quand l'odeur du sang n'était pas loin. Avec les Devil's Jacks, ça saignait toujours. Ce n'était pas une fête de famille non plus. Picnic avait été très clair sur ce point lorsqu'il avait congédié Em après qu'elle avait déposé les affaires de Marie. Pauvre gosse! À cette allure, elle serait toujours vierge à cinquante balais.

Alors qu'il flânait dans le salon principal, une fille vêtue d'une minijupe, de bas résille et d'un haut de Bikini défiant les lois de la pesanteur s'est approchée de lui pour lui offrir une bière, en l'attrapant par la taille et en prenant soin de frotter ses seins contre lui. C'était une fille du *Line*, dont il avait oublié le nom. Il s'est empressé de la repousser d'un haussement d'épaules, non sans lui avoir donné une petite claque sur les fesses. L'endroit grouillait de Jolis-Culs et de stripteaseuses, en signe d'hospitalité pour les invités. Horse a avalé sa bière d'un trait et a remis son verre à une autre fille qui passait par là. Il voulait dire un mot à Ruger avant que plus personne ne soit en état de parler.

Ne le trouvant ni dans le salon principal ni dans la salle de réunion, il s'est dirigé vers le bureau. C'est là qu'ils gardaient leurs dossiers, les officiels en tout cas, et où Horse stockait les livres de comptes relatifs à leurs activités légales. C'était pratique d'avoir tout sous la main, surtout en cas de descente de flics. Pour s'amuser, il avait rempli un ou deux coffres-forts de paperasses paraissant suspectes et de faux numéros de comptes. Ça le faisait marrer d'imaginer un flic s'exciter dessus, avant de passer des mois à essayer de recouper les informations. Il a ouvert la porte et découvert Picnic, pantalon à hauteur des chevilles, en train de besogner une fille contre le bureau sur lequel était plaqué son visage, agrippé à sa chevelure comme à des rênes.

— Tu ne perds pas de temps, à ce que je vois, a lancé Horse, sourire en coin. Pas étonnant que tu voulais qu'Em se casse. T'es un vrai pervers, tu t'en rends compte ?

— T'as rien à foutre ici, à moins qu'on nous tire dessus, a grommelé Picnic.

Horse s'est marré, est ressorti et s'est dirigé vers le magasin. Ruger était un armurier hors classe, et c'est là qu'il gérait les affaires sensibles, loin des regards curieux, trop nombreux à l'armurerie. Lorsque les gars de passage avaient besoin de gros calibres, c'était là qu'ils venaient. Horse a ouvert la porte violemment et a découvert Ruger, assis sur un banc, fusil d'assaut automatique entre les mains, l'une de ses spécialités. Plusieurs frères l'entouraient en racontant des conneries, et l'un des mecs de Portland tendait la main vers le fusil.

— C'est un vrai bijou, mais ce n'est pas très pratique, a-t-il dit alors qu'il le soulevait en se marrant. Je me vois mal me promener avec ça dans une sacoche. J'aurais l'impression de sortir de *Mad Max 3*.

— Ouais, c'est clair, a répondu Ruger. Mais les gros débiles des milices privées les adorent, ils se prennent pour Rambo. La « race supérieure », mon cul ! Je me fais une fortune sur le dos de ces abrutis.

— T'as une minute, Ruger ? a lancé Horse.

Ruger s'est approché de lui d'un pas tranquille.

— Qu'est-ce qui se passe ?

— Marie est en haut, et je me posais des questions pour garantir la sécurité durant les deux jours à venir. Tu y as pensé ? Comme on est limités en nombre, je me disais qu'on devrait peut-être prendre des mesures supplémentaires.

— C'est déjà fait, a répondu Ruger, en décochant un sourire.

Sa langue est venue jouer avec le piercing qu'il avait sur la lèvre, et il a pris l'ordi portable qui se trouvait sur le banc, avant de l'ouvrir. Il avait l'air effrayant avec ses tatouages, sa crête, ses chaînes et ses piercings. Pourtant, quand il était question de technologie, on aurait dit un gosse en train d'ouvrir ses cadeaux de Noël. Il a débloqué le contrôle d'accès du clubhouse sur l'ordi et cliqué sur le plan de l'armurerie et de la propriété alentour.

— Tu vois ça ? On a les caméras et les capteurs électroniques habituels, mais j'ai prévu d'installer d'autres trucs pour surveiller le périmètre, juste ici. Il faut améliorer notre capacité de détection, c'est clair, mais je m'inquiète aussi à cause de nos faibles effectifs. Je veux installer des pièges capables d'être déclenchés à distance en cas de besoin. Je sais bien que l'électronique n'est pas fiable à cent pour cent, mais on n'a pas le choix. On n'est pas assez nombreux pour couvrir autant de terrain. Ça augmentera notre potentiel.

— Est-ce qu'on peut installer quelque chose pour surveiller sa chambre ? a demandé Horse. Je sais que ce n'est pas la priorité, mais j'aimerais garder un œil sur elle. Juste au cas où ils aient acheté une des filles. Ça m'étonnerait que ça vire à l'affrontement direct.

Ruger s'est frotté la tête, envisageant les solutions.

— Je peux t'installer un truc, a-t-il dit, mais pas avant demain. Quand j'aurai fini de briefer les mecs qui sont là, j'irai bien bouffer de la chatte. Et en parlant de ça d'ailleurs, la tienne, on peut lui faire confiance ?

— Tu insinues que j'ai une chatte ? a lancé Horse, bras croisés et sourcil haussé.

— Déconne pas, mec. Tu sais bien que je parlais de ta femme, là-haut. On dit que t'es accro. N'oublie pas qu'elle sait que la vie de son frère est en danger et que c'est peut-être nous qui allons le descendre. T'as envisagé qu'elle puisse être de son côté ? Ça serait humain, Horse.

— Marie est incapable de mentir, a rétorqué Horse, en frottant l'arête de son nez d'un air las. De toute façon, elle n'a accès à aucune information. Ce n'est pas elle qui le renseigne.

— S'ils sont en contact, c'est pourtant la seule source possible, a rétorqué Ruger d'un ton sérieux. Peut-être qu'il la manipule. Je ne dis pas qu'elle te baise pour profiter de toi…

— Oh, je peux t'assurer qu'elle profite bien de moi ! a répliqué Horse, pince-sans-rire.

— Va te faire foutre, a rétorqué Ruger, avec un grand sourire. Tu sais très bien ce que je veux dire. N'oublie pas qu'elle est victime de la situation et qu'elle croit en son frère. Si elle lui parle de ce que tu fais tous les jours, il peut facilement recouper l'information avec d'autres sources. Peut-être que tu ne lui dis rien des affaires du club, mais elle sait où tu te trouves quand on part plusieurs jours. Toutes les femmes connaissent nos déplacements. Si ça se trouve, putain, il est en contact avec elle sur Facebook ! Peut-être qu'il récupère des infos en se faisant passer pour une de leurs copines. Les régulières parlent souvent de leurs mecs quand ils s'absentent. Ça pourrait coller, non ?

— Merde ! a marmonné Horse en secouant la tête. Je n'y avais pas pensé. Ça craint, non ?

— Tu crois ? a demandé Ruger, en frottant son crâne tatoué et les poils ras de sa crête. Tu veux que je la surveille ? Je peux aussi mettre des caméras dans sa chambre, si tu veux.

— Dans tes rêves ! Je n'ai pas envie que ta sale gueule nous mate en train de baiser. Mais je veux bien que tu la surveilles, que tu t'assures que personne de suspect ne s'approche d'elle. Tu vois ce que je veux dire? Oh, et il faudrait un GPS pour sa voiture. Je veux savoir où elle va. Fais attention qu'elle ne se rende compte de rien. Je veux juste la protéger, pas la faire flipper encore plus.

— Je mets ça en place dès demain. Pour l'instant, ce qu'il me faut, c'est une bonne pipe. Et, à moins que t'aies l'intention de partager ta régulière, j'ai plus important à faire que de papoter avec toi.

Ruger a souri niaisement, et Horse s'est esclaffé, avant de lui poser la main sur l'épaule et de la serrer assez fort pour bien se faire comprendre.

— Amuse-toi à poser la main sur Marie, et je te coupe les couilles.

— Ouais, c'est ça. C'est comme ça que tu prends soin de tes frères, espèce de castrateur! Passe me voir demain, et je connecterai ton téléphone et les ordis.

— Merci, mec.

Dans le salon principal, la soirée tournait au délire. Deux meufs se trémoussaient en se frottant sur le comptoir à un bout du bar, pendant qu'une troisième servait des shots. Duck, ce vieux pervers dégueulasse, était affalé sur un canapé avec une jeune rousse à peine majeure qui lui dévorait littéralement la bouche, en s'occupant de son entrejambe d'une main frénétique. Picnic, apparemment libéré de ses occupations de bureau, a croisé le regard de Horse et lui a adressé un petit mouvement du menton pour l'inviter à se joindre aux dirigeants des clubs de Portland et de La Grande, qui se trouvaient à sa table.

— Ça promet, a commenté Picnic alors que Horse prenait un siège. Deke me disait qu'à Portland les gars ont hâte de passer à l'action.

— C'est l'occasion rêvée, a avoué Deke. Les Jacks ont toujours été un problème, tout le monde le sait. Depuis quelque temps, ils nous cherchaient. Rien de bien méchant, juste ce qu'il faut pour nous emmerder, du genre se balader sur notre territoire ou foutre la merde dans les clubs qui nous soutiennent. Certains d'entre eux se sont installés près de Brooklyn Park. Ils squattent dans leur bicoque pourrie en se la jouant citoyens modèles. Y en a même deux qui se sont inscrits à l'université de Portland, t'imagines. Ces connards se tiennent à carreau, mais leur présence est déjà une provocation en soi. Aucun respect.

— Ils mijotent forcément un truc, a répondu Horse alors qu'une autre femme à moitié nue posait une bière devant lui. Faut toujours qu'ils cherchent les embrouilles. Putain, en tout cas, si on était à leur place, c'est ce qu'on ferait !

Tout le monde s'est marré, sachant qu'il avait raison.

— Tout à fait d'accord avec toi, a confirmé Deke. Et, pour ce qui est des cargaisons qu'on perd, je me dis que la fuite vient de chez nous. Pourtant, on surveille nos gars de près, mais on n'a toujours rien trouvé. Je voulais en savoir plus sur ce Jensen. Il est vraiment aussi doué que tu le dis niveau informatique ? Tu crois réellement qu'il est capable de pirater nos ordinateurs, ou un truc du genre ?

— Ouais, il est vraiment bon, a repris Horse. C'est à cause de mecs comme lui que je fais mes comptes sur ordi sans utiliser de carte réseau sans fil. L'ordi est dans un coffre-fort, et je mets les sauvegardes que je fais une fois par semaine dans un autre coffre-fort. C'est le seul moyen efficace de protéger son ordi.

— C'est ce que je pensais, a répondu Deke, en tripotant sa barbe et en secouant la tête.

Le président de Portland était un grand costaud aux cheveux longs, attachés en queue-de-cheval. Il avait les bras couverts de tatouages, et, d'après la rumeur, il avait servi officieusement de tueur professionnel au niveau national. Horse était sûr que c'était vrai.

— On peut lui mettre la main dessus et menacer de le tuer s'il nous donne pas les Jacks. Mais peut-être qu'on devra quand même le tuer.

Horse a hoché la tête, réaliste. Putain, Marie ne s'en remettrait jamais !

— Si on doit en arriver là, est-ce que vous pouvez vous arranger pour que ça ait l'air d'un accident ? Et attendre quelques mois ?

— C'est possible, oui, a répondu Deke. (Il a croisé le regard de Picnic, qui s'est contenté de hausser les épaules.) Je dois dire que ton attachement m'inquiète un peu, Horse. On dirait que tu te fais plus de soucis pour ta femme que pour le club. On a un problème ?

Horse a secoué la tête.

— Non, aucun problème, a-t-il répondu. Ce club, c'est ma vie, et j'en suis conscient. Tout comme elle, d'ailleurs. J'espère juste sortir vivant de cette histoire et garder ma régulière. On fait tous des sacrifices. J'espère que le mien ne sera pas plus important qu'il ne le faudrait.

— Content de te l'entendre dire, a conclu Deke. Je m'en souviendrai. Mais avoue que, si les Jacks le butaient, ça nous simplifierait la vie.

— C'est vrai, a confirmé Picnic. Mais, si j'étais toi, je ne compterais pas trop dessus. Ils ne nous ont jamais fait de cadeaux, je ne vois pas pourquoi ils commenceraient. J'aurais aimé contrôler davantage le timing, mais ça sera une bonne chose de faite si on les élimine du jeu, surtout dans votre situation, Deke. Mais assez parlé affaires. La journée a été longue pour vous, les gars. Il est temps de faire preuve d'hospitalité.

Picnic a regardé autour de lui et repéré un groupe de filles à proximité. Il les a sifflées.

— Occupez-vous de nos hôtes pour moi, le devoir m'appelle.

Les filles ont souri et se sont docilement approchées de la table des grands pontes des clubs invités.

Picnic a jeté un œil à Horse avant de hausser un sourcil.

— T'as prévu de te mêler à nous, ce soir ?

— J'ai beaucoup mieux en haut, a décliné Horse. Faut lui laisser le temps de s'installer, de s'habituer à tout ça. C'est tout.

— On dit qu'un frère qui a peur de se faire plaisir avec les meufs est lui aussi une meuf, a répondu Picnic. Qui c'est qui commande, toi ou ta régulière ?

Horse a ri.

— Faut toujours que tu dises des conneries. Quand ta régulière était encore de ce monde, t'étais un vrai curé. Je te connais.

Picnic a semblé méditer un instant, avant d'avaler une longue gorgée de bière. Puis il a levé les yeux pour soutenir le regard de Horse.

— Ça m'a causé suffisamment d'emmerdes, a-t-il dit. Mais tu peux me croire, j'échangerais n'importe quel cul que j'ai pu me taper pour une dernière journée avec cette femme. Tout ça… (Il a montré la salle d'un geste du bras.) … tout ça, c'est des conneries. C'est pas ça l'important. On fera tout ce qu'on peut pour protéger ta nana. Et, si on doit éliminer Jensen, on s'y prendra en douceur. Je voulais que tu le saches.

— Merci, a dit Horse. T'es un vrai frère.

— Tout est là, a répondu Picnic, avant de sourire. Mis à part ce que je disais, peut-être bien que ma régulière n'est plus de ce monde, mais le seul fait de penser à elle me donne une trique d'enfer. Ma petite séance dans le bureau m'a à peine soulagé. Il est temps d'y remédier.

Picnic s'est levé et s'est dirigé vers un nouveau groupe de filles en train de glousser. Deux mains surgies de derrière Horse ont recouvert ses yeux, et un corps chaud s'est collé contre son dos.

— Hé, beauté ! a dit la voix d'une femme.

Une voix qu'il a immédiatement reconnue. Serena. Il a eu un grand sourire, a enlevé ses mains et s'est levé pour la serrer dans ses bras.

— Ça faisait longtemps, a-t-il dit, en reculant d'un pas pour mieux la regarder. Tu es magnifique, comme toujours. On ne t'a pas beaucoup vue par ici ces derniers temps. Qu'est-ce qui se passe ?

Elle l'a gratifié d'un sourire entendu.

— J'ai un nouveau mec, on dirait. Qui vient me voir de Californie en jet privé. Tu vois le genre ? Ça fait un moment qu'on se voit, mais, maintenant que son divorce a été prononcé, il a un peu plus de liberté. On a traîné un peu ici et là. Je pense que je vais le suivre dans le Sud, à moins que je n'aie une meilleure raison de rester.

Horse, saisissant le sous-entendu, a secoué la tête avec regret.

— Je suis pris, bébé.

Elle a acquiescé d'un air un peu mélancolique, mais sans aucune tristesse ni surprise. Cette attitude lui ressemblait. Serena avait toujours été réaliste, et une amie fidèle aussi. Ils avaient été ensemble par intermittence depuis le lycée, et Serena était l'une des rares femmes avec qui il ait couché qu'il appréciait vraiment et en qui il avait confiance.

— Je suis au courant. La rumeur est assez effrayante, pour être honnête. Laisse-moi te poser une seule question, et ensuite je te fiche la paix. Elle est prisonnière ?

Horse a haussé les épaules.

— Je lui ai dit qu'elle pouvait partir, mais son frère a un contrat sur le dos. Ça n'a plus rien à voir avec elle, à présent.

Après avoir observé le visage de Horse, Serena a pris un air désapprobateur.

— T'es malin. Tu lui as « dit qu'elle pouvait partir » ? Elle sait que tu mentais ?

— Je n'ai pas envie de parler de ça, a coupé Horse d'un ton sans appel.

— OK, mon grand, a lâché Serena avec un rire. C'était juste une question. J'ai toujours pensé que toi et moi, on aurait pu arriver à quelque chose, tu vois ce que je veux dire ? Mais je suis heureuse pour toi, Horse, vraiment. T'es un gentil au fond. Tu me paies un verre en souvenir du bon vieux temps ?

Il lui a tendu le bras, et ils se sont dirigés vers le bar. Il ne restait plus qu'une fille qui dansait sur le comptoir, complètement nue à présent. L'autre, affalée sur un canapé, se faisait lécher l'entrejambe par un frère de La Grande, tout en suçant le sexe d'un autre. Horse en avait un peu marre de tout ça. Soudain, il s'est senti vieux et un peu blasé. Il n'était pas encore marié, il avait encore le droit de mater. Pourtant, en toute honnêteté, il trouvait ce spectacle très chiant.

Après avoir attrapé deux bières au bar, il s'est mis en quête d'un coin assez tranquille pour discuter. En vain.

— On n'a qu'à monter dans la salle de jeu.

Presque la moitié du deuxième étage de l'arsenal était une grande salle ouverte, dans laquelle avaient été installés des tables de billard, une d'air hockey et quelques vieux canapés. Il y avait un écran télé géant fixé sur un mur, branché au satellite et à six consoles différentes de jeux vidéo. Certains allaient sûrement passer la nuit ici, mais, pour l'instant, tout était calme. Plus loin dans le couloir, de chaque côté, se trouvaient une série de chambres réservées à divers usages professionnels ou privés, comme entreposer les stocks supplémentaires ou tirer un coup vite fait.

Horse a accompagné Serena jusqu'au canapé devant la télé. Elle a regardé autour d'elle, en s'attardant dans le couloir.

— La chambre est occupée ce soir ?

Horse a grimacé, puis haussé les épaules.

— Qui sait ? Personne ne les force. Ça te dérange tout à coup ?

Elle a fait « non » de la tête avec un rire, puis s'est penchée vers lui et a fait glisser sa main le long de son gilet en cuir.

— Tu sais, bébé, il m'est arrivé d'y passer une nuit ou deux, a-t-elle répondu en lui adressant un clin d'œil. À l'époque où t'étais à l'armée, je crois.

— Tu veux dire que tu voyais quelqu'un d'autre pendant que je me battais ? a-t-il demandé, main sur le cœur comme s'il était choqué.

Elle a éclaté de rire.

— Tu me connais, je suis fidèle tant que mon mec reste dans ma chambre et a de la thune à claquer.

Horse s'est mis à rire lui aussi, touché par sa franchise. La compagnie de Serena était agréable et sans prise de tête. Une partie de lui aurait aimé ressentir pour elle ce qu'il ressentait pour Marie. Ils auraient formé un bon couple. En plus, elle connaissait la vie du club sur le bout des doigts… littéralement. Mais non, leur histoire ne pourrait jamais marcher. Si elle devenait la propriété d'un frère, les autres régulières lui feraient sûrement la peau.

À moins que ce ne soit elle qui les descende avant, s'est dit Horse, en regardant les griffes rouges acérées qu'elle arborait en guise d'ongles.

— C'est quoi, ce regard ?

— Je t'imaginais en régulière. Ça serait chaud.

Elle s'est esclaffée si fort que sa bière est ressortie par ses narines, provoquant un nouveau fou rire.

C'est ce qu'il aimait chez Serena. Elle était spontanée et sans prétention. Il lui a pris son verre, cherchant du regard quelque chose pour nettoyer les dégâts. Il y avait un vieux sweatshirt planqué dans un coin du canapé. Après l'avoir attrapé, il s'est levé et s'est penché vers elle pour essuyer sa poitrine et ses cuisses. Serena ne l'aidait pas du tout : elle n'arrêtait pas de glousser et de lui donner de petites tapes.

— N'en profite pas pour me peloter, espèce de vieux salaud ! s'est-elle exclamée.

Il l'a gratifiée d'un large sourire.

— Ouais, tu me connais, je saute sur tout ce qui bouge.

Une voix a stoppé net son rire, et, à son tour, il a failli s'étouffer.

— Je comprends pourquoi tu voulais que je reste en haut !

Lorsqu'il a tourné la tête, Horse a découvert Marie derrière le canapé, enveloppée dans une couverture, visage blême et claquant des dents.

— Et merde ! a-t-il marmonné.

Le regard de Serena passait de l'un à l'autre.

— J'imagine que c'est la régulière en question ?

Chapitre 18

Marie

Je n'arrivais pas à fermer la fenêtre.

Je n'aurais jamais dû l'ouvrir, c'était débile. Mais je commençais à devenir claustro. Pas évident de me retrouver coincée seule dans une chambre où je me sentais à l'étroit. J'entendais la fête à l'étage en dessous, et je savais que Horse finirait par me rejoindre. Mais, avec les barreaux aux fenêtres, l'impossibilité de contacter Jeff ou de sortir, je me suis mise à angoisser.

C'est pour ça que j'ai décidé d'ouvrir la fenêtre : pour respirer un peu d'air frais.

Évidemment, elle ne voulait pas s'ouvrir. C'était une fenêtre à guillotine, et j'ai dû forcer un peu sur le châssis jusqu'à ce que je puisse glisser la main en dessous. Et comme je n'ai vraiment pas de bol, quand j'ai réussi à le faire coulisser, il est resté coincé en haut, laissant la fenêtre grande ouverte. Il m'a fallu au moins dix minutes avant de me rendre compte que ça risquait de poser un problème. L'arsenal était chauffé par de gros radiateurs électriques un peu vieillots, dont on ne pouvait pas régler la température. Dehors, la nuit était d'un froid et d'un calme parfait, avec en toile de fond, sur les collines alentour, les sapins saupoudrés de traces de givre comme sur une carte de Noël.

À l'intérieur également, il faisait froid et clair à présent, mais c'était loin d'être aussi parfait.

J'avais essayé de refermer la fenêtre, bien sûr. Avant d'enfiler ma veste en cuir malheureusement pas très épaisse. Bien que j'aie écumé tous les dépôts-ventes de la région, je n'avais toujours pas pu trouver de manteau d'hiver, et je n'avais pas envie de me ruiner pour ça. Je me suis mise à faire les cent pas dans la chambre, indécise. J'ai fouillé dans mon sac pour récupérer mon portable, qui se trouvait sous le revolver. Non pas que je l'aie toujours sur moi, mais Horse tenait à ce qu'il ne me quitte pas tant que cette histoire avec les Jacks ne serait pas terminée.

Aucun message vocal, aucun texto. Il fallait que je vérifie mes e-mails. Il y avait un nouveau message de Jeff sur ma boîte anonyme. J'ai commencé à le lire, l'estomac noué.

Sœurette, content d'apprendre qu'ils ne t'ont pas fait de mal. Continue à jouer le jeu et à faire ce qu'ils te disent, ne leur donne aucune raison de te maltraiter. Je viens d'envoyer un message fictif sur ton compte habituel pour te dire que j'envisageais de les contacter.

Surtout, je voulais que tu saches que les Reapers sont de vrais criminels et qu'ils n'hésiteront pas à te supprimer. Comme les Devil's Jacks, d'ailleurs, mais j'ai tout arrangé avec eux pour qu'on s'en sorte tous les deux. Maintenant, écoute-moi. Ça m'inquiète quand tu dis que tout se passe bien entre toi et Horse. Il te manipule, tu ne peux absolument pas faire confiance à ce type. J'ai appris des tas de trucs sur lui. Tu savais qu'il avait fait partie des forces spéciales en Afghanistan ? Sa spécialité, c'était la reconnaissance, c'est-à-dire qu'on l'envoyait en éclaireur pour repérer le terrain et faire le sale boulot. Il a tué plein de gens et il est même soupçonné d'avoir massacré des civils. Des femmes et des enfants, sœurette. Il devait passer devant la cour martiale, mais le témoin a refusé de parler ou a disparu de la circulation. Ils se sont arrangés pour étouffer l'affaire, je ne vois que ça. Il n'a même pas été renvoyé pour manquement à l'honneur, c'est pour te dire à quel point il est malin. Je t'envoie des liens vers des articles qui parlent du massacre. J'ai trouvé d'autres dossiers, mais je ne peux pas te les envoyer, ça serait trop risqué.

Ton petit ami est un tueur et s'il apprend que tu connais la vérité il te tuera, toi aussi. Fais ce qu'il te dit sans discuter. Réponds-moi sur l'autre adresse, et je ferai semblant de coopérer. Fais l'idiote et tiens-toi prête. Je te recontacterai plus tard dans la semaine quand j'aurai tout organisé. Et rappelle-toi que disparaître ne suffit pas. Ils se disent bikers, mais en réalité c'est une mafia. Il faut prévoir notre évasion à tous les trois, toi, maman et moi. C'est ce que je suis en train de mettre au point. Il n'y en a pas pour longtemps, courage. Je t'aime et je suis désolé de t'avoir entraînée là-dedans. Désolé à un point que tu ne t'imagines même pas.

Jeff

J'ai cliqué sur un des liens et je suis tombée sur un article datant d'une dizaine d'années. Plusieurs familles afghanes avaient été assassinées chez elles, dans une zone contrôlée par les forces alliées mais profondément infiltrée par des groupes talibans. Un marine des forces de reconnaissance faisait l'objet d'une enquête pour crimes de guerre. On y voyait aussi une photo d'identité banale d'un Horse plus jeune.

J'ai juste eu le temps d'arriver aux toilettes avant de vomir.

Ensuite, je suis restée allongée sur le lit, enveloppée dans des couvertures à écouter les bruits de la soirée qui se déroulait en dessous de moi. Au bout d'une heure de déprime, je ne tenais plus en place. La chambre était glaciale, et les couvertures trop fines ne me protégeaient pas. D'une main engourdie, j'ai envoyé un texto à Picnic, qui ne m'a pas répondu. J'ai pensé appeler les filles, mais, avec la fête qui battait son plein, je me suis dit que ce n'était pas une bonne idée. Jeff me conseillait de ne pas contrarier les Reapers. Je devais envisager d'autres possibilités. Finalement, j'ai décidé d'envoyer un texto à Horse. Aucune réponse. Alors, je l'ai appelé, en vain également.

C'est pour ça que je me suis aventurée dans le couloir. Je savais qu'il y avait d'autres chambres à l'étage, réservées aux invités ou aux membres du club qui voulaient dormir sur place. Je pourrais au moins m'y réchauffer quelques instants en attendant. Malheureusement, elles étaient toutes fermées à clé. Je claquais des dents et je m'entortillais tant bien que mal dans ma couverture. Plus possible de reculer. Il fallait que je descende chercher Horse.

Le troisième étage du bâtiment faisait à peine la moitié du premier et du deuxième, il consistait en un immense couloir avec des portes de chaque côté et un escalier à chaque extrémité. L'escalier principal, que j'avais pris avec Horse, desservait la salle de jeu et la salle principale, tandis que l'escalier du fond débouchait directement en bas, à l'étage des bureaux – idéal pour passer inaperçue.

Malheureusement, la porte qui donnait sur l'étage inférieur était verrouillée. Soit je remontais, soit j'affrontais le froid dans la cour. Sans hésiter, je suis retournée au deuxième étage, poussant la porte sur le palier avec le plus de discrétion possible. J'ai entendu des rires, des grognements et des cris à travers une porte ouverte sur ma gauche. Je me suis approchée lentement en espérant tomber sur Horse.

Le choc de ma vie.

Cinq hommes que je ne connaissais pas mais qui portaient les couleurs des Reapers se tenaient autour d'un lit sur lequel une femme se faisait prendre comme une chienne par un type au bord du lit, pantalon sur les chevilles, mains arrimées sur les hanches de la fille.

— Défonce-moi, bébé ! a-t-elle braillé, avant de pousser un petit cri et de cambrer les reins.

— Putain, c'est vraiment une chienne ! a marmonné une voix qui ne m'était pas inconnue.

C'était Max. Je ne l'avais pas vu avant parce qu'il avait le dos tourné. J'étais tétanisée, fascinée par le spectacle de l'homme au pied du lit, qui après avoir grogné de plaisir se retirait et laissait sa place.

J'hallucinais. Elle allait tous se les taper. Je ne comprenais pas pourquoi elle ne repoussait pas tous ces types en hurlant, mais, à voir son visage, elle avait l'air de jubiler.

J'ai secoué la tête, reculé et continué ma route, complètement écœurée. Même si je n'avais pas vu Horse, c'était dans son club que ça se passait. Je me demandais s'il était au courant et si c'était habituel.

Je n'arrivais pas à y croire et je n'avais qu'une envie : courir vers ma voiture et me barrer vite fait à l'autre bout du monde.

Je revoyais l'e-mail de Jeff. Je ne pouvais pas me barrer. On finirait par nous retrouver tous les deux. Et ils mettraient la main sur maman encore plus facilement. Elle n'avait aucune chance, coincée dans sa prison, où se trouvaient sûrement des hommes à eux. Grâce à la série *Oz* que j'avais matée l'hiver dernier sur Netflix, j'avais vu qu'il se passait des trucs affreux dans les pénitenciers d'État, et je me disais que les petites prisons de comté étaient plus tranquilles. Mais je n'aurais pas parié la vie de ma mère là-dessus. *Tu vas t'en sortir, tu es une fille forte et intelligente, et tu vas trouver une solution. Arrête de pleurnicher comme une gamine et bats-toi.*

J'avançais en respirant profondément pour m'aider à garder mon calme, réconfortée par la douche chaleur qui régnait au deuxième étage. J'allais arrêter de me geler les fesses dans ma pauvre couverture, victoire ! Il en fallait plus pour m'abattre. J'avais survécu à la mort de mon père et à la vie de couple avec ce connard de Gary, alors, rien ne pouvait m'arrêter. Je suis entrée dans la salle de jeu et, sur le canapé, j'ai aperçu un couple étroitement enlacé, à la manière de ceux qui se connaissent depuis toujours. La femme riait.

Horse était là, avec cette fille que je n'avais jamais vue.

— Je t'imaginais en régulière, lui disait-il. Ça serait chaud.

Son rire a redoublé, et elle s'est mise à recracher sa bière et à en mettre partout. Un Horse tout sourires a attrapé le verre en regardant autour de lui, puis je l'ai vu s'incliner sur elle et lui frotter les seins, avant que ses mains disparaissent de mon champ de vision. La fille gloussait comme une dinde en lui donnant de petites tapes.

— N'en profite pas pour me peloter, espèce de vieux salaud ! s'est-elle exclamée.

Horse avait l'air aux anges.

— Ouais, tu me connais, je saute sur tout ce qui bouge.

Holà ! Mon cœur s'est glacé, mais je n'avais plus froid. Jeff avait raison. Je ne connaissais rien de ce mec et je ne pouvais absolument pas lui faire confiance. Toutes ces promesses… J'étais vraiment trop conne ! Et maintenant il fallait que je me le coltine sans rien dire, en faisant comme si je ne savais pas qu'il avait tué des femmes et des enfants dans un coin paumé d'Afghanistan. Luttant contre la panique qui montait en moi, j'ai bloqué toutes mes émotions pour faire face. Impossible de fuir ou de me cacher. Alors j'ai parlé, en claquant des dents :

— Je comprends pourquoi tu voulais que je reste en haut !

Horse s'est retourné, son visage s'est figé, et son regard assombri de culpabilité. Mais il faisait semblant, je voyais clair à présent.

— Et merde! a-t-il marmonné.

La fille avait haussé un sourcil, et son regard passait de Horse à moi sans s'arrêter.

— J'imagine que c'est la régulière en question? a-t-elle lancé.

— Putain de merde! s'est exclamé Horse.

Il s'est levé en faisant trembler le canapé et s'est approché de moi. J'étais tétanisée, incapable de prendre la fuite. Il m'a attrapée par les épaules et m'a secouée comme un prunier.

— Qu'est-ce que tu fous là? Je t'avais dit de ne pas sortir de ta chambre. Tu te jettes dans la gueule du loup, t'es complètement inconsciente, bordel!

Je ne savais pas quoi répondre, je le laissais me secouer comme si de rien n'était. J'avais vraiment touché le fond.

— C'est quoi, ton problème? a-t-il fini par dire. (Sa colère avait cédé le pas à la tendresse de ses doigts sur mon visage.) Putain, mais t'es gelée! Qu'est-ce qui se passe, bordel? Dis-moi quelque chose, Marie.

— Ma… ma fe… nêtre était coin… coincée. Je… j'ai essayé de de… t'a… t'appeler.

C'est tout ce que j'ai pu dire.

Il a sorti son téléphone d'une poche et, après avoir désactivé l'écran de veille, est tombé sur mes messages. Il a grimacé.

— Merde ! a-t-il dit en me prenant dans ses bras et en me frottant le dos. Je n'ai rien entendu. Je suis vraiment désolé. Mais… t'es complètement gelée ! Il faut que tu te réchauffes. Serena, tu peux filer au bureau et me rapporter les clés de l'appartement ? On se retrouve là-haut.

Il m'a prise dans ses bras et m'a ramenée au troisième étage. Heureusement, on n'a pas eu à se retaper la scène de la femme en chaleur et de ses galants, sinon je crois que j'aurais pété un câble. La fameuse Serena était efficace : elle nous rattrapait déjà avec les clés. Horse s'est arrêté dans le couloir devant une porte à l'opposé de celle où je m'étais trouvée, impatient qu'elle l'ouvre. Il m'a fait asseoir sur le lit et m'a déshabillée méthodiquement, sans tenir compte de mes protestations. Quelques instants plus tard, j'étais nue sous les couvertures.

— Va chercher ses affaires dans la chambre à l'autre bout du couloir, a-t-il demandé à Serena. Ramène tout ici et referme la porte à clé. On s'occupera de la fenêtre demain.

Serena a disparu, et j'étais incapable de protester. Pourtant, je ne voulais pas que la pute de Horse touche mes affaires. Fallait que je me calme, mon frère avait raison. Horse était un tueur. Un tueur de femmes, si ça se trouve. Ou d'enfants. J'ai revu ses flingues, sa dextérité, les heures passées à m'apprendre à me servir de mon petit 22. Je me rappelais notre première soirée ensemble, quand on avait maté le film avec Johnny Depp et qu'il m'avait dit que la vraie bagarre, ça n'avait rien à voir avec le cinéma.

Il savait de quoi il parlait, j'imagine.

Horse s'est glissé contre moi, nu contre ma peau, et est venu se lover contre mon corps comme une couverture bien épaisse. Ma chair absorbait tout de cette chaleur, tandis que mon esprit demeurait calme et détaché. Plus je me réchauffais et plus je tremblais. Ma mâchoire ne réagissait plus, et tout mon corps était douloureux. Il m'a semblé voir Serena arriver avec mes affaires avant de repartir en coup de vent. Horse me câlinait et me caressait tendrement sans même essayer de me toucher les seins ou de passer la main entre mes jambes. Au bout d'un moment, mon corps s'est apaisé, et je me suis assoupie.

— Mon bébé…, répétait-il, en m'embrassant doucement le front.

Puis il m'a secouée légèrement. Lorsque j'ai semblé réagir, il m'a allongée sur le dos et s'est installé au-dessus de moi, en appui sur les coudes.

— Pourquoi la fenêtre était ouverte ? Qu'est-ce qui s'est passé ?

Il avait l'air tellement inquiet, tellement attentionné. Il n'avait rien d'un psychopathe froid et calculateur. Je savais qu'il y avait deux Horse, le gentil et le méchant, à l'intérieur de ce corps. Cela dit, ce n'était pas le moment d'y penser. Il fallait absolument que je fasse comme si de rien n'était.

— J'avais besoin de respirer un peu, ai-je avoué, accentuant la douceur et la fragilité de ma voix. La fenêtre s'est coincée, et je n'arrivais pas à la refermer. Il a commencé à faire de plus en plus froid, et j'ai préféré attendre que d'aller chercher de l'aide tout de suite. Mais ça va, Horse. Je vais bien. Sincèrement.

— J'ai toujours besoin que tu me rassures, je ne comprends pas, a-t-il dit comme s'il s'adressait à lui-même. Tu es tellement forte, c'est hallucinant. C'est ma faute. Tu ne peux pas être tout le temps forte. J'aurais dû être à tes côtés. Je suis désolé, bébé.

J'ai secoué la tête, avant de fermer les yeux et de me détourner. Comme toujours, le contact de son corps me faisait du bien et me rassurait, et, comme par habitude, son sexe se gonflait et son bassin ondulait. C'était chimique entre nous. Mon corps reprenait vie, mes tétons se tendaient et je ne contrôlais plus mes jambes. Quand il a commencé à m'embrasser près de l'oreille, puis a fait glisser sa langue experte le long de mon cou en direction de mes seins, tout mon corps s'est enflammé. Mais, lorsque sa bouche a avalé mon téton, j'ai hurlé, avant de l'attraper par les cheveux pour le repousser.

— Je ne peux pas, pas maintenant.

Après un soupir, il a roulé sur le côté.

— Ce n'est pas ce que tu crois, a-t-il affirmé.

Je l'ai regardé, complètement paniquée. J'espérais à tout prix qu'il ne lise pas dans mes pensées et n'y découvre que je savais qui il était. Il n'avait quand même pas piraté mon portable !

— Serena est une vieille copine, a-t-il expliqué. On se connaît depuis des siècles. On a couché ensemble, je ne vais pas te mentir. Mais, ce soir, il ne s'est absolument rien passé. On déconnait juste un peu.

J'écarquillais les yeux tout en tentant de comprendre ses paroles. Serena. La femme du canapé. J'ai réussi à retenir le rire hystérique qui naissait en moi. Il fallait que j'en profite. Ça me donnerait une excuse pour être en colère contre lui. Il l'avait bien cherché, après tout. Je m'en fichais qu'il se tape Serena ou non. Tout ce que je voyais, c'était un tueur de petits Afghans, mais il n'avait pas besoin de le savoir.

— Tu avais promis ! ai-je protesté.

Je craquais. Mes larmes pouvaient enfin sortir, maintenant que j'avais une bonne raison. J'ai dégluti.

— Tu avais promis de ne plus t'approcher de ces femmes, tu t'en souviens, la nuit où on a décidé de donner une chance à notre couple. Tu m'as menti.

— Je n'ai rien fait du tout, a répondu Horse, d'un ton vexé où affleurait un truc que je ne connaissais pas. Je parlais juste avec une vieille copine. Elle est avec quelqu'un d'autre, comme moi je suis avec toi. Je passais juste un peu le temps, histoire de faire bonne figure avant de monter te rejoindre.

— Je préfère qu'on arrête d'en parler, tu veux bien ? ai-je dit, en essayant de lui tourner le dos.

Il m'a retenue, m'a attrapé le menton et m'a forcée à le regarder droit dans les yeux.

— Tu admets trop vite la défaite, bébé. Et je refuse que tu me tournes le dos. Il faut qu'on parle.

— Je n'ai pas envie de parler, ai-je murmuré, de nouveau en proie à la panique.

Il me fouillait du regard, lèvres crispées.

— Tu me caches quelque chose ? Tu as eu des nouvelles de ton frère, c'est ça ? Raconte-moi. Je suis là pour toi, Marie.

Merde !

— Faut que je vérifie mes e-mails, ai-je répondu vivement.

J'allais me lever, mais il m'a arrêtée et a réussi à sortir mon téléphone de la poche de mon jean.

— Tiens, a-t-il dit en me le tendant.

Je l'ai allumé et j'ai appuyé sur l'icone des e-mails, sur ma boîte principale, et le faux message dont Jeff m'avait parlé est apparu.

— Il m'a envoyé un message.

— Lis-le.

— Il dit : « Je suis vraiment désolé, sœurette. J'ai bien eu ton message qui me demande de venir parler aux Reapers. Mais je ne peux pas faire ça. Tu comprends, je suis sûr qu'ils veulent me tuer. Essaie de savoir s'ils sont prêts à passer un marché et à me contacter. Je t'aime. Jeff. » Ça s'arrête là.

— Je m'y attendais, a répondu Horse lentement en se recouchant. Ça ne m'étonne pas qu'il ne nous fasse pas confiance. Il flippe, et c'est normal, parce qu'il n'a pas beaucoup de chances de s'en sortir. Pourtant, il devrait comprendre qu'il vaut mieux faire la paix avec nous que de traîner avec les Jacks. Qu'il réfléchisse bien.

— Qu'est-ce que ça change ? ai-je demandé, effrayée par sa réponse.

Horse a roulé sur le côté et, se hissant sur un coude, m'a regardée.

— Ça dépend à quel point il tient à toi.

— Je ne comprends pas !

— Les Reapers ne te feront aucun mal, a expliqué Horse en me caressant la joue. Contrairement aux Jacks. Qui n'hésiteront pas une seule seconde. Il faut qu'il le sache.

— Tu disais qu'ils allaient me ramener à lui, ai-je dit d'une voix douce. Il essaie juste de me sauver.

— Ils vont peut-être essayer, mais les femmes ne sont pas leur priorité, tout le monde le sait. Il y a trois ans, Gracie, la nièce de Deke, a eu des ennuis avec eux. C'était la fille de la sœur de sa régulière. Sinon, elle n'avait aucun lien avec le club. Quand elle est allée étudier en Californie, elle a contacté le club affilié aux Jacks et, quelque temps plus tard, elle sortait avec un type qu'elle y avait rencontré. Un mec qui avait l'air sympa, mais qui n'était même pas membre, juste un *hangaround*. Apparemment, elle aurait mentionné que son oncle était un Reaper. Un soir, il l'a emmenée à une fête, et tous les mecs l'ont violée. Tous. Un plein wagon. Elle a failli y passer. Pour finir le boulot, ils lui ont gravé les lettres « DJ » au couteau sur le front. Ensuite, ils l'ont balancée dans un fossé, ont pris des photos avec son téléphone et les ont envoyées à Deke.

J'ai dégluti à grand-peine, prise de nausée. Je repensais à cette femme au deuxième étage et me demandais si tous les mecs lui étaient passés dessus. Et si elle avait voulu arrêter en plein milieu ? Est-ce qu'on l'aurait laissée faire ?

— Après ce que j'ai vu en dessous, ai-je répliqué malgré moi, je ne vois pas très bien la différence !

Horse a incliné la tête.

— De quoi tu parles ?

— Il y a une femme, au deuxième. Je l'ai vue dans une chambre avec un groupe de mecs. Ils faisaient la queue…

— Putain ! a murmuré Horse. (Il s'est laissé tomber sur le dos et s'est passé une main dans les cheveux.) C'est vraiment une soirée de merde ! Je suis désolé que tu aies dû voir ça, bébé. Je n'y avais pas du tout pensé. Merde !

— Ça ne répond pas à ma question. Est-ce qu'ils vont lui faire du mal ?

— Mais non ! s'est-il écrié, en s'asseyant, comme pour prendre un peu de distance. Putain, non ! Comment tu peux penser ça ? On n'est pas des violeurs, Marie. Merde ! Si elle est allée dans cette chambre, c'est parce qu'elle le voulait. Ne me demande pas pourquoi, c'est un truc à elles, c'est tout. Aux Jolis-Culs, je veux dire. Une sorte de compétition. Je sais bien que ce n'est pas très reluisant, mais ça n'a rien à voir avec ce qu'ils ont fait subir à Gracie. Ils l'ont massacrée, c'est tout ce que je sais. Elle ne pourra jamais avoir d'enfants. Après sa deuxième tentative de suicide, elle a été hospitalisée en clinique psychiatrique. Nom de Dieu!

Il avait l'air tellement bouleversé que je l'ai cru.

— Ça arrive souvent? ai-je chuchoté. Et il se passe quoi d'autre pendant vos fêtes?

— Il se passe tout un tas de trucs, mais ça ne te regarde pas. Ce soir, c'est plus sauvage que d'habitude, parce que ça risque de saigner demain, c'est tout. On ne fait de mal à personne, et tout le monde est consentant. C'est tout ce que tu as besoin de savoir.

— T'as déjà fait ça?

Il a secoué la tête, mais je ne savais pas si je devais prendre ça pour une réponse négative ou pour une manière de me faire comprendre de ne pas insister.

— Tu veux vraiment qu'on joue à ce jeu?

— À quoi?

— À fouiller le passé? Je pensais qu'on avait laissé tout ça derrière nous. Je ne suis pas un saint, bébé, et je n'ai jamais prétendu le contraire. Mais je te promets que jamais je ne te tromperai et que je ne l'ai jamais fait. Et j'espère que tu ne me feras jamais subir ça non plus. Qu'est-ce que tu veux de plus?

J'ai hoché la tête. Mais je me posais des questions. Et les enfants qu'il avait tués, c'est aussi parce qu'il n'était « pas un saint » ?

— Il faut que tu répondes à Jeff, a-t-il dit brusquement. Il n'y a pas de temps à perdre, c'est notre seule chance.

J'ai acquiescé et attrapé mon téléphone. Trois minutes plus tard, j'avais écrit un message et je l'envoyais. J'avais fait simple. Je demandais à Jeff de m'appeler, lui disais que j'étais en sécurité avec les Reapers et que les Jacks étaient bien plus dangereux, qu'ils me faisaient peur.

J'ai reposé le téléphone sur la petite table de nuit. Horse m'a attirée contre lui et m'a embrassée, laissant courir les doigts entre mes cuisses. J'ai essayé de résister, de détourner la tête et de me contracter, mais il a continué à me caresser tranquillement tout en s'occupant de mes seins. Il les léchait, les suçotait et les taquinait du bout de la langue, et je m'enroulais contre lui malgré moi, brûlante de désir. Je m'en voulais à mort.

Jeff prétendait que Horse était un tueur. Pourtant, quand ses doigts se sont enfoncés en moi, j'ai lâché prise. J'ai écarté les jambes en miaulant de plaisir, ondulant autour de ses mains. Sa tête a glissé le long de mon corps, et il a posé mes jambes sur ses épaules pendant que sa bouche s'emparait de mon clitoris. La langue de Horse était diabolique, légère et taquine un instant, presque cruelle à l'autre. Il a poursuivi ce petit jeu insupportable jusqu'à ce que je me torde contre lui, gémissante et au bord de l'extase.

À ce moment-là, j'ai senti un doigt s'enfoncer entre mes fesses.

Il s'y aventurait souvent ces derniers temps, et, même si ça me surprenait toujours, ce n'était pas pour me déplaire. En général, il enfonçait deux doigts, voire trois, comme s'il voulait préparer le terrain, tout en jouant avec mon clitoris. Il aimait aussi me voir à genoux et me prendre par-derrière en y enfonçant ses doigts. Il n'avait qu'une envie : me sodomiser. Parfois, il frottait son gland contre l'orifice, tout en douceur. Il faisait toujours très attention, mais je ne l'avais jamais laissé aller jusqu'au bout. Selon moi, notre vie sexuelle était déjà au top, on n'avait pas besoin d'innover. En plus, la taille de son engin me faisait peur.

Ce soir-là pourtant, j'ai ressenti un truc différent. En y repensant, je me dis qu'il a dû sentir que ça n'allait pas du tout, malgré tous mes efforts pour le rassurer. Il m'a achevée à coups de langue, inlassablement. Après trois orgasmes successifs, mon corps était amorphe et frissonnant, tous mes muscles se détendaient. J'avais oublié Jeff et la soirée. Seul comptait cet état de satisfaction charnelle absolue. Déjà, Horse me faisait mettre sur le ventre, soulevait mes hanches et glissait un oreiller en dessous. Je n'ai pas réagi lorsque ses mains ont écarté mes fesses et que son doigt a caressé mon anus, avant de s'y glisser sans aucune difficulté.

— C'est ça que je veux, a-t-il dit d'une voix douce, venant déposer une pluie de baisers entre mes omoplates. Je te veux tout entière. Je veux te voir hurler. Que tu te rendes compte que tu es à moi et que je suis à toi, et que tout le reste n'a aucune importance. Je ne peux pas vivre sans toi, bébé.

Un deuxième doigt a rejoint le premier, et mon bassin s'est mis à onduler sous la pression. Après être entré dans mon intimité, il est allé et venu en moi, butant contre les tissus spongieux de ma paroi antérieure. Imitant son pénis, ses doigts me caressaient et écartaient mes dernières résistances, avant de ressortir brusquement. J'ai senti un truc froid et liquide s'écouler à l'intérieur de mon anus, que ses doigts sensuels ont fait pénétrer au plus profond de moi. Puis il a retiré son membre, et j'ai entendu l'emballage d'un préservatif qu'on déchirait.

Je me suis contractée au contact de son gland contre mon anus. J'avais peur qu'il me fasse mal. Mais il m'a rassurée d'une voix douce tout en me caressant le creux des reins. Je me suis détendue presque immédiatement. Il s'est inséré en moi petit à petit, tout en douceur. C'était un peu douloureux, mais pas autant que je l'avais imaginé, comme une pression inhabituelle, une sorte de plénitude étrange dont ses doigts m'avaient déjà donné un aperçu. Il progressait avec lenteur pour m'habituer à cette sensation nouvelle de pénétration. Puis j'ai senti qu'il s'enfonçait un peu plus.

Quand il est arrivé à mi-chemin, sa main s'est posée sur mon clitoris. Après ce qu'il lui avait déjà fait subir, ce point était devenu très sensible, et il le savait. D'une main légère, il y traçait des cercles, en même temps que son sexe continuait sa lente progression, jusqu'à ce que je sente les muscles de son ventre sur mes fesses. Je me suis contractée, essayant de m'habituer à cette étrange et singulière intrusion. Alors, je l'ai entendu grogner, il a tressailli à l'intérieur de moi, et j'ai resserré encore mes muscles autour de lui.

— Nom de Dieu ! a marmonné Horse, en accélérant le va-et-vient de sa main sur mon clitoris. Tu vas me tuer, bébé.

Quand il a commencé à remuer d'avant en arrière, j'ai soupiré et gémi, sous l'effet d'une vague de plaisir insoupçonnée. Au début, j'ai eu un peu mal, mais pas grand-chose, et cette pointe de douleur s'est mêlée aux sensations incroyables qui agitaient le bas de mon corps. Son sexe était dur comme l'acier, et, chaque fois que je me contractais, Horse se vengeait en accentuant la pression de son doigt sur le bout de mon clitoris, gonflé par l'excitation.

La torture était mutuelle.

Après avoir préparé le terrain pendant ce qui m'a semblé une éternité, il a accéléré le mouvement. Juste un peu, heureusement. Il était toujours aussi attentif, mais la lente progression avait cédé le pas à des assauts bien réels. J'étais tellement excitée que je me suis brusquement cambrée contre lui, pressée de chavirer encore une fois. Horse a réagi en plaquant les doigts sur mon clitoris et en s'enfonçant au plus profond de moi. J'ai basculé, le corps traversé de frissons de plaisir et d'un doux sentiment d'apaisement encore un peu fébrile. Il gémissait de plus en plus fort, me mordait l'épaule, m'assaillait de son membre comprimé par mes fesses. Puis il a explosé, souffle coupé, haletant dans mon dos.

Il s'est posé sur moi quelques instants, et j'ai senti son sexe diminuer de volume. C'était vraiment étrange. Ensuite, il s'est retiré, s'est levé et a rejoint la salle de bains. J'ai entendu de l'eau couler dans le lavabo et le bruit de la chasse d'eau, puis il est revenu s'allonger près de moi. Il m'a prise dans ses bras, et je me suis laissée aller contre lui. J'avais l'impression d'être une poupée de chiffon, endolorie et vidée, mais comblée.

— C'était hallucinant, Marie, a-t-il murmuré, avant de m'embrasser généreusement.

Je n'avais même plus la force de répondre à son baiser. Il n'a pas insisté.

— Dors, bébé, a-t-il chuchoté, un petit sourire aux lèvres.

Je me suis lovée contre lui, exténuée, décérébrée, prête à basculer dans le sommeil. J'ai dormi comme un bébé.

La sonnerie d'un téléphone a transpercé la pénombre matinale. J'ai poussé un grognement et secoué Horse. Au bout d'un moment, il a fini par tendre le bras et attraper le téléphone, en déplaçant les couvertures. Je n'ai pas pu m'empêcher de protester. Il faisait un froid de canard dans la chambre.

— Ouais ? a-t-il dit, d'une voix rocailleuse.

Il écoutait sans rien dire, l'atmosphère s'était alourdie.

— T'en es sûr ? a-t-il demandé d'un ton neutre, tout à fait éveillé à présent. Non, j'ai entendu. Est-ce que quelqu'un s'occupe de Cookie ?

Ça commençait à tourner au vinaigre. Et sérieusement. Je me suis assise dans le lit en tirant les couvertures sur ma poitrine. Horse ne me voyait plus, absorbé par l'échange téléphonique. Mon arrière-train un peu douloureux s'est rappelé à moi. Ce qui s'était passé cette nuit était complètement irréel, et je ne voulais pas m'en souvenir tout de suite.

— Merci, a conclu Horse.

Il a posé le téléphone et roulé sur le lit, avant de se lever pour attraper son pantalon. Il était en proie à une tension intense, submergé par une vague de colère tellement violente que je me suis mise à paniquer.

L'amant de cette nuit s'était envolé.

— Qu'est-ce qui se passe ? l'ai-je interrogé, d'une voix délibérément douce et calme.

Il a répondu sans me regarder, en ramassant son tee-shirt à manches longues :

— Bagger est mort. Ça fait deux jours, on vient juste de retrouver son corps. Cookie est à l'hôpital. Elle a craqué quand elle a appris la nouvelle. Il faut que j'y aille. Tu peux appeler les autres filles, mais ne quitte pas l'arsenal. La menace des Jacks est bien réelle, tu m'entends ?

Il m'a regardée, espérant mon approbation. J'ai hoché la tête, et il m'a quittée sans un mot.

Chapitre 19

Jamais je ne m'étais sentie si impuissante.

En dehors d'un ou deux bonjours par Skype, je ne connaissais pas Bagger. Je n'avais pas le droit de pleurer sa perte. En tout cas, pas autant que les autres. Mais j'avais le droit de pleurer pour Cookie et pour leur petite Silvie, qui demandait en sanglotant son papa chaque nuit et aurait tant voulu lui montrer son chien en peluche. J'aurais aimé me rendre utile, même un tout petit peu, leur faire le ménage ou la cuisine, je ne sais pas. Au contraire, je devais rester assise seule dans ma chambre face à l'aube éblouissante, pendant que tous les gens que j'avais appris à aimer à Cœur d'Alene étaient en train de souffrir.

Vers 9 heures, Horse a appelé pour me conseiller de descendre manger un bout. Je ne devais pas faire attention au bordel qui régnait en bas et, si une nana me faisait chier, j'avais le droit de lui en coller une. Ouais… Je ne risquais rien tant que je restais à l'intérieur de l'arsenal. J'ai descendu l'escalier discrètement, m'attendant à trouver les décombres de l'orgie monstrueuse qui avait dû se dérouler cette nuit. Pourtant, je n'ai découvert que des hommes sombres et silencieux en train de boire un café et plusieurs filles qui avaient les traits tirés des lendemains de fête. Certaines s'étaient refugiées dans un coin tranquille pour pleurer. Parmi elles se trouvait Serena, la femme que j'avais vue en compagnie de Horse hier soir. Elle s'est approchée de moi timidement comme si elle craignait que je lui saute dessus. Mais je n'avais plus aucune énergie, et je ne sais pas pourquoi, ça n'avait soudain plus la moindre importance.

— Tu as faim ? a-t-elle demandé.

Elle a posé les mains sur mes épaules et m'a regardée attentivement comme si elle cherchait quelque chose… Les marques du sexe géant de Horse peut-être ? Elle en savait quelque chose, me suis-je dit, soudain morose.

— Pas vraiment, mais il faudrait que je mange un peu.

— Je comprends. Allez, tu goûteras bien un petit donut.

Elle m'a conduite jusqu'à une table située au fond de la salle, recouverte de donuts et de boîtes de petit déjeuner à emporter de chez *Starbucks*.

— *Starbucks*, tu déconnes ? me suis-je exclamée.

Elle a secoué la tête et grimacé.

— Je savais que les mecs auraient la dalle, je suis allée au plus simple. Tu devrais manger quelque chose, ma chérie. La journée risque d'être longue.

— Tu connais Cookie ?

J'avais essayé de joindre Em un peu plus tôt, mais je n'avais pas eu de réponse et je n'avais pas envie de déranger. Ce n'était pas le moment de pousser les autres à s'inquiéter pour moi. Cela dit, j'aurais bien aimé savoir comment elle supportait le choc. C'était inimaginable.

— Ouais, mais pas très bien, a-t-elle dit en haussant les épaules. En général, personne n'aime s'afficher avec moi, tu sais.

— Et ça te dérange ? ai-je insisté, regrettant immédiatement cette question déplacée. Excuse-moi. Je n'aurais jamais dû te demander ça. Pardonne-moi, je t'en prie.

— T'inquiète, a-t-elle répliqué, en essayant de sourire. Je n'ai pas envie de faire partie des régulières, et, quoi que tu en penses, j'en ai eu plusieurs fois l'occasion. J'aime trop ma liberté. J'ai ma place, et elle me va. De toute façon, je vogue vers de nouveaux horizons à présent. Mais ce qui est arrivé…, ça me bouleverse. Ils ont l'air tellement forts. Difficile de s'imaginer qu'ils puissent se faire tuer, tu comprends ?

J'ai hoché la tête, je comprenais tout à fait ce qu'elle voulait dire. La première fois que j'avais rencontré Horse, je m'étais même demandé si je n'étais pas en face de Terminator.

— Tu connaissais Bagger ? ai-je demandé.

Elle a acquiescé en se servant une tasse de café.

— Ouais, a-t-elle répondu vaguement. Il était fou de Cookie, tu sais. Il ne la trompait pas. Horse, lui aussi, est fidèle. Et tu sais, hier soir, ce n'était rien ce que tu as vu. On discutait juste. J'espère que tu me crois.

J'ai haussé légèrement les épaules. La vie de Cookie était ruinée, et je me disais qu'il faudrait que je vérifie mes e-mails à un moment ou à un autre pour voir ce que Jeff avait encore inventé. Tout était tellement soudain et violent que je perdais pied.

— Hé ! a-t-elle lancé, en me secouant légèrement l'épaule. Réveille-toi et regarde-moi. C'est important.

— Quoi ? ai-je demandé, tentant de rester concentrée.

— Il t'aime, a-t-elle affirmé en soutenant mon regard. Je connais toute l'histoire, comme tout le monde, d'ailleurs. Ils l'ont racontée un peu partout pour que personne ne pense qu'on faisait une faveur à ton frère. Toute cette histoire de garantie et le reste. Mais la seule raison de ta présence ici, c'est que Horse t'aime. Tu comprends ?

— Pour tout dire, je ne sais pas du tout quoi en penser. Tout ce que je sais, c'est que Cookie traverse l'enfer et que je ne peux rien faire pour elle.

— Tu peux m'aider à remettre de l'ordre dans ce trou à rats, a rétorqué Serena d'un ton sec. Il va y avoir un enterrement. Des tas de gens vont faire le déplacement. Ça, c'est un truc que tu peux faire pour Cookie. Elle sait très bien que Bagger aurait aimé avoir des funérailles qui déchirent. C'est ici que ça va se passer. T'es partante pour un petit coup de balai ?

J'ai regardé autour de moi. Son « petit coup de balai » était un euphémisme. Il fallait qu'on nettoie tout ce bordel, qu'on prépare à manger, aussi. Et pas qu'un peu. Je savais qu'il y avait une cuisine à l'étage en dessous, mais j'ignorais si elle était assez grande et assez équipée pour autant de convives.

— Voilà qui est mieux, a-t-elle dit en souriant. Bienvenue dans l'équipe. Maintenant je comprends pourquoi Horse a déboursé une telle somme.

— Qu'est-ce que tu veux dire ? ai-je demandé, prise au dépourvu.

Elle a approché son visage du mien, l'air songeur.

— Horse a déboursé une fortune pour toi, fillette. T'étais pas au courant ? Mais c'est possible après tout, il ne l'a pas hurlé sur les toits…

— Je ne vois pas du tout de quoi tu parles, ai-je dit, regard suspicieux.

Je redoutais encore le pire et je n'étais pas sûre de pouvoir faire face, pas du tout. Mais il fallait que je sache le fin mot de l'histoire.

— Horse a payé 50 000 dollars de sa poche pour offrir à ton frère une dernière chance, a-t-elle lâché. Ils devaient le tuer tout de suite, mais Horse voulait que tu sois sa régulière et il savait à quel point ton frère comptait pour toi. Il a payé le club pour offrir à ton frère une dernière chance. T'es bien la seule ici à ne pas le savoir !

Je secouais la tête, au bord du malaise.

Horse avait payé le club pour épargner mon frère. Horse, le tueur de femmes et d'enfants. L'homme qui voulait m'offrir des études, qui savait se battre et qui m'avait appris à tirer. Lequel était le vrai Horse? Il était tellement complexe… Toujours pragmatique, je me suis dit que j'allais arrêter de pleurnicher et me mettre au boulot. J'ai remis cette réflexion à plus tard, comme toujours.

— OK. Dis-moi par quoi on commence!

— On rassemble toutes les filles dans la salle de jeu, a-t-elle expliqué. Ça nous permettra de voir qui est encore capable de faire quelque chose.

Au final, on a réuni vingt filles plus ou moins débraillées, que les hommes observaient avec un intérêt respectueux. Lorsque Serena s'est levée et m'a présentée comme la régulière de Horse, certaines filles se sont redressées sur leur siège. Ensuite, à ma grande surprise, elle m'a laissé la parole. Moi qui pensais que c'était elle qui dirigeait les opérations! Apparemment, ce n'était pas le cas. En tant qu'unique régulière de l'assistance, j'étais la seule à pouvoir le faire.

— OK, bon, vous êtes toutes au courant de ce qui s'est passé, j'imagine, ai-je commencé à dire. Bagger est mort. En Afghanistan. Je ne le connaissais pas, mais je connaissais sa femme et sa fille. C'est une vraie tragédie. Alors, si vous avez envie de donner un coup de main, on pourrait commencer par nettoyer le clubhouse et préparer l'accueil des invités. Je sais que vous êtes très occupées, mais, si vous avez un peu de temps, vous êtes les bienvenues. Qui peut rester pour ranger ?

Quelques-unes ont levé la main tandis que d'autres détournaient les yeux pour éviter de croiser les miens. L'une d'entre elles, apparemment une femme de tête, est venue m'annoncer :

— Je m'occupe de préparer les chambres d'amis et les studios.

C'était une grande brune d'une trentaine d'années, assez classe dans son jean moulant. Contrairement aux autres, elle n'avait rien de vulgaire. Elle était juste sexy. Elle détonnait au milieu de ces filles aux yeux de ratons laveurs encore imbibés d'alcool.

— La plupart sont déjà prêtes, mais pas mal de gens vont devoir squatter. Tout le monde ne va pas prendre une chambre d'hôtel. Et sinon, en dehors d'être la régulière de Horse, tu t'appelles comment ?

Son sourire spontané, bien qu'un peu triste, a suffi à me convaincre qu'elle me plaisait. Cette histoire de Jolis-Culs, c'était bien plus complexe que je ne le pensais. Ces filles avaient un cerveau.

— Marie. Et toi ?

— Claire, a-t-elle répondu en me tendant une main ferme et rassurante. Je fréquente ce club depuis le lycée, mais aucun des mecs. Je suis passée hier pour voir des amis en visite dans le coin, tu sais ce que c'est.

J'ai haussé les épaules. Je n'étais pas très sûre de comprendre ce qu'elle me racontait, mais tant pis. J'étais étonnée qu'elle se montre aussi respectueuse envers moi, ça me gênait. Un peu comme si la vie des Reapers femmes respectait une certaine hiérarchie, au sommet de laquelle on trouvait les régulières. Mais, pour l'instant, peu importait leur statut, tant qu'elles comptaient nous aider à offrir à Bagger une dernière demeure digne de ce nom.

— Ravie de te rencontrer, a-t-elle ajouté spontanément.

Mais dans ses yeux affleurait une lassitude qui n'avait rien à voir avec l'alcool.

— On va y arriver, ne t'inquiète pas. Et surtout te laisse pas emmerder, OK? T'es une régulière, et aucune de ces filles n'a le droit de te faire chier. Même pas moi, a-t-elle précisé avec regret. Et maintenant, si tu me le permets, je crois que je vais aller botter quelques culs, j'adore ça. C'est possible?

J'ai jeté un coup d'œil à Serena.

— Ça me va, a-t-elle dit. On lui laisse l'étage, je prends le rez-de-chaussée, et toi, tu t'occupes de la cuisine. Qu'est-ce que vous en dites?

— C'est nickel, ai-je répondu, reconnaissante.

Claire s'est tournée vers les filles et a tapé dans les mains pour attirer leur attention.

— Vous avez entendu ce que vient de dire Marie, a-t-elle lancé d'une voix tonitruante. C'est une fille gentille et polie, mais, avec moi, ça ne marche pas comme ça. Que celles qui n'ont pas envie de se bouger le cul et de bosser se cassent tout de suite! (Elle les toisait une à une, mains sur les hanches, et personne n'osait bouger.) Je suis sérieuse, bande de suceuses! a-t-elle hurlé d'un ton plus qu'éloquent. Si vous aimez ce club, c'est le moment ou jamais de le prouver. Sinon, allez vous faire foutre! Et ne vous avisez pas de remettre les pieds ici, vous ne seriez pas les bienvenues. C'est pigé?

Quatre filles se sont barrées vite fait. Les autres, apparemment redescendues sur terre, se sont organisées et ont formé des équipes. En quelques minutes, la moitié suivaient Claire à l'étage, tandis que les autres accompagnaient Serena au rez-de-chaussée. Je me suis retrouvée seule avec une fille que j'ai tout de suite reconnue. L'horreur : j'allais devoir faire équipe avec la nana qui s'était enfilé tous les mecs les uns après les autres au deuxième étage.

— Salut, je m'appelle Candace, a-t-elle murmuré. Je travaille comme traiteur. Si tu as besoin de mes services, n'hésite pas. Je connais la cuisine et je sais ce qu'on peut en attendre.

Elle m'a souri comme si de rien n'était, comme si elle n'avait pas passé la nuit à se taper des mecs. Je me demandais comment elle pouvait encore marcher. J'ai secoué la tête, et elle m'a regardée d'un air perplexe. Normal : elle ne savait pas que je l'avais vue en pleine action.

— Ouais, c'est cool, ai-je répondu.

Nous sommes descendues et avons traversé le salon du fond, dont la porte double s'ouvrait sur une salle à manger qu'un comptoir séparait d'une cuisine plus que spartiate. J'ai aperçu quelques gros frigos et un énorme lave-vaisselle. Des plateaux et des paquets de chips vides jonchaient les plans de travail, restes des agapes de la veille.

— J'ai bossé ici pour tout un tas de soirées, a-t-elle précisé, en allumant la lumière et en ouvrant les frigos. C'est un arrangement entre nous. En échange, ils s'occupent de moi. L'année dernière, quand mon mec a décidé de me transformer en punching-ball, une habituée des lieux que je connaissais a fait passer le mot à Ruger. Avec deux autres types, ils m'ont offert de régler cette histoire contre un peu d'aide en cuisine. C'est comme ça que ça a commencé.

— Horse a cassé la gueule à mon ex, ai-je avoué, me sentant soudain solidaire de cette fille.

— Ça fait du bien quand ça s'arrête, pas vrai ? a-t-elle répondu, petit sourire aux lèvres. (Elle avait commencé à balancer tout ce qui traînait dans un grand sac poubelle.) Tu as de la chance, a-t-elle ajouté, Horse est un mec bien.

J'ai fait « oui » de la tête. Je n'avais pas envie de me laisser entraîner sur ce terrain avec elle. Apparemment, tout le monde le trouvait génial. Comme si personne ne connaissait sa vraie nature. Et moi, est-ce que je le connaissais si bien que ça ?

J'ai senti mon téléphone vibrer. C'était un message d'Em.

> Cookie est rentrée chez elle. Elle doit prendre des somnifères. Maggs demande si tu peux prendre la direction des opérations à l'arsenal. On passera plus tard vous filer un coup de main. Gros câlins!

Soulagée de pouvoir lui dire quelque chose de positif, si modeste cela soit-il, j'ai répondu :

> Déjà sur le pont.

Avec Candace, on a fini de nettoyer et on s'est assises pour planifier les menus. Ensuite, je l'ai envoyée faire les courses en lui confiant une centaine de dollars en liquide et ma carte de crédit, sur laquelle je pouvais encore en retirer à peu près 500. J'ai eu un peu de mal au début, parce que cet argent aurait pu me servir si je devais partir. Mais je voulais être utile. Surtout, je n'arrêtais pas de penser que Horse avait déjà dépensé 50 000 dollars pour moi.

C'était bien le minimum que je puisse faire.

Lorsque Horse m'a pris la main pour me mettre au lit ce soir-là, j'étais épuisée. La journée avait été longue, au milieu d'un brouhaha de cris, de pleurs et, pire encore, de regards mornes perdus dans le vide.

Candace avait été incroyable. La reine de la partouze s'était métamorphosée en déesse des fourneaux. Vers midi, elle était revenue avec un stock hallucinant de nourriture, qu'on a pourtant réussi à épuiser entièrement en une journée. Quant à nos techniciennes de surface improvisées, après avoir bossé dur pour remettre l'arsenal en état, elles s'étaient toutes évanouies dans la nature lorsque les régulières avaient débarqué, suivant un usage du club qui me dépassait complètement. Du coup, j'avais été surprise de voir rester Serena et Candace. Elles ont fait bande à part dans la cuisine. Pourtant, chaque fois que je levais les yeux, elles servaient discrètement à manger ou à boire, ou trouvaient un endroit pour dormir aux derniers convives.

La plupart des membres de clubs associés sont partis, en laissant entendre qu'ils reviendraient pour les funérailles. À un moment donné, Horse m'a prise à part pour me dire que la situation avec les Jacks était sous contrôle, mais que j'étais toujours cantonnée à l'arsenal.

On attendait des nouvelles concernant la dépouille de Bagger.

Cookie était restée chez elle, et Maggs avait amené Silvie après sa sieste. J'ai passé plus de deux heures à m'amuser avec elle dans la salle de jeu, et nous avons mangé ensemble. Je lui ai donné son bain dans notre chambre et je l'ai mise en pyjama, avant que Maggs la reconduise auprès de sa maman.

La pauvre petite n'avait aucune idée de ce qui se passait, mais je suis sûre qu'elle a ressenti la tension ambiante.

À présent, je me retrouvais en tête à tête avec Horse dans notre chambre, un peu mal à l'aise. Je ne savais pas quoi lui dire. Si certains membres du club étaient restés stoïques, d'autres étaient visiblement marqués. Quant à Horse, c'était le grand néant. Rien. Aucune émotion, aucun chagrin, que dalle. Plusieurs fois dans la journée, quand on s'était croisés, il m'avait demandé si j'avais des nouvelles de Jeff. Vu mon état de fatigue, j'ai été soulagée de ne pas avoir à lui mentir puisque mes deux messageries étaient restées muettes. Il s'est déshabillé mécaniquement avant de s'asseoir en caleçon sur un côté du lit. Tête dans les mains et coudes sur les genoux, il regardait fixement par la fenêtre. Je suis allée dans la salle de bains pour me préparer pour la nuit. Il était toujours dans la même position quand je suis revenue. Je ne savais pas quoi faire.

— C'est l'enfer, là-bas, a-t-il murmuré.

Je suis allée m'asseoir devant lui et j'ai passé une main dans ses cheveux doux et soyeux. J'étais un peu désemparée. Tout ce que je voulais, c'était être proche de lui et absorber un peu de son chagrin.

— C'est inimaginable. Ils sont fous, ils tuent des enfants, des femmes, des familles entières. Y a pas un jour de répit, Marie. Je me rappelle : notre division s'était installée dans une ville où il y avait deux gamins qui venaient tout le temps jouer avec nous. Ils devaient avoir dix ans. Deux gentils mômes qu'on aimait bien. On jouait avec eux au ballon ou on leur donnait des bonbons, ce genre de trucs. On leur avait même prêté le ballon de mon pote, en se disant qu'ils en avaient plus besoin que nous, que c'était pas grand-chose. Un jour, un des deux est revenu tout seul. Il a donné un grand coup de pied dans le ballon et s'est barré en courant. On a appris plus tard que l'autre gamin s'était fait descendre en pleine rue avec sa mère parce qu'ils faisaient ami-ami avec les Américains. Tu te rends compte, bébé : il est mort pour un ballon et pour des bonbons ! C'est tellement dingue. Ça n'arrête jamais. Tu n'as pas idée du nombre de civils qui meurent là-bas.

Je lui ai massé le crâne pour apaiser les nœuds de tension qui se formaient sous mes doigts. J'avais envie de lui parler de l'article de journal, mais je n'ai pas pu. Les mots me paraissaient tellement insignifiants face à la douleur qui émanait de lui.

— Une autre fois, on a trouvé un village dont les habitants avaient tous été massacrés, a-t-il poursuivi d'une voix enrouée. Pas un seul survivant, bordel ! Des femmes, des enfants, des hommes. Et même les ânes et les chèvres, putain ! Tous morts, et leurs maisons en feu. La totale. Le pire dans cette histoire de dingue, c'est que, le lendemain, tout le monde disait que c'était nous, les salopards qui avaient fait le coup. Y avait même tout un tas de personnes prêtes à témoigner. Tu veux que je te dise ce que je trouve encore plus dingue ? C'est de se retrouver dans un pays pour aider les gens alors que tout ce qu'ils veulent, c'est nous faire la peau ou nous piéger.

Je m'étais raidie, incapable de savoir si je devais le croire. Horse n'avait aucune raison de me raconter tout ça. À moins qu'il n'ait découvert ma boîte mail secrète. Pourtant, j'avais été vraiment prudente : j'avais pris soin de vider le cache, de supprimer les cookies et de vérifier l'historique de navigation sur mon téléphone. Je ne relevais jamais mon courrier sur mon application d'e-mail, mais sur le site lui-même. Normalement, c'était impossible à retracer.

— Ça me rend fou ! Bagger est mort pour ce pays, dans une guerre qui dure depuis plus de dix ans, putain ! Quand je pense que les gens d'ici se plaignent de ne pas pouvoir se payer le nouvel iPhone…, a-t-il dit en croisant enfin mon regard.

J'étais bouleversée par son visage dévasté par la peine. J'ai compris en cet instant qu'il était sincère. C'était impossible qu'il me mente. Jeff s'était trompé sur son compte. Je ne savais pas tout de Horse, mais j'étais sûre et certaine qu'il n'avait pas pu tuer ces gens. L'article disait que des marines faisaient l'objet d'une enquête, mais n'en donnait pas les conclusions. Jeff lui-même avait reconnu que Horse avait été relevé du service avec les honneurs.

Horse n'avait pas tué ces gens, tout mon être me le confirmait.

J'étais tellement soulagée que je me suis mise à trembler, mais je n'ai rien dit. Quoi qu'il arrive maintenant, je protégerais Jeff sans pour autant abandonner ce que j'avais construit avec Horse. Il fallait que je réussisse à trouver un point d'accord entre les deux hommes que j'aimais. Oui, mais lequel ? Horse a pressé sa tête contre mon ventre et m'a attirée contre lui entre ses jambes. Nous sommes restés immobiles, le temps s'était arrêté. Il ne parlait pas. Il se contentait de me tenir et de laisser sortir son chagrin en tremblant.

Au bout d'un moment, il s'est calmé et s'est redressé. Mes yeux dans les siens, j'ai passé la main sur son visage et caressé du pouce ses lèvres si douces. Il a pris ma main et l'a portée à sa bouche pour déposer des baisers dans ma paume. Son regard s'est embrasé, et il a basculé sur le lit en m'attirant sur lui.

Depuis qu'on était ensemble, on avait fait l'amour de mille et une façons différentes. Dans l'urgence, lentement, en proie à la colère ou au rire, mais jamais comme ce soir-là. Il s'est accroché à moi comme à une bouée de sauvetage et il a écarté mes jambes, agrippé à mes hanches broyées par les siennes. J'ai pris sa tête entre mes mains et je l'ai embrassé. C'était un baiser long et profond, empreint de compassion et d'une sensation de réconfort si intense que j'ai cru que mon cœur allait exploser. J'avais oublié tous mes doutes. Bien que Horse soit un homme violent évoluant dans un monde tout aussi violent, je savais que ses mots et sa douleur étaient bien réels. Nous étions presque nus, mais nos sous-vêtements étaient de trop. Je voulais être contre lui, le prendre au plus profond de moi, l'envelopper de mon amour et faire oublier à ses yeux leur tristesse. Pourtant, nous avons continué à nous frotter l'un à l'autre, avides de contact, incapables même d'enlever nos derniers vêtements. Quand ses lèvres m'ont quittée, je me suis cambrée, mains posées de chaque côté de sa tête, la mienne rejetée vers l'arrière, pour rendre plus étroit notre corps-à-corps.

— Tu vas me faire mourir, haletait-il, en empoignant mes fesses brutalement. Mais ça en vaut la peine. Tout est bon à prendre. Je voudrais que ça ne s'arrête jamais.

Je ne faisais pas attention à ce qu'il disait, concentrée sur le désir pressant qui montait entre mes cuisses. Tout mon corps était tendu comme un arc, et j'étais sur le point de jouir à force de me frotter contre lui à travers nos vêtements, comme une ado impatiente à l'arrière d'une voiture, incapable de résister à ce corps. J'ai accéléré le mouvement, proche de la jouissance, qui bientôt m'a emportée, gémissante et tremblante.

J'ai roulé sur le côté et j'ai enlevé ma culotte. Horse a baissé son caleçon juste assez pour libérer son membre, qui s'est dressé, long et dur, entre nous. Il a essayé de m'attirer sur lui, mais je l'ai arrêté pour me pencher sur son entrejambe, entourer son membre tendu de mes lèvres et l'engouffrer goulûment.

Il a frissonné, enfoncé les doigts dans mes cheveux pendant que ma langue tournait autour de son gland et que ma main remontait le long de sa verge. Je n'avais pas le pouvoir de réparer le mal qui le faisait souffrir, Bagger ne reviendrait pas et la guerre continuerait là-bas. Mais je pouvais l'en éloigner un instant, et j'avais bien l'intention de ne pas le faire à moitié.

Je l'ai sucé et léché, abandonnant parfois son membre pour tourmenter ses testicules, que j'aspirais et faisais rouler sous ma langue. Inspirée, je lui ai enfoncé un doigt entre les fesses, tout en continuant de l'aspirer à pleine bouche, pendant que ma main le torturait ou le caressait, jusqu'à ce qu'il gémisse soudain et s'agite en dessous de moi, tel un esclave au supplice. Il me tirait les cheveux dans l'espoir de me repousser, mais je résistais. Sous la torture de mes doigts et de ma bouche, il a explosé en moi, hanches tremblantes et agitées de spasmes, et j'ai avalé sa semence, triomphante.

J'ai attendu qu'il s'apaise pour me dégager, m'asseoir et m'essuyer la bouche d'un revers de la main. Il me souriait. Son regard était encore un peu triste mais soulagé de l'effroyable tension qui l'avait tourmenté.

— Merci, a-t-il dit doucement, traçant du doigt le contour de mes lèvres.

— Je t'en prie. Je vais me brosser les dents. Ne le prends pas mal, surtout. OK ?

Il a laissé échapper un petit rire avant de hocher la tête. Quand je l'ai rejoint dans le lit, il était nu. Il m'a serrée contre lui au creux de son bras et a glissé sa jambe sous la mienne. Je me sentais en paix. Rien ne pourrait effacer ce que lui et Bagger avaient subi, mais, ce soir au moins, il dormirait tranquille.

Le statut de régulière commençait à vraiment me plaire.

Chapitre 20

Le matin des funérailles, il faisait très froid, un froid qui venait autant de la météo que du nuage d'injustice et de chagrin suspendu au-dessus de nos têtes. Même si Bagger n'était pas croyant, Cookie avait demandé à un biker aumônier de Spokane d'assurer la cérémonie d'inhumation. L'exposition du corps à la maison funéraire serait suivie d'une procession jusqu'au cimetière.

Maggie et Darcy se sont occupées de tous les détails parce que Cookie en était incapable. Ses beaux-parents, qui étaient assez âgés et habitaient plutôt loin, étaient complètement dévastés par la disparition de leur fils. Leurs remerciements nous ont déchiré le cœur. C'est pourquoi, la veille de la cérémonie, les femmes du club se sont réunies à l'arsenal pour discuter d'une stratégie. Apparemment, Cookie s'inquiétait de l'épreuve du cimetière pour sa petite Silvie. Il ferait froid, et, en plus, elle avait commencé à réagir, sans doute influencée par la tension et le chagrin qui régnaient autour d'elle. Ne comprenant pas encore ce qui était arrivé à son papa, elle demandait à tous les adultes qu'elle croisait de parler à son père en leur tendant son ordinateur portable.

Cookie m'avait demandé si, en tant que baby-sitter préférée, je pouvais l'aider à garder un œil sur sa fille pendant la cérémonie. Au cas où ce serait trop dur pour la petite, je devais la raccompagner à l'arsenal pour éviter de lui faire vivre quelque chose qu'elle ne pouvait pas comprendre. Je n'avais pas hésité une seconde. C'est pourquoi, le matin des funérailles, Maggs était allée garer ma voiture derrière le cimetière. En cas de panique, je pourrais emmener Silvie rapidement et discrètement. L'idée avait déplu à Horse jusqu'à ce qu'il admette que les Devil's Jacks n'oseraient jamais interrompre un enterrement.

Em avait été mon seul lien avec l'extérieur pendant toute cette semaine passée à l'arsenal. Elle m'avait même acheté une robe noire pour l'occasion. Ce matin, nous étions allées ensemble dans sa voiture jusqu'à la maison funéraire. Les mecs nous suivaient courageusement à moto dans le froid glacial, sans se plaindre.

Conduire une moto en plein hiver dans une procession funéraire, je ne trouvais pas ça très raisonnable. Apparemment, c'était la tradition chez les bikers. Même si Maggs m'avait prévenue, je n'ai pas pu m'empêcher d'être stupéfaite devant les centaines de motos garées devant la maison funéraire. Les Reapers étaient présents, bien sûr, mais il y avait aussi les

Silver Bastards et d'autres clubs que je ne connaissais pas. S'ajoutaient à eux des mecs qui ne faisaient partie d'aucun club et des vétérans avec, à l'arrière de leur Harley, le drapeau noir et blanc des prisonniers de guerre et des disparus au combat. Jamais tout ce monde ne pourrait tenir à l'intérieur de la maison funéraire, mais personne ne s'en souciait. Maggs et moi sommes entrées dans le bâtiment. J'ai vu d'autres gens arriver encore, attendre patiemment dans le froid et discuter à voix basse en petits groupes. Sur le cercueil, certains avaient collé des autocollants. J'ai commencé à paniquer, avant de me rendre compte que c'étaient des insignes de soutien aux Reapers et que ça ne dérangeait personne. Apercevant Cookie, je me suis approchée d'elle pour lui présenter mes condoléances. Elle m'a accordé un sourire, mais je doute qu'elle m'ait reconnue. Contrairement à Silvie, que j'ai emmenée faire un tour. Je l'ai couvée de mon regard, pour son plus grand bonheur.

Ensuite, il a fallu s'entasser dans les voitures pour la procession. J'ai ramené Silvie auprès de sa mère, qui paraissait complètement déconnectée de la réalité. Qui ne l'aurait pas été à sa place ? Lorsque la belle-mère de Cookie a essayé de prendre Silvie par la main, la fillette s'est mise à pleurer et s'est accrochée à moi en se débattant avec les pieds.

— Viens avec nous, m'a lancé sa mère comme si elle se réveillait en sursaut. Tant que ça lui fait plaisir. Veille sur elle, s'il te plaît. Je n'y arriverai pas toute seule.

C'est pour ça que je me suis retrouvée dans la limousine avec la famille proche, juste derrière le corbillard. Je ne me sentais pas du tout à ma place, presque inconvenante. Mais seul comptait le bien-être de Silvie, d'autant que Cookie n'était pas en état de gérer la situation. Nous avons traversé lentement la ville, et j'ai été impressionnée par le soutien et le respect dont la foule faisait preuve. Il est vrai que j'avais été coupée du monde pendant mon séjour à l'arsenal, mais jamais je n'aurais imaginé l'ampleur de cette procession en l'honneur de Bagger. Sans compter les Reapers et les autres clubs, c'était comme si toute la ville était également venue rendre un dernier hommage au sacrifice de Bagger.

En tête de cortège se trouvaient six voitures de police, roulant de front et gyrophares allumés. Les Reapers étaient loin d'être potes avec les forces de l'ordre, mais le père de Bagger avait accepté leur proposition d'escorter la procession, et personne ne s'en était plaint. Juste derrière venaient le corbillard et les trois limousines dans lesquelles avait pris place la famille, suivis des rugissements indescriptibles d'une centaine de motos. Les rues avaient été fermées pour l'occasion, et, au lieu d'éviter les rues principales comme il se doit lors d'une procession funéraire, nous avons descendu Sherman Avenue. Les gens s'étaient alignés sur les trottoirs pour rendre un dernier hommage à Bagger. Ils se mettaient au garde-à-vous à notre passage. De nombreuses personnes agitaient des drapeaux américains et, avec un signe de la main, disaient « merci » ou « nous n'oublierons jamais ».

Cookie les regardait sans les voir pendant que Silvie, visage collé à la vitre, semblait fascinée. Lorsque nous sommes enfin arrivés au cimetière, la limousine s'est arrêtée, et nous sommes sortis. Une multitude de Reapers nous suivaient, dont beaucoup m'étaient inconnus. On aurait dit qu'ils étaient venus par milliers, même si, plus tard, j'ai appris qu'ils n'étaient qu'une petite centaine. D'autres clubs et les groupes d'anciens combattants leur emboîtaient le pas, suivis d'une file de voitures interminable. Nous avons aussi vu arriver des soldats en tenue de cérémonie et la fanfare du lycée, qui avait échangé les habits de fête rutilants contre des costumes noirs mal ajustés. Il a bien fallu une heure pour que tout le monde puisse se garer. En attendant, nous avions conseillé à Cookie de retourner dans la voiture, alors que moi, je m'installais dans une autre limousine avec Silvie et la laissais s'amuser avec mon téléphone.

Quand tout le monde est enfin arrivé, nous nous sommes réunis autour de la tombe. J'étais au premier rang avec la famille. Je me sentais, encore une fois, indigne de ce privilège, moi qui n'avais jamais rencontré Bagger, contrairement aux nombreuses personnes qui l'avaient connu et aimé.

Mais Silvie ne voulait pas que je la quitte, et je me suis retrouvée debout à côté de la chaise de Cookie, avec la petite dans les bras. La cérémonie s'est déroulée dans une atmosphère étrange de solennité militaire et de tradition biker. Contrairement à l'usage, la garde d'honneur des marines ne portait pas le cercueil mais avait été remplacée par Horse, Ruger, Picnic, Duck et Bam Bam, réquisitionnés par Cookie. Cérémonieusement, ils ont transporté, du corbillard à la tombe, le cercueil recouvert du drapeau américain, deux d'un côté et trois de l'autre. Je n'avais jamais vu ça.

— Cookie voulait que Bolt ait aussi sa place, m'a chuchoté Maggs à l'oreille en étouffant un petit rire.

J'étais stupéfaite à l'idée que, malgré son immense chagrin, la femme de Bagger ait pensé à honorer ainsi l'amitié qu'avait Bolt pour son époux. Une fois le cercueil installé, le pasteur a délivré son discours, rejoint par certains membres du club. La fanfare jouait l'hymne américain.

Ensuite, les honneurs militaires ont commencé.

Un groupe de dix jeunes marines en tenue de cérémonie s'était aligné patiemment sur la droite pendant la cérémonie. À l'appel de leur commandant, sept d'entre eux ont levé leur fusil et tiré trois salves en même temps. Les tirs ont déchiré le ciel comme des coups de tonnerre en se répercutant jusqu'aux collines avoisinantes. Cookie frémissait sous chacun des coups, comme si c'était sur elle qu'on tirait, alors que je couvrais les oreilles de Silvie, qui s'était mise à couiner.

Un des marines a sorti un clairon et s'est mis à jouer *Taps*, la sonnerie militaire d'usage, aux échos lancinants dans le silence surnaturel du cimetière. Silvie a commencé à s'agiter dans mes bras. Le commandant et les trois soldats restants se sont approchés lentement de chaque côté du cercueil et ont soulevé le drapeau, avant de le replier en un triangle aux couleurs de l'Amérique.

À la fin, le commandant s'est approché de Cookie, lui a cérémonieusement remis le drapeau et a lancé, d'une voix qui portait loin dans l'air glacé :

— De la part du président des États-Unis, du corps *des marines américains* et d'une nation pleine de gratitude, veuillez accepter ce drapeau, en symbole de notre reconnaissance pour le service fidèle et honorable de celui que vous aimiez.

Cookie a pris le drapeau et l'a serré contre son sein, sans un seul mot, pendant que la mère de Bagger sanglotait à grand bruit. Silvie, visage déformé, s'est mise à pleurer à son tour. Il était temps que je l'emmène. Nous avons traversé la foule et l'herbe gelée sans attendre, ce qui a détourné son attention, avant de rejoindre la voiture, où le siège enfant avait été installé. Puis j'ai démarré le moteur et enclenché le chauffage. Un petit coup à la porte m'a fait sursauter et m'exclamer en même temps, alors que les pleurs de Silvie reprenaient de plus belle.

C'était Max.

Malgré mon envie d'accélérer et de l'écraser, j'ai entrouvert la vitre et l'ai fusillé du regard.

— Il faut que j'emmène Silvie loin de tout ça, ai-je dit, d'un ton glacial.

— J'avais compris. Écoute, je voulais m'excuser pour ce qui s'était passé. J'ai dépassé les bornes. Carrément. Et rien que je puisse dire ou faire ne pourra effacer ça. Mais je m'inquiète de te voir partir seule. Un pote vient de m'envoyer un texto pour me dire qu'il avait vu quatre Jacks en train de manger au *Zip's*. On sait très bien pourquoi ils sont là, et je ne veux pas que tu prennes ce risque. Laisse-moi au moins t'escorter jusqu'à l'arsenal.

— Comment veux-tu que je te fasse confiance ? ai-je rétorqué.

— Je sais, a-t-il répondu, le visage apparemment plein de remords. C'est ce que je mérite. Mais on ne peut pas déranger Horse maintenant. S'il savait que les Jacks sont en ville, il serait déjà là. Tout le monde est à cran, tu t'en rends compte, et il suffirait de pas grand-chose pour que ça tourne au massacre. Horse n'est pas le mieux placé dans cette histoire.

Il n'avait pas tort.

Je n'avais pas envie de voir Horse ou qui que ce soit d'autre finir derrière les barreaux, ni de gâcher les funérailles de Bagger.

— Laisse-moi te raccompagner, a-t-il insisté. Je garderai les mains et la langue dans ma poche. Si ça peut te rassurer, tu peux envoyer un e-mail à Horse tout de suite, puis un autre quand nous arriverons à l'arsenal. Comme ça, il saura que tu es avec moi. Je t'en prie : si tu ne le fais pas pour toi, fais-le pour Silvie. Ils ne se gêneront pas pour l'embarquer avec toi s'ils te trouvent. Je me dois de protéger la gosse de Bagger, c'est bien la moindre des choses que je puisse faire pour lui.

Il avait réussi à me convaincre. Max avait raison, peu importait notre passif. Silvie devait être protégée, et je n'avais pas envie d'empêcher Horse d'assister aux funérailles de son pote. Je détestais Max, c'est sûr, mais il avait toujours été loyal envers son club. Je sais que Horse lui en voulait aussi à mort, mais il m'avait souvent répété qu'il avait une confiance absolue dans tous les Reapers. Après tout, Max était encore son frère, et, si l'idée de me retrouver aux mains des Jacks me terrorisait, je redoutais encore plus qu'ils s'en prennent à Silvie. Je préférais encore affronter Max, quelle que soit son humeur.

— Monte, ai-je cédé en soupirant. Bas les pattes, et ferme-la.

Il a hoché la tête et est venu s'installer sur le siège passager pendant que je me dépêchais d'envoyer un e-mail à Horse. J'ai été surprise et impressionnée que Max ne se précipite pas sur les clés de contact, car Horse, lui, ne me laissait jamais conduire. Je savais que cette attitude, d'après les filles du club, était un sujet de discorde au sein des couples, tant les

Reapers avaient besoin de tout contrôler. J'ai allumé l'autoradio et roulé directement jusqu'à l'arsenal. Max a tenu parole. Il n'a eu aucun geste déplacé et il a attendu que je coupe le moteur, après que nous sommes arrivés à l'arsenal, pour parler.

— Je t'accompagne à l'intérieur, histoire de m'assurer que les aspirants maîtrisent la situation, a-t-il annoncé. Ensuite, je retourne faire le point avec Picnic et les autres. Personne ne voudra quitter la réception ou la soirée, mais il faut qu'on reste sur nos gardes. Reste à l'intérieur. OK?

J'ai hoché la tête, toujours aussi mal à l'aise lorsqu'il me regardait. Je ne m'étais jamais sentie en sécurité avec ce mec. À l'intérieur, nous avons trouvé Painter en compagnie de deux aspirants d'autres clubs. Aux regards qu'il nous a lancés, j'ai vu que Painter n'était pas enchanté de me voir débarquer avec Max, mais je l'ai rassuré d'un coup d'œil et d'un pouce levé. J'ai emmené Silvie dans la cuisine pour lui préparer un sandwich. Pendant qu'elle s'empiffrait, j'ai envoyé un texto à Horse pour le prévenir que j'étais bien arrivée à l'arsenal et que Max m'avait raccompagnée sans le moindre incident. Je n'ai pas été étonnée qu'il ne réponde pas. J'ai conduit Silvie à l'étage dans ma chambre pour qu'elle fasse une sieste, heureuse d'avoir pu me rendre utile et soulagée du comportement irréprochable de Max.

Vers 19 heures, Dancer est venue chercher Silvie pour l'emmener chez des amis. De nombreuses personnes étaient déjà arrivées à l'arsenal, et Cookie avait pris sur elle pour manger avec sa fille et lui lire des histoires avant son départ. Je suis allée chercher Horse pour voir s'il tenait le choc.

J'ai fini par le trouver dehors autour d'un feu de camp, en compagnie d'autres Reapers, de Silver Bastards et de membres de la famille. Comme chaque fois dans ce genre d'événements, la réception avait débuté dans une atmosphère sombre, qui s'était allégée au fur et à mesure que s'échangeaient bières et anecdotes. M'approchant discrètement par-derrière, j'ai enlacé Horse, tête appuyée contre son dos. Au bout de quelques minutes, il m'a attirée devant lui en passant un bras autour de mes épaules et il m'a murmuré quelques mots à l'oreille :

— T'as assuré, bébé, aujourd'hui. Merci. Je suis désolé que tu aies dû rentrer avec Max, mais tu as bien fait. Les Jacks ont été repérés plusieurs fois dans la ville et, à mon avis, ils préparent quelque chose. Vivement qu'on en finisse avec cette histoire.

Je me suis appuyée contre lui pour savourer la chaleur de son corps en espérant pouvoir rentrer avec lui. J'en avais marre de l'arsenal. Tout ce que je souhaitais, c'était qu'ils se débarrassent des Jacks sans faire de mal à Jeff.

— C'est risqué ? ai-je demandé.

— Pas si on s'y prend bien. On n'est pas naïfs, tu sais, ce n'est pas la première fois qu'on doit défendre l'un des nôtres. T'inquiète pas, bébé. Ce soir, c'est Bagger qu'on célèbre.

Au bout d'un moment, j'ai eu froid, alors je suis rentrée rejoindre Maggs et un groupe de filles que je ne connaissais pas autour du plan de travail central. On a fait tourner une bouteille de Jack Daniel's. Je n'avais pas vraiment envie de boire, mais Maggs m'avait fait signe pour que je me joigne à elles. Je découvrais que la communauté des femmes de bikers était beaucoup plus étendue que je ne l'avais pensé. Je n'ai pas pu m'empêcher de remarquer leurs regards respectueux et accueillants lorsque Maggs m'a présentée en tant que «propriété de Horse», mais, pour la première fois, je m'en fichais. Ici, chez nous, ce mot n'avait pas le même sens que dans la société ordinaire.

Chez nous.

Je faisais partie de ce «nous» désormais. Ces femmes étaient mes sœurs, Horse mon homme, et je pouvais compter sur tous les hommes pour me protéger, y compris Max. Je le détestais toujours autant, c'était physique. Mais, aujourd'hui, à sa façon un peu étrange, il avait su veiller sur moi et Silvie. Jusqu'ici, je n'avais eu que maman et Jeff pour me défendre. J'étais heureuse de voir ma famille s'agrandir.

Vers 21 heures, à l'appel d'une corne de brume, on s'est tous réunis autour du feu de camp. J'ai retrouvé Horse et me suis glissée dans ses bras pour me réchauffer pendant que Picnic s'avançait, solennel, pour s'adresser à tout le monde. Cookie n'était pas loin, escortée par Maggs et Dancer. Elle avait l'air fragile mais déterminée. Sur la robe noire qu'elle portait depuis ce matin, elle avait passé le gilet en cuir noir qui arborait l'inscription «Propriété de…» et échangé ses talons contre des bottes en cuir noir.

— Ce soir, nous disons adieu à un frère et à un ami, a déclaré Picnic d'une voix un peu enrouée. Il savait que le mot «fraternité» rimait avec «éternité» et que, malgré les épreuves, un homme de valeur ne tourne pas le dos au combat. La solidarité passe avant tout. Il a donné sa vie en soutien à ses frères en Afghanistan, et nous respecterons sa mémoire jusqu'à la mort. Bagger a porté les couleurs des Reapers pendant dix ans en les honorant à chaque instant. La dernière fois qu'il est retourné au combat, il me les a confiées. Il appartient au chapitre des Freebirds désormais. Il est grand temps de lui rendre ses insignes. Il sera toujours dans nos cœurs. *Reapers un jour, Reapers toujours.*

La plupart des hommes, y compris Horse, se sont mis à répéter ces mots comme un mantra, avant de faire silence au son des premières notes de *Free Bird*, l'hymne de Lynryd Skynyrd. Picnic s'est avancé d'un pas, le blouson en cuir de Bagger à bout de bras pour l'exposer aux yeux de la foule. À l'instant où il s'approchait du feu, Cookie est intervenue.

— Attends ! a-t-elle hurlé en se dégageant du bras de Maggs. Attends-moi. Je veux que mon blouson rejoigne le sien. Ils sont inséparables.

Elle a quitté son blouson « Propriété de Bagger, Reapers MC » et l'a posé sur celui de Bagger.

— Ils sont inséparables, a-t-elle répété, d'une voix cassée.

Picnic a secoué la tête, et Maggs s'est approchée d'elle pour la prendre dans ses bras.

— Il va te manquer, lui a-t-elle dit. Tu es un peu perdue ce soir, mais je suis sûre que Bagger voudrait que tu le gardes.

— Ils sont inséparables, a répondu Cookie, sur la défensive.

Elle a défié Picnic du regard pendant plus d'une minute alors que la chanson continuait de tourner, jusqu'à ce qu'il finisse par acquiescer de la tête. Cookie a laissé échapper un soupir de soulagement et a laissé Maggs l'emmener, d'un pas encore chancelant, comme si elle avait tout donné pour accomplir ce dernier devoir. Et, tandis que la musique s'élevait autour de nous, Picnic jetait dans le feu les deux blousons aux emblèmes du club. Des femmes reniflaient autour de moi, alors que les hommes clignaient des yeux pour faire disparaître des larmes suspectes. La chanson s'est terminée et les deux cuirs se sont consumés. Trop vite.

Bagger avait laissé les Reapers derrière lui. C'était officiel.

Une heure après, je me recoiffais dans les toilettes attenantes à la salle de jeu. J'avais envie de partir. Je voulais laisser Horse tranquille avec ses frères. En même temps, je ne me sentais pas en droit de m'immiscer dans le chagrin de femmes que je ne connaissais qu'à peine, même si elles étaient toutes très sympas. J'ai entendu un bruit de chasse d'eau derrière moi, et Cookie est sortie des toilettes.

— Salut, ai-je dit, intimidée, désireuse d'éviter les platitudes d'usage.

— Salut, a-t-elle murmuré en se lavant les mains.

Elle s'est regardée dans le miroir et a jeté un coup d'œil en direction de la porte. Après avoir pris une longue inspiration, elle a posé la main sur mon bras.

— Il faut que je sorte d'ici, a-t-elle repris d'un ton détaché. Tu crois que tu peux me ramener chez moi ? Tout le monde est déjà bourré, je n'ai trouvé personne. Tu es sobre, on dirait, non ?

— Ouais, ai-je répondu, très surprise. Tu es sûre que tu veux t'en aller ? Tout le monde est venu pour toi…

— Oui, et tout de suite ! a-t-elle insisté en secouant la tête d'un air contraint. Je vais craquer. Si j'entends encore quelqu'un prononcer son nom ou raconter d'autres anecdotes, je crois que je vais m'effondrer, et je n'ai pas envie de me donner en spectacle. En plus, je suis sous haute surveillance ce soir. Personne ne veut me laisser rentrer seule, de peur que je fasse une connerie. Ils ont tort. C'est juste que je suis incapable de supporter cette fête en sachant que mon mari est six pieds sous terre à moins d'un kilomètre d'ici. Tu veux bien me ramener chez moi ?

Elle ne me laissait pas le choix.

— Le temps d'attraper mon sac. Je te retrouve dans l'entrée.

J'ai filé récupérer quelques affaires dans ma chambre, incapable de décider si je devais avertir Horse. Les Jacks rôdaient dans le coin, je le savais. En même temps, Horse avait besoin de faire son deuil, et je ne voulais pas l'en priver. Je pouvais toujours demander à un aspirant de nous raccompagner. Painter était devant l'entrée avec d'autres gars, mais, lorsque je lui ai demandé de nous reconduire, il m'a répondu qu'il fallait qu'il demande à Picnic. Cookie faisait les cent pas nerveusement près de ma voiture, au bord de l'explosion. Et si Picnic refusait de la laisser partir ? Quand Max est apparu, j'ai sauté sur l'occasion.

— Tu es sobre ? lui ai-je demandé.

Il s'est immobilisé, étonné par ma question.

— Heu, ouais. Je voulais rester lucide au cas où les Jacks se pointent. Pourquoi ?

— Cookie a besoin de rentrer chez elle, et je vais l'emmener, ai-je dit, cartes sur table. J'ai demandé à Painter de nous raccompagner, mais il veut en parler à Picnic, et je ne suis pas sûre qu'il accepte. Il faut qu'on s'en aille. Tu veux bien venir avec nous ?

— Pas de problème.

Nous sommes montés dans la voiture, Cookie à l'arrière. Pendant le trajet, mon téléphone a sonné. Horse et Picnic essayaient de me joindre tous les deux, mais je n'ai pas répondu. Je préférais remettre les explications à plus tard, lorsque Cookie serait arrivée à bon port. Nous sommes restés silencieux jusqu'à ce que nous arrivions chez Cookie. Elle est descendue de la voiture et s'est dirigée vers la porte de sa maison après nous avoir rapidement remerciés.

— Tu crois qu'elle est en sécurité ? ai-je demandé à Max. Par rapport aux Jacks, je veux dire ?

— Ils ne s'en prendront pas à elle. Même eux ne s'attaqueraient pas à une veuve de guerre, c'est trop risqué, surtout avec tous nos gars dans le coin. S'ils font ça, leurs propres clubs affiliés pourraient les lâcher. Elle est intouchable. Contrairement à toi. On ferait mieux d'y aller maintenant.

Quand mon téléphone a sonné, j'ai décroché aussitôt, pressée de rassurer Horse.

— Hé, bébé, je suis désolée…

— Marie, c'est Jeff.

Je me suis figée, jetant un coup d'œil rapide à Max.

— Euh… ouais, ai-je répondu, d'une voix aussi amicale et détendue que possible. Une seconde, s'il te plaît.

Je suis sortie de la voiture, j'ai refermé la portière et me suis éloignée suffisamment pour que Max puisse me voir sans m'entendre.

— T'es complètement taré de m'appeler! ai-je lancé. Tu étais censé m'envoyer un e-mail. Et si quelqu'un d'autre avait décroché? Il est plus de minuit, j'aurais pu être couchée dans les bras de Horse!

— Ce n'est pas le cas, a rétorqué Jeff. Je sais qu'il y a une réception funéraire à l'arsenal. Tu y es?

— Non, j'ai dû reconduire quelqu'un, ai-je répondu vivement. Comment tu as su pour la réception?

— Je suis au courant de tout ce qu'ils font. J'ai tout arrangé. Il est temps pour nous de se barrer. Je veux que tu me retrouves chez Horse. Je suis dans la grange.

— Quoi? C'est pas possible!

— Pas le temps de t'expliquer, a-t-il répliqué d'un ton cassant. Ramène-toi qu'on puisse se tirer vite fait. On parlera sur la route.

— Je ne suis pas seule, Max est avec moi.

— T'as qu'à le semer, a riposté Jeff.

— C'est impossible. Ils s'attendent à une attaque des Jacks. Il ne me laissera jamais quitter la voiture. Jeff, il faut que tu saches que je ne viendrai pas avec toi. Je suis avec Horse et j'ai bien l'intention de rester avec lui.

Je l'ai entendu soupirer.

— Ils t'ont retourné le cerveau, a-t-il décrété. Dis-lui que tu as oublié quelque chose chez toi, demande-lui de t'accompagner. Je suis armé. On pourra l'attacher pendant qu'on parle et l'enfermer dans la sellerie. Il ne lui arrivera rien.

— C'est une très mauvaise idée, Jeff, ai-je dit d'une voix douce. Réfléchis encore. Et si ça ne marche pas ? Il pourrait te tuer. Il faut que tu arrêtes de délirer et que tu affrontes la situation. Tu ne fais qu'empirer les choses.

— T'es trop naïve, bon sang ! a-t-il marmonné d'une voix franchement contrariée. Max est un dangereux criminel, comme tous les Reapers. Arrête de vouloir les protéger. Pense plutôt à ta famille. Ramène tes fesses !

Il m'a raccroché au nez. Je me suis retournée vers la voiture, sourire de façade aux lèvres pour ne pas éveiller les soupçons de Max. Pas question que je l'amène chez Horse. Jeff délirait complètement. Cela dit, il fallait que je lui parle pour qu'on essaie de trouver une solution plus raisonnable. Je voulais aussi voir la preuve dont il me rebattait les oreilles. Il était temps qu'on s'explique.

— C'était Maggs, ai-je prétendu en remontant dans la voiture. Elle veut qu'on s'arrête à l'épicerie pour acheter des sacs poubelles. J'imagine qu'ils n'en ont plus et que la soirée dégénère. T'es OK pour une petite pause au supermarché ?

— Pas de problème, a-t-il répondu.

J'ai gardé les yeux fixés sur le pare-brise pendant tout le trajet, en m'appliquant à contrôler ma respiration. J'ai choisi une place de parking stratégique et, lorsque Max est descendu de la voiture, j'ai verrouillé toutes les portières et appuyé sur l'accélérateur.

Mon téléphone a sonné au moins une quinzaine de fois pendant le trajet jusqu'à la ferme. Max avait sûrement mis Horse au courant de ma petite performance, ce qui avait dû le mettre hors de lui.

On s'expliquerait plus tard.

Malgré tout, comme je ne voulais pas l'inquiéter injustement, je lui ai envoyé un texto après m'être garée. Je lui disais que tout allait bien, mais que mon frère m'avait appelée et que j'avais besoin de lui parler en tête à tête. Après quoi, j'ai activé la fonction silence de mon téléphone pour éviter d'entendre ses appels.

J'allais en prendre plein la gueule, c'est clair.

J'ai pris mon sac et me suis dirigée vers la grange. Aucun signe de Jeff. Ni d'Ariel. J'étais de plus en plus stressée. J'ai poussé la porte de la grange en remarquant que le verrou avait été forcé. *Encore un truc qui ne plaira pas à Horse*, me suis-je dit, en ravalant un gloussement hystérique. À ce rythme-là, le pauvre allait nous faire un arrêt cardiaque. Jeff m'a attrapé le bras dès que je suis entrée dans la grange. D'une main, il m'a poussée sur le côté, alors que, de l'autre, il agitait un revolver. Ce que m'avait appris Horse m'est revenu subitement, et je me suis allongée sur le sol sans réfléchir lorsque j'ai vu le canon pointé sur moi.

— Abaisse le canon de ton arme! me suis-je exclamée.

Jeff a baissé les yeux sur son revolver, stupéfait.

— Oh, merde, je suis désolé! Tu es seule?

— Oui. (Je me suis relevée et j'ai épousseté mon pantalon.) Mais je te préviens qu'ils m'ont harcelée de coups de fil pendant tout le trajet. On n'a pas beaucoup de temps. Montre-moi la fameuse preuve dont tu m'as parlé.

Jeff s'est dirigé vers un plan de travail et a sorti une pochette cartonnée. Lorsque je l'ai ouverte, j'ai vu qu'elle contenait des articles émanant de différents journaux, à propos du massacre. Rien que je ne sache déjà.

— Regarde bien, a insisté Jeff.

J'ai continué à tourner les pages et je suis tombée sur le certificat de démobilisation de Horse. «Libéré avec les honneurs.» Plus loin, il y avait un mémo indiquant qu'aucune charge n'avait été retenue contre son unité par manque de preuves suffisantes. Un autre article racontait que les tueurs n'avaient pas été retrouvés et que plusieurs témoins-clés avaient disparu. Ça s'arrêtait là.

— Alors, tu vois ? a demandé mon frère. Maintenant que tu l'as sous les yeux, c'est assez clair pour toi ?

Je l'ai regardé, embarrassée.

— Ça ne me prouve pas qu'il ait fait quoi que ce soit, ai-je répondu d'une voix douce. Ça dit juste qu'on n'a jamais retrouvé les auteurs du massacre. En temps de guerre, ça arrive souvent, Jeff, surtout dans les zones de guérilla. Ça ne prouve rien du tout.

Il a secoué la tête, visiblement contrarié.

— C'est un coup monté, il faut que tu lises entre les lignes ! Tous les témoins ont disparu. Tu ne te demandes pas pourquoi ?

— Sûrement parce qu'ils ont eu peur des représailles, ai-je répliqué. Oublie ça, Jeff. Tu ferais mieux d'appeler les Jacks et de mettre un terme à ta collaboration. Ensuite, il ne te reste qu'à disparaître. Les Reapers veulent ta peau, j'en ai bien peur. Je t'aime tellement… Je ne supporterais pas de te perdre.

Le visage de Jeff s'est adouci, et j'ai cru retrouver le frère détendu, tendre et aimant que j'avais toujours connu. Il m'a attirée dans ses bras, mais j'ai senti un truc qui n'allait pas. Son cœur battait à cent à l'heure, il n'avait plus que la peau sur les os, et une sueur moite émanait de son corps. J'ai reculé, yeux fixés sur son visage, et submergée par un incroyable sentiment de tristesse.

— Pourquoi tu te fais du mal comme ça, Jeff ? ai-je demandé.

Ses traits se sont durcis, et il s'est détourné brusquement.

— J'essaie de prendre soin de ma famille, a-t-il rétorqué.

En entendant le vrombissement des motos à l'extérieur, je me suis liquéfiée.

— Putain, ils vont te tuer ! me suis-je exclamée, prise de panique.

J'ai regardé autour de moi, espérant trouver un endroit où il pourrait se cacher, mais c'était ridicule. La porte de la grange s'est ouverte brusquement et a claqué contre le mur. C'étaient Horse et Max, arme à la main. Ils se sont figés lorsque Jeff m'a attrapée et a posé le canon de son flingue sur ma tête.

— T'inquiète pas, sœurette, m'a-t-il murmuré à l'oreille. Je ne te ferais jamais de mal. Je veux juste qu'on se barre loin d'ici pour tout recommencer à zéro. Ça sera génial, tu verras. Je m'occuperai de tout.

Et merde !

Chapitre 21

Horse

Lorsque Horse a vu le pistolet pointé sur la tête de Marie, il est entré dans une rage noire. Jensen, à côté d'elle, tremblait tellement que le coup aurait pu partir à tout moment. De toute évidence, il était en manque, de méth certainement. Il fallait s'attendre au pire. Si ça se trouve, il était en plein délire hallucinatoire. Après un effort surhumain, Horse a réussi à se dominer pour s'empêcher de lui sauter dessus et de le tuer à mains nues. L'important était de faire preuve d'intelligence.

— Salut, a dit Max, d'une voix délibérément désinvolte.

Leurs regards se sont croisés, et Horse a compris son petit jeu.

— On est juste ici pour s'assurer que Marie va bien, a-t-il dit calmement. On a eu peur que les Jacks soient déjà là. On sait que tu l'aimes et que tu ne lui ferais jamais aucun mal, alors il faut qu'on parle. Gagnant-gagnant, OK?

Jeff a laissé échapper un rire aigu qui n'avait rien de normal.

— Je lui ai montré les preuves, a-t-il lancé. Elle sait tout ce que tu as fait subir à ces gosses en Afghanistan. Et maintenant tu vas mourir pour ce que tu lui as fait !

Ignorant les mots de Jeff, Horse se concentrait sur ses gestes et son intonation. Il allait falloir ruser. Il se demandait comment il allait pouvoir la sauver. Bien qu'il ait affronté des situations autrement délicates, jamais il n'avait eu autant à perdre.

— Je vais lâcher mon revolver, a-t-il annoncé.

Il a posé son arme très lentement et très délicatement sur le sol, avant de lever les bras en l'air pour montrer à Jeff qu'il avait les mains vides.

— Max va en faire autant. Ensuite, tu pourras baisser ton arme. Surtout, pas d'accident. On te laissera partir dans sa voiture. Qu'est-ce que t'en dis ?

Jensen a ri de nouveau, le visage enlaidi par une expression qu'il ne lui avait jamais vue… une sorte de jubilation intense, limite malveillante.

— Je veux que tu t'approches au centre, a-t-il ordonné. Et pas de coup foireux.

Horse s'est avancé, mains en l'air. Revolver tremblant dans la main, Jensen a reculé, entraînant Marie vers le fond de la grange. *Merde !*

— C'est bien. À ton tour, maintenant, a-t-il ordonné à Max.

Horse a entendu Max bouger derrière lui, puis Marie a écarquillé les yeux. Elle a ouvert la bouche et lui a crié quelque chose en même temps qu'une balle lui déchirait le dos et que son regard se voilait sous le coup d'une douleur intense.

Il s'est effondré sur le sol, dégoulinant de sang. Il ne pouvait plus bouger, mais la souffrance qu'il ressentait dépassait l'imagination. *C'est comme ça que Bagger est mort*, s'est-il dit. *Seul dans une flaque de sang, en sachant qu'il ne pourrait plus protéger sa femme.* Ensuite, il a arrêté de penser. Tout s'est arrêté.

Marie

Horse s'est effondré sur le sol, et mon univers s'est écroulé. Je crois qu'une petite partie de moi doutait encore de notre amour. Mais tout ça n'avait plus d'importance. Lorsque Jeff m'a lâchée, je me suis précipitée vers Horse pour lui prendre le pouls. Son cœur battait encore, et, s'il saignait encore pas mal, il ne pissait plus le sang.

Tout n'était pas perdu.

Je me suis levée, et j'ai vu Max et Jeff qui se congratulaient, armes baissées. *Nom de Dieu de merde!*

— C'était un piège, ai-je compris.

Jeff m'a regardée.

— Max est ma taupe. Il savait que je serais ici ce soir et il avait l'intention de t'amener à moi, mais tu lui as facilité la tâche en raccompagnant Cookie chez elle.

— Assez parlé, a décrété Max en fustigeant Jeff du regard. On ne peut pas lui faire confiance.

— T'as raison, a-t-il admis d'un air triste. Je sais que c'est dur pour toi, Marie, mais tu t'en remettras. Tu ne le connais pas depuis si longtemps que ça, c'est pas comme si vous aviez une vraie relation. Crois-moi.

— Tout est prêt? a demandé Max.

— J'ai pensé à tout, a confirmé mon frère. Il ne reste qu'à retirer l'argent des comptes. J'ai préféré attendre qu'on la sorte de là pour ne pas éveiller les soupçons. Marie, attrape ton sac, on y va.

Il a ramassé mon sac et me l'a lancé, avant de prendre Max à part et de lui parler tout naturellement. Les deux hommes semblaient surexcités, ils s'agitaient au-dessus de papiers étalés sur un plan de travail. Je me fichais complètement de leur manège. Tout ce que je voulais, c'était trouver un moyen pour arrêter l'hémorragie. Mes yeux sont tombés sur un tas de chiffons sales, et je me suis dit qu'on s'occuperait d'une éventuelle infection une fois que Horse aurait la vie sauve. Il se vidait de son sang, et je n'avais pas le temps de trouver mieux.

J'ai posé et pressé les chiffons sur sa plaie, tout en me demandant ce que j'allais bien pouvoir faire. Pas question que je suive Jeff et Max.

Je me prenais la réalité en pleine tronche. Je savais bien que j'avais déjà perdu Jeff. Quelque chose en lui s'était brisé depuis longtemps, et je n'avais jamais été capable de l'aider. De toute façon, il était trop tard, je ne voulais plus de lui dans ma vie. Pas après avoir tué Horse. Enfin, essayé de le tuer.

Il n'était pas encore mort. Il fallait que je voie le côté positif des choses.

Max et Jeff, complètement absorbés par leurs affaires, ne me considéraient apparemment pas comme une menace. Ça pourrait être utile. En regardant mon sac, je me suis rendu compte qu'il renfermait deux armes redoutables : mon téléphone et mon flingue. Cela dit, j'aurais du mal à joindre quelqu'un sans qu'ils m'entendent. J'aurais pu appeler les urgences en espérant qu'on me localise, mais, avec un téléphone portable, c'était presque mission impossible.

J'aurais bien aimé appeler Picnic aussi, en espérant qu'il me réponde. Peut-être qu'il savait quelque chose.

Je restais près du corps de Horse, tournant le dos à Jeff et à Max. C'était un peu louche, mais il fallait que je puisse fouiller discrètement dans mon sac tout en maintenant la pression sur sa plaie. C'est ce que j'ai fait. Je suis tombée sur le téléphone en premier.

J'ai baissé le volume et appuyé sur le nom de Picnic dans mon répertoire. La tonalité a sonné dans le vide. *Merde !* Jeff et Max parlaient d'autre chose à présent, je n'avais plus beaucoup de temps. J'ai appelé Maggs et laissé le téléphone sur le sol derrière le bras de Horse, en espérant qu'elle décroche et nous entende.

Restait le revolver.

Horse m'avait offert un sac en cuir très joli dans lequel il y avait une poche spéciale pour les revolvers – incroyable, non ? En tout cas, vu la situation, je lui devais une fière chandelle, parce que j'ai pu attraper mon arme en ouvrant la poche très facilement. Il ne me restait plus qu'à l'armer. C'est ce que j'ai fait en toussant pour ne pas éveiller l'attention, avant de glisser le revolver sous le bras de Horse.

— Pas la peine de rester là, a retenti la voix de Jeff dans mon dos. Il va mourir, tu ne peux rien y faire. Prends tes affaires et allons-y.

Je me suis redressée et j'ai recommencé à comprimer des deux mains la blessure de Horse. Lorsque je me suis retournée, Jeff était au-dessus de moi.

— Je ne vais pas avec vous, ai-je assené en soutenant son regard. Vous feriez mieux de vous barrer. Laissez-nous. Je ne vous dénoncerai pas, je veux juste que vous partiez.

Max a éclaté de rire et a rejoint Jeff, feuille de papier à la main. En la lisant, il a souri et secoué la tête.

— Je n'arrive pas à croire que ce soit si simple, a-t-il fait remarquer.

Jeff s'est retourné et l'a gratifié d'un grand sourire. Dans ses yeux, la lueur de démence avait reparu.

— T'es un génie, a ajouté Max. Nous voilà parés pour l'avenir, même si on doit rembourser le cartel.

— Si c'est simple, c'est parce que j'y ai passé des heures, a déclaré Jeff, l'air satisfait.

Pourtant, je n'ai pas pu m'empêcher de remarquer que sa main s'était remise à trembler et que son doigt était toujours sur la détente.

— Beau boulot, nom de Dieu ! a dit Max, en secouant la tête comme à regret. C'est du grand art, mec. (Jeff, semblant apprécier le compliment, a souri de toutes ses dents.) Je suis sacrément content qu'on ne m'ait pas écouté en septembre. (Il m'a regardée, et j'ai eu droit à un sourire presque tendre.) Faut que je remercie ton mec pour tout ça, Marie. Et toi, Jeff, je t'aurais bien supprimé avant, mais je voulais d'abord que tu me mettes au parfum de ta combine. Une somme pareille, ça n'arrive qu'une fois. Nom de Dieu ! Je suis vraiment désolé, je n'ai pas le choix. Ne le prends pas personnellement, OK ?

Jeff a regardé Max, incrédule, sans avoir le temps de voir la main du biker se soulever, et, pour la deuxième fois en moins d'un quart d'heure, j'ai hurlé à quelqu'un :

— Attention !

En vain. La tête de Jeff a explosé. Littéralement. En mille morceaux, dont un a atterri sur mon visage. Sur le coup, je n'ai rien remarqué, parce que, au moment où Max tirait, la main de Jeff s'est contractée sur sa propre arme et a appuyé sur la détente. Le coup est parti. J'ai senti une traînée de feu frôler mon bras, mais je m'en fichais. Mon frère était mort, l'homme que j'aimais à moitié agonisant, et moi, j'étais quasiment certaine qu'à mon tour j'allais y passer.

Max m'a regardée en tapotant son revolver sur son flanc. Il avait le même regard ahuri que le soir où il m'avait agressée.

— Il va mourir, a-t-il répété en regardant Horse d'un œil pensif. Ton frère avait raison. Tu ferais mieux de le lâcher, parce que t'es en train de ruiner tes vêtements avec tout ce sang.

— C'est quoi, ton problème ? Pourquoi tu fais ça ?

Il a haussé les épaules.

— Pour la thune, qu'est-ce que tu crois ? Dégage de là si tu veux pas t'en prendre une… parce que j'ai bien l'intention de te sauter avant. C'est toi qui vois.

Mes yeux se sont écarquillés lorsque je l'ai vu lever son arme et la pointer sur Horse, en pleine tête. C'était la fin. Sauf si je faisais diversion, rien qu'une seconde.

— Oh, mon Dieu, je suis couverte de sang ! ai-je soudain hurlé, en levant les bras.

J'en ai profité pour enlever mon tee-shirt et mon soutien-gorge. Le regard de Max s'est porté directement sur mes seins, et j'ai attrapé mon revolver. En un flash, j'ai revécu toute ma vie, et surtout ma première leçon de tir avec Horse.

« En tout cas, souviens-toi d'une chose : si tu dois viser quelqu'un avec ce flingue, tu vises directement le cœur. Et, si tu tires, dis-toi que c'est pour tuer. Sinon, ce n'est pas la peine. »

J'ai levé mon arme et j'ai visé Max au cœur, comme à l'entraînement. J'ai tiré sans réfléchir, jusqu'à ce que le chargeur soit vide. Max, tout comme Jeff, avait eu le temps de tirer juste avant de mourir, mais son bras s'est baissé juste assez pour rater son coup. J'ai rampé jusqu'à son cadavre, attrapé son arme et me suis assise sur les bouts de tissu qui recouvraient la plaie de Horse tout en récupérant mon téléphone.

— Maggs, t'es là ? ai-je demandé.

— C'est quoi, ce bordel ? a-t-elle répondu d'une voix tranquille de pro de la fusillade. Les mecs sont en chemin. Ils seront là dans moins de cinq minutes, maximum. C'est grâce au GPS qu'ils ont mis dans ta voiture. Tu vas bien ?

— Il faut une ambulance pour Horse, ai-je bredouillé. Je crois qu'il vit encore. Max et Jeff sont morts. Je t'en prie, sauve-nous, Maggs ! Je n'ai jamais eu aussi peur de toute ma vie.

La porte de la grange s'est ouverte brusquement devant moi. J'ai lâché mon téléphone, soulevé le revolver de Max et l'ai pointé sur Picnic, Bam Bam, Duck, Ruger, plus deux autres types que j'avais croisés à l'arsenal, des membres d'autres chapitres.

— Appelez les flics et une ambulance, ai-je déclaré d'une voix faible, mais en tenant fermement le flingue. (Picnic observait la scène d'un visage bien trop calme.) Max a essayé de tuer Horse. Il a tué Jeff. Je ne vous fais plus du tout confiance. Je veux une ambulance pour Horse, et je veux que vous disparaissiez !

— Je n'ai aucune idée de ce qui a bien pu se passer ici, a répondu le président lentement. Mais il faut que tu nous laisses nous occuper de Horse. Baisse ton arme.

— Tu peux toujours rêver. Max lui a tiré dans le dos. Je descendrai n'importe quel enfoiré de Reaper qui lui mettra la main dessus. Je veux une ambulance, et tout de suite !

— Elle est déjà en route, a affirmé Picnic. C'est Bam Bam qui les a appelés. Cela dit, si les flics débarquent et te trouvent en train de nous mettre en joue, ils se ficheront pas mal de Horse. C'est notre frère, on ne va pas lui faire de mal.

— Max aussi était son frère !

— C'est une tragédie, cette histoire, est intervenu Duck en avançant d'un pas.

Sa voix avait quelque chose d'envoûtant, et il avait un regard à la fois doux et triste. Il est venu s'asseoir devant moi, à moins de deux mètres du canon.

— Mais tu risques d'empirer les choses. Pour l'instant, on contrôle encore la situation, mais ça ne sera plus possible si tu tires sur des flics.

J'ai sursauté.

— Je n'ai pas l'intention de m'en prendre à eux. Je veux juste protéger Horse, ai-je protesté.

— Comment veux-tu qu'ils le sachent ? a-t-il demandé plus que raisonnablement. D'après les sirènes, ils ne sont pas loin. Il faut que tu te décides rapidement. Laisse-nous te sortir de là. OK ?

J'étais sur le point d'accepter lorsque j'ai senti qu'on me plaquait au sol par-derrière, en même temps que la main de Duck s'élançait pour m'arracher mon arme et que Ruger me faisait rouler loin de Horse sans relâcher son étreinte. Sa main a recouvert ma bouche, et il a approché son visage du mien. Il arborait une expression intense, presque sauvage. Du coin de l'œil, j'ai vu que les autres s'activaient et mettaient des trucs dans un sac que Bam Bam a pris, avant de disparaître par la porte à l'arrière de la grange.

— Ça va être l'apocalypse quand ils vont débarquer, m'a lancé précipitamment Ruger. Ils vont sûrement t'arrêter, et nous avec peut-être. Ne leur dis rien. Je ne veux pas savoir ce qui s'est passé ou qui a tiré sur qui. Tu la fermes et tu leur dis que tu l'ouvriras seulement en présence d'un avocat. Insiste jusqu'à ce qu'ils acceptent. On t'enverra un des nôtres. Ne dis rien. C'est compris ?

Il a retiré sa main, et j'ai hoché la tête, yeux écarquillés. Un flic venait d'entrer subitement dans la grange, avant de se figer sur place, apparemment choqué par le spectacle qu'il découvrait.

— Bon sang! a-t-il hurlé en attrapant sa radio. Il nous faut des renforts sur-le-champ. Tout le monde, les bras en l'air! Je veux voir vos mains. Lâche cette fille! Lâche-la!

Ruger s'est levé et a reculé, bras levés. Les autres lui ont emboîté le pas, et je les ai rejoints. Le flic, qui devait se sentir bien seul, nous regardait nerveusement, pendant que les ambulanciers se précipitaient sur Horse, avant de l'allonger sur une civière et de le faire sortir. D'autres flics sont arrivés. La nuit allait être longue, très très longue.

Lorsque, à un moment donné, j'ai pu parler à un avocat, il a été incapable de répondre à la seule question qui m'importait : Horse était-il encore en vie?

Horse

Comme une impression de sortir de son corps et de flotter. Transpercé de douleur. Le son déformé des voix autour de lui, celui des sirènes. Et puis plus rien. Le noir complet.

D'autres voix. Et la douleur toujours, mais endormie. Horse a ouvert les yeux lentement, sur une pièce complètement floue et une lumière blanche éblouissante. Une femme était à son chevet et lui posait des questions. Il a essayé de lui répondre, de lui donner son nom, mais il était épuisé. Il fallait qu'il dorme.

— Réveille-toi, ducon. Tu vas être en retard pour la grand-messe. Bouge-toi.

Merde! Il n'avait pas dû entendre son réveil.

Horse a ouvert les paupières, avant de cligner des yeux plusieurs fois pour y voir plus clair. Il n'était pas dans sa chambre… Plutôt dans un hôpital. C'était la seule explication logique. Et puis, d'un coup, tout lui est revenu. Il était avec Marie, et on lui avait tiré dessus.

— Et Marie, ils l'ont eue? a-t-il demandé.

Sa voix n'était qu'un souffle. Quelle chochotte! Il n'arrivait même plus à parler. Il ne supportait pas cette fragilité.

— Marie est saine et sauve, a précisé Picnic en entrant dans le champ de vision de Horse. (Horse a étudié son visage pour s'assurer qu'il ne mentait pas.) Elle est en prison pour l'instant. Notre avocat est en train de réunir la caution. Elle devrait déjà être dehors, mais les flics ont la haine parce qu'elle n'a pas voulu cracher le morceau.

— «En prison»? a-t-il répété, dérouté.

— Marie a descendu Max, a poursuivi le président d'un air grave. (Le front de Horse s'est plissé.) Ils ont gardé Ruger, aussi. Il avait les mains pleines de sang, alors ils l'ont arrêté. Il a dû se jeter sur ta copine pour lui arracher son flingue. On se serait crus dans *Pulp Fiction*, mec. Elle était prête à nous tuer pour te sauver, telle Wonder Woman faisant barrage de son corps. J'en bande encore.

— T'es con ! Pourquoi elle aurait tué Max, bordel ? Il était pas là pour régler les choses ?

— Max t'a tiré dans le dos, a répondu Picnic d'un ton bref. Ensuite, il a descendu Jensen. Marie était la suivante sur sa liste. Elle a dit à l'avocat que Max voulait t'achever et qu'elle lui avait tiré dessus. Je ne savais pas qu'elle était GI, ta copine. Je n'aurais jamais cru ça d'elle. Il s'est pris sept balles dans la peau.

— Putain ! a marmonné Horse en laissant échapper un sourire. Bon sang, c'est hallucinant ! Ma copine est une armée de GI à elle seule.

— Sans blague, elle a assuré. Elle a géré le truc, y a pas à dire. Et sinon je voulais te poser une question importante.

— Vas-y.

Picnic s'est penché vers lui et s'est mis à parler à voix basse :

— Les flics ont trouvé tout un tas de papiers. Je n'ai aucune idée de ce qu'il y avait dedans, mais Marie a raconté à l'avocat qu'ils parlaient de virements bancaires. Jensen disait que tout était prévu. On doit s'inquiéter ?

Horse a réfléchi une minute, sourcils froncés.

— J'ai tout modifié quand on a su pour Jensen, a-t-il dit. Pas seulement les mots de passe et autres infos du genre, mais tous les comptes aussi. La totale. Normalement, c'est impossible à retracer.

— Je me demande ce que Jensen voulait dire, pas toi ?

Horse ne se souvenait de rien, tout était encore très confus. L'effet des sédatifs sûrement. Pourtant, il se souvenait d'un détail, encore vague, mais il devinait que c'était important. Oui, ça lui revenait.

— Je sais, a-t-il dit, sourire aux lèvres.

— Qu'est-ce que tu veux dire ?

— J'étais avec Max dans le bureau la dernière fois que j'ai imprimé les numéros de comptes à l'étranger et les listes de contacts. Je t'ai dit que je faisais des faux pour les mettre dans le coffre-fort. J'ai dû m'absenter pour aller pisser un coup, je ne sais plus, en tout cas assez longtemps pour qu'il en fasse une copie. Il a dû s'imaginer qu'il avait touché le gros lot.

— Rassure-moi, mon frère, c'est aussi grave que ça en a l'air ?

Horse a essayé de secouer la tête, mais elle a refusé de bouger.

— C'étaient des faux, je te dis, a-t-il répondu, savourant l'instant. T'as oublié que j'adorais faire mumuse avec les flics? Deux fois par an au moins, je mets à jour tous mes faux comptes en banque et mes faux livres de comptes. Je fais en sorte qu'ils soient le plus réalistes possible, au cas où il y aurait une descente. Histoire de faire tourner en rond les flics pendant des mois. Jensen n'était pas au courant, et Max encore moins. Les comptes qu'il lui a filés ne dépassaient pas 5 000 dollars, juste assez pour appâter les hackers potentiels, tu vois le truc? C'est un petit jeu que j'aime bien, une assurance supplémentaire… Apparemment, ça a fonctionné.

— Mon Dieu! Je sais pas comment te remercier, s'est exclamé Picnic.

— Tu me surestimes, je ne suis qu'un être humain. Même si, en voyant ma bite, les femmes tombent toutes à genoux et me vénèrent comme un dieu.

Picnic a éclaté de rire.

— Tu ne peux pas mourir, c'est clair. Un ego comme le tien, ça ne meurt jamais. Faut que tu t'attendes à une petite visite de la police. Contente-toi de leur dire que tu ne te souviens de rien à part de la soirée. L'avocat est capable de prouver qu'un traumatisme crânien peut aussi faire oublier les heures qui le précèdent. Ta tête a percuté le sol quand tu es tombé. Ils n'auront rien contre toi, et ça va les rendre fous. Je vais appeler une infirmière pour lui dire que tu es réveillé.

— Une seconde. Et les Jacks ? J'ai raté quelque chose ?

— Toujours rien. On va les surveiller. Cette histoire n'est pas terminée. Ça sent la guerre à plein nez. Mais je ne pense pas qu'ils s'en prennent à ta copine. Ils sont trop loin de leur territoire, c'est une perte de temps, surtout si on ne les paie plus.

— Salut, Picnic ! C'est ici qu'on fait la fête ? a lancé Dancer en entrant dans la chambre.

Horse a réussi à rouvrir les yeux et à la regarder. Elle s'est figée, yeux écarquillés, et a laissé éclater un immense sourire avant de se précipiter vers lui. Elle s'est penchée, a fait mine de le prendre dans ses bras, avant de se raviser brusquement avec une grimace. Ça tombait bien. Le moindre contact faisait hurler Horse de douleur, et il n'avait pas envie de faire une overdose d'antalgiques.

— J'aurais tellement voulu assister à ton réveil, Horse. Comment tu te sens ? Il peut parler ?

— Tu ressembles à rien, a dit Horse. T'as des soucis ?

— Mon frère vient de se faire tirer dessus, crétin ! J'ai cru que tu n'allais pas t'en sortir. Marie t'a sauvé la vie. Il te l'a dit au moins ?

— Ouais, a confirmé Horse en refermant les yeux.

Bon sang, il n'avait jamais été aussi crevé !

— Une vraie chochotte, je te dis, a lancé Picnic. (Horse l'a entendu rire dans le lointain.) Il faut

461

que ça soit sa gonzesse qui vienne le sauver. Cette grosse feignasse pouvait même plus bouger son cul tellement il pissait le sang. T'aurais vu l'état de la grange…

Horse allait ouvrir la bouche pour l'envoyer chier, mais il est retombé dans le néant avant que les mots puissent sortir de sa bouche.

Épilogue

Marie

Sur le chemin du cimetière, je suis passée devant notre ancienne école primaire. Jeff et moi, on adorait la cour de récréation. En été, maman nous y déposait avant d'aller bosser à une rue de là. Toutes les deux heures, elle passait voir si tout allait bien. On était fiers qu'elle nous fasse confiance. Encore une fois, sans crier gare, une vague de chagrin et un sentiment de perte me sont tombés dessus.

Il me manquait.

Jeff était paumé, bien plus que je ne l'avais imaginé, mais c'était mon frère, et il était mort sous mes yeux. Les cauchemars, au moins, avaient perdu en intensité. Les premières semaines, j'angoissais à mort chaque fois que je voulais dormir. Toutes les nuits, mon frère venait me hanter et m'accuser de l'avoir tué, cerveau dégoulinant de la bouche.

Heureusement, depuis deux mois, ces cauchemars horribles avaient disparu, et j'étais capable de passer plusieurs jours sans penser à lui.

Mais, aujourd'hui, c'était différent.

Je me suis garée dans le parking et j'ai attrapé mon sac de vêtements. Maman allait hurler, j'aurais dû arriver depuis trois quarts d'heure déjà, mais j'avais été retardée. Lorsque je suis entrée dans l'église, le coordinateur de paroisse m'a fusillée du regard, avant de me conduire précipitamment dans les toilettes à l'étage en dessous. Ma mère était déjà là, comme dans un rêve, dans sa robe de mariage couleur de pêche, qui rappelait la Grèce antique.

— Oh, maman ! me suis-je exclamée, larmes aux yeux. Tu es magnifique. Tu veux que John étouffe sur place en te voyant, c'est ça ?

Son visage s'est assombri à cette idée, et j'ai juré dans ma barbe. Maman était fragile en ce moment, et je ne savais pas très bien comment gérer cette situation. Elle avait toujours été forte et avait survécu aux nombreuses épreuves de sa vie. À présent que j'étais tirée d'affaire, c'était à mon tour d'être forte.

— Il faut que tu t'habilles, a-t-elle dit en s'efforçant de sourire.

D'un petit rire, Joanie, l'esthéticienne qui la suivait depuis toujours, a fait s'asseoir maman pour finir de la maquiller. Ses cheveux, déjà coiffés, arboraient de petits rubans et des fleurs naturelles, en harmonie avec le style de sa robe.

Une heure plus tard nous étions au fond de l'église. Les derniers invités venaient de rentrer, suivis par John, qui s'est installé devant l'autel. La musique a commencé à jouer, et j'ai pris la main de ma mère en la serrant très fort. Carla, la fille de John, avançait devant nous en portant des lis. Elle n'était pas très bavarde, et je ne savais toujours pas ce qu'elle pensait de l'union de nos deux familles. Malgré le côté atypique de la nôtre, j'imagine qu'elle s'en fichait tant que son père était heureux. La marche nuptiale débutait, j'ai pris la main de ma mère pour aller la donner à son futur époux.

Jeff aurait dû être à ma place.

Je me demandais s'il nous voyait, où qu'il soit. J'espérais qu'il se rendait compte que notre mère avait enfin trouvé le bonheur. Ma mélancolie s'est envolée dès que j'ai vu l'expression d'admiration sur le visage de John lorsque nous sommes arrivées devant l'autel. J'ai uni leurs mains et je les ai embrassés tous les deux, en commençant par John. Il me plaisait bien. Et même beaucoup. Il adorait ma mère, et je crois que c'était réciproque.

J'ai reculé d'un pas et j'ai pris la place de la demoiselle d'honneur à ses côtés. Dès que le pasteur s'est mis à parler, je n'ai pas pu m'empêcher de jeter un œil à Horse. Toujours majestueux, il avait accepté de revêtir un smoking assorti à celui que portait l'homme qui se trouvait à ses côtés, Paulson, le fils aîné de John. Je n'en revenais pas qu'il n'ait pas râlé davantage. Cela dit, s'il ne s'était pas fait prier, c'est parce qu'il savait qu'il allait pouvoir me le faire payer à sa guise.

J'ai rougi en repensant à la raison qui m'avait fait arriver en retard tout à l'heure. Horse avait insisté pour que je commence à lui payer son dû.

La réception se déroulait au *Eagles Lodge*, le club dont John était membre de longue date. Quand ils ont ouvert le bal, ils m'ont fait rêver. Chose incroyable, ma mère a réussi à se maîtriser assez pour ne pas bombarder de gâteau son époux. Avec mon père, ils ne s'étaient jamais mariés. C'était une vraie première pour elle. J'imagine que ça ne devait pas déplaire à John d'avoir l'exclusivité.

Horse ne m'a pas lâchée de tout le repas, il me reluquait dès que j'avais le dos tourné, je le sentais. Ça me rendait un peu nerveuse, mais je savais que cet air-là annonçait toujours de très agréables surprises.

La dernière fois qu'il m'avait fait le coup, je m'étais retrouvée en week-end au Canada dans une chambre d'hôtel splendide.

Ou ça annonçait une nouvelle crasse. Pas plus tard qu'hier, il faisait la même tête, juste avant que Maggs me balance un seau d'eau froide du deuxième étage de l'arsenal.

J'étais tranquillement en train de papoter avec Denise quand Horse a surgi de nulle part et m'a jetée sur son épaule. Nous avons traversé la salle sous les sifflets et les bravos. Ma mère hurlait comme une dingue… J'ai senti qu'on aurait une sacrée conversation là-dessus un de ces jours. Il m'emmenait sur le toit comme un vulgaire paquet ! Et j'enrageais. Quand il m'a posée, j'ai vu une couverture recouverte de pétales de rose.

— J'apprécie cet effort de romantisme, Horse, mais je ne te reconnais plus, t'es sûr que ça va ? ai-je demandé d'un air soupçonneux. Ça ne te ressemble pas du tout, bébé.

Il a souri, presque penaud. Un adjectif que je ne pensais jamais associer un jour aux Reapers.

— J'obéis à ta mère, a-t-il admis. Elle n'a pas confiance en moi, elle dit que je suis un gros bourrin. C'était le seul moyen de l'empêcher de nous suivre. Viens.

Il m'a pris la main, et nous avons rejoint la couverture. J'ai eu droit à un baiser d'une douceur extrême, et j'ai cru perdre la tête quand il a mis un genou à terre et posé ma main dans la sienne.

— C'est carrément ringard, je me sens comme un con, s'est-il plaint.

Il allait se relever, mais je l'en ai empêché en m'accrochant à ses épaules pour le forcer à se remettre en position.

— Aïe ! s'est-il exclamé, regard noir.

— C'est pas la mort ! ai-je explosé en lui rendant son regard. Tu veux quand même pas que je sorte mon flingue !

— Putain ! C'est ma réputation qui est en jeu. Déjà qu'à l'arsenal tout le monde dit que je suis à tes pieds… Je suis sûr que ça te fait plaisir, non ?

— Normal. C'est pas ma faute s'il a fallu que je sauve ta peau de gros méchant biker. Tu sais ce qu'on dit des mecs qui…

— Ferme-la, Marie, m'a coupée Horse, exaspéré. Tu vas me laisser parler ou bien… ?

— OK, ai-je répondu, un peu grisée.

C'était peut-être ringard, mais moi, je trouvais ça génial.

— Marie Caroline Jensen, voulez-vous me faire l'honneur d'être ma chienne de garde jusqu'à ce que la mort nous sépare ? a-t-il lancé, avant d'éclater de rire.

Je lui ai donné une claque, et mon pied est parti en direction de son point sensible. Il m'a attrapée et m'a plaquée sur la couverture, toujours mort de rire.

— T'es en train de pourrir ma robe !

— Ta mère avait raison… Je suis un gros bourrin.

— Si tu ne veux pas te prendre un râteau, va falloir que tu prennes sur toi.

— Marie Caroline Jensen, veux-tu m'épouser ? a-t-il lancé d'un trait, les yeux dans les miens.

J'ai fait mine d'hésiter, histoire de le faire mariner. Il le méritait, après m'avoir traitée de chienne. Pour prolonger le supplice, j'ai évité son regard. Son rire s'est arrêté, et il s'est figé.

— Marie ? a-t-il demandé d'une voix tendue. Merde, je suis sur le cul ! Tu peux pas me faire ça, s'il te plaît. Je…

— Oui, ai-je déclaré en le regardant, sourire en coin. Bien sûr que j'accepte, gros bêta, mais seulement parce que tu as dit le mot magique.

— T'as raison, « cul », c'est un mot magique. Et puisqu'on en parle…

J'ai explosé de rire, une seconde à peine, avant que sa bouche s'empare ardemment de la mienne et que je sente son sexe se tendre entre mes cuisses. Et moi qui m'inquiétais pour ma robe !

Il a abandonné mes lèvres le temps de relever ma robe et laissé échapper un grognement de satisfaction lorsqu'il a découvert que je ne portais pas de culotte. Je ricanais en couvrant son visage de baisers alors qu'il s'énervait sur sa braguette. Quelques secondes après, son membre glissait en moi et explorait ma zone humide avec une précision diabolique.

Ses coups de reins infatigables atteignaient des profondeurs insoupçonnées, et je profitais au maximum de ses attributs exceptionnels, jambes autour de sa taille, cambrée à souhait.

— J'arrive pas à croire que tu sois assez conne pour m'épouser, a marmonné Horse, en se relevant.

Il s'est assis et a soulevé mes hanches, et on s'est retrouvés dans une de mes positions préférées. À chaque assaut, son gland venait percuter mon point G avec une puissance folle. Il me rendait dingue, et il le savait, vu l'immense sourire qu'il arborait lorsque j'ai basculé dans le plaisir, gémissante et arquée contre lui. Il m'a rejointe après deux derniers coups de boutoir et s'est répandu au plus profond de moi.

On s'est effondrés ensemble, haletants sous le ciel étoilé et bercés par les sons indistincts des noces, qui arrivaient jusqu'à nous par les fenêtres laissées ouvertes à l'étage en dessous. Après ce qui m'a semblé une éternité, nous nous sommes assis, et j'ai rajusté ma robe, assez chastement si l'on considère que je venais de forniquer comme une bête sur un toit. J'ai ramené mes genoux sous mon menton et les ai entourés de mes bras, regard perdu au loin, dans les lumières de la vallée.

— Pas de regret, j'espère ? a-t-il demandé.

— Aucun, ai-je répondu, rayonnante de bonheur. (J'ai levé la main gauche.) T'as pas oublié quelque chose ?

Horse a souri, d'un air toujours aussi satisfait.

— Non, non, j'y ai pensé.

Il s'est levé pour se diriger vers l'un des systèmes de climatisation installés sur le toit. Il a attrapé un petit sac noir et est venu le poser sur la couverture, avant d'en sortir une boîte.

Une boîte qui paraissait démesurée.

Je l'ai prise d'un air interrogateur. En plus d'être grosse, elle était lourde. Lorsque je l'ai ouverte, j'ai découvert un revolver noir semi-automatique.

— C'est un 38, a-t-il annoncé, fier comme un paon. Je sais que tu kiffes les 22, mais j'ai pensé qu'il était temps de faire évoluer notre relation. Avec un peu de pratique, tu devrais t'y faire. C'est un modèle génial parce qu'il…

— Je te jure que si tu continues à parler, je te descends, ai-je grommelé, carrément vénère.

Un pistolet de fiançailles ! J'aurais dû m'y attendre.

Enfoiré de biker !

— Tu pourrais au moins le sortir de la boîte pour voir ce que ça fait de l'avoir en main.

J'ai haussé les épaules et je l'ai sorti, en me disant que, d'ici à quelques années, il faudrait que je me fasse construire un bunker privé pour stocker toutes mes armes. Mais, lorsque je l'ai pris en main, j'ai découvert une énorme et étincelante bague de fiançailles en argent attachée à la détente par un petit fil. Elle était magnifique, énorme mais pas vulgaire, juste absolument incroyable. De chaque côté, elle était sertie d'un gros saphir et de petits diamants. Je l'ai tout de suite adorée. Horse l'a détachée, et j'ai tendu la main pour qu'il me la passe. Puis, prenant mon menton, il m'a regardée droit dans les yeux.

— Je t'aime, bébé. Toujours envie de me tuer ?

— Je t'aime aussi, ai-je répondu avec un sourire éclatant. Mais, pour ce qui est de te tuer, je n'ai pas encore décidé. Je te le ferai savoir en temps voulu.

— Tu veux qu'on reste sur le toit encore un peu en tête à tête ou tu préfères redescendre montrer à ta mère ta nouvelle bagouze ?

J'ai éclaté de rire, posé la tête sur son épaule, et il m'a enlacée.

— On va penser que je suis très superficielle, mais j'ai quand même envie d'aller me la péter devant tout le monde.

— Ça me va, a-t-il déclaré en m'embrassant sur le front. Faut juste que tu penses à appeler Maggs et Em. J'ai eu du mal à les empêcher de débarquer au mariage. Elles nous organiseront une petite soirée quand on sera de retour à Cœur d'Alene. Picnic a insisté pour que tu lui prépares ta fameuse salade de pommes de terre. Je l'ai envoyé chier en lui disant qu'il n'était pas question que tu cuisines pour ta soirée de fiançailles.

— C'est vrai ?

Il a secoué la tête.

— Ben non. Je lui ai dit que je ferais tout mon possible. J'adore ce truc. C'est le bacon qui fait toute la différence.

— Ma chérie ! a hurlé ma mère en surgissant sur le toit. (John et Denise étaient derrière elle.) Je suis désolée, mais je n'en pouvais plus d'attendre. Alors, raconte-moi ! Il a fait son gros bourrin ?

— Vas-y, cours dans les jupes de ta mère, a soupiré Horse, en levant les yeux au ciel.

Il s'est mis debout, m'a pris la main et m'a forcée à me lever, avant de me donner une claque sur les fesses et de me pousser vers ma mère et son nouveau mari.

— Mais, quand elle en aura fini avec toi, je te ramène chez nous pour fêter ça.

Je me suis hissée sur la pointe des pieds, je l'ai embrassé et j'ai couru rejoindre ma mère pour lui montrer ma nouvelle bague. Le revolver pourrait attendre.

Pour l'instant, en tout cas.

Découvrez aussi chez Milady Romance :

Le 10 juillet 2015

- **Jaci Burton**, Les Idoles du stade, *Le Tour de chauffe*

Ce mois-ci

- **Lindsey Kelk**, *J'aime Hollywood*

Le 10 juillet 2015

- **Camille Adler**, *Le Scénario parfait*